SURDO MUNDO

David Lodge

SURDO MUNDO

Tradução de Guilherme da Silva Braga

L&PM EDITORES

Texto de acordo com a nova ortografia.
Título original: *Deaf Sentence*

Tradução: Guilherme da Silva Braga
Capa: L&PM Editores
Ilustração da capa: Ian Dingman
Preparação: Bianca Pasqualini
Revisão: Elisângela Rosa dos Santos

CIP-Brasil. Catalogação-na-fonte
Sindicato Nacional dos Editores de Livros, RJ.

L796s

Lodge, David, 1935-
Surdo mundo / David Lodge ; tradução de Guilherme da Silva Braga. – Porto Alegre, RS: L&PM, 2010.
328p.

Tradução de: *Deaf Sentence*
Apêndice
ISBN 978-85-254-2018-3

1. Ficção inglesa. I. Braga, Guilherme da Silva. II. Título.

10-1458. CDD: 823
CDU: 821.111-3

Rua Comendador Coruja, 314, loja 9 – Floresta – 90.220-180
Porto Alegre – RS – Brasil / Fone: 51.3225.5777 – Fax: 51.3221-5380

Pedidos & Depto. Comercial: vendas@lpm.com.br
Fale conosco: info@lpm.com.br
www.lpm.com.br

Impresso no Brasil
Outono de 2010

Dedicatória

Ciente de que este romance, do título inglês em diante, apresenta problemas especiais aos tradutores, dedico-o para todos aqueles que ao longo dos anos empregaram seu talento na tradução das minhas obras para as mais diversas línguas, e em especial para aqueles que se tornaram meus amigos pessoais: Marc Amfreville, Mary Gislon e Rosetta Palazzi, Maurice e Yvonne Couturier, Armand Eloi e Beatrice Hammer, Luo Yirong, Suzanne Mayoux, Renate Orth-Guttmann e Susumu Takagi.

D.L.

1

O HOMEM ALTO, grisalho e de óculos em pé junto à aglomeração no salão principal da galeria, inclinado em direção à jovem de blusa de seda vermelha, com a cabeça baixa e apontada para longe do rosto dela, acenando a cabeça com ares de sábio e emitindo murmúrios fáticos de vez em quando não é, como talvez pudesse parecer, um padre de folga persuadido a ouvir uma confissão durante a festa nem um psiquiatra constrangido a oferecer uma consulta grátis; nem tampouco adotou essa postura para espiar pelo decote da blusa dela, embora essa fosse uma vantagem fortuita da situação, e na verdade a única. O motivo para a postura dele é que o salão está repleto de barulhos, de um burburinho que reverbera na superfície do teto, das paredes e do piso, e rodopia ao redor da cabeça dos convidados, levando-os a gritar ainda mais alto para que sejam ouvidos. Esse fenômeno é conhecido pelos linguistas como o efeito Lombard, descrito por Etienne Lombard, que no início do século XX descobriu que os falantes aumentam o esforço vocal na presença de ruído ambiente a fim de resistir às interferências em suas mensagens. Quando muitos falantes são afetados ao mesmo tempo pelo efeito Lombard, eles mesmos passam a ser a causa do ruído, e assim o efeito tem a intensidade aumentada de maneira exponencial. O homem quase enfia o nariz entre os seios da mulher com a blusa vermelha ao levar a orelha direita para junto dos lábios dela, pois há algum tempo o barulho atingiu um nível que o impossibilita de entender mais do que uma ou outra palavra do que ela diz. "Lado" parece ser uma palavra recorrente – ou seria "dado"? E seria "perdido na rua" ou "pedido de ajuda"? Como você pode ver, ele é "duro de ouvido", ou, dito de maneira simples, surdo – não completamente surdo, mas surdo o bastante para tornar a comunicação difícil em muitas ocasiões sociais e impossíveis em outras, como esta.

Ele usa um "aparelho auditivo", um dispositivo digital e caro, com pequenos componentes em plástico bege que se encaixam nas duas orelhas como filhotes de caracol em suas conchas, que conta com um programa para abafar os ruídos de fundo, embora também abafe os sons em primeiro plano, e a um certo nível de decibéis os ruídos de fundo se tornam muito mais altos do que os sons em primeiro plano, como agora. Pouco ajuda que a mulher pareça ser imune ao efeito Lombard. Em vez de elevar a frequência e o volume da voz, como todo mundo no salão, ela segue falando na altura conveniente a uma conversa em uma sala de estar silenciosa ou a um tête-à-tête em uma casa de chá com poucos clientes. Eles estão falando, ou melhor, *ela* está falando há uns dez minutos, e por mais que tente ele não consegue identificar o assunto da conversa. Talvez a arte exposta nas paredes – fotografias coloridas e ampliadas da devastação urbana e de lixões? Ele acha que não, ela não olha nem aponta para as fotos, e a entonação da fala, que ele percebe com muita dificuldade, não segue o padrão declarativo típico do jargão artístico, ou do besteirol artístico, como ele às vezes diz para provocar a esposa. O tom parece ser mais pessoal, anedótico e confidencial. Ele observa o rosto da mulher em busca de pistas. Ela o encara com seus olhos azuis e para de falar, como se esperasse uma resposta. "Entendo", diz ele, ajustando o rosto de modo a parecer contemplativo e solidário, na esperança de que uma das expressões seja adequada, ou ao menos que não nenhuma delas seja grotescamente inadequada ao que ela esteve dizendo. Seja como for, ela parece dar-se por satisfeita e recomeça a falar. Ele não retoma a postura anterior: não faz sentido captar a fala dela com o aparelho auditivo direito enquanto o zunzum da festa entra pelo esquerdo, e se tentasse cobrir o ouvido esquerdo com a mão ele só conseguiria um zunido de microfonia, bem como uma postura um tanto excêntrica. O que fazer então? O que dizer quando ela fizer mais uma pausa? É tarde demais para dizer "*Desculpe, mas não entendi uma palavra do que você disse nos últimos dez minutos*" (a essas alturas já deviam ser quinze). "*Eu sou surdo, sabe... não consigo ouvir nada nessa barulheira!*" Ela perguntaria, com razão, por que ele não a avisara antes, por que a deixara falar, acenando a cabeça e murmurando como se a entendesse. Ela ficaria irritada, constrangida, ofendida, e ele não quer parecer grosseiro. Para começar, ela podia ser uma das clientes de sua esposa, e além do mais era uma pessoa agradável, uma jovem perto dos trinta anos com olhos azuis, pele lisa e clara, cabelos loiros repartidos ao meio e cortados reto, dona de uma bela silhueta – pela fresta ensombrecida entre os seios dela, que mal aparecia pela abertura do decote desabotoado, ele percebia que não haviam sido aumentados artificialmente pelo silicone, nem empinados e empurrados para frente com arame, mas têm a plasticidade trêmula da pele real e solta, com aquela transparência superficial que lembra a porcelana de boa qualidade – e ele não quer causar má impressão a uma jovem atraente que se deu o trabalho de conversar com um velho caquético como ele, mesmo que as chances de um encontro como este voltar a ocorrer fossem mínimas.

Mais uma vez ela interrompe o monólogo e olha para ele com a expressão de quem espera alguma coisa. "Que interessante", ele diz. "Muito interessante mesmo." Tentando ganhar tempo para ver se a tática funcionou, ele leva a taça de vinho aos lábios, apenas para descobrir que ela está vazia e que ele precisa empiná-la em uma posição quase vertical e segurá-la assim por alguns segundos até que a borra do Chardonnay chileno escorra por sua garganta. A jovem observa-o, cheia de curiosidade, como se achasse que ele vai fazer algum truque – equilibrar a taça no nariz, por exemplo. O copo dela ainda está quase cheio, pois ela não tomou um gole sequer desde que começou a falar, e assim ele não pode perguntar se ela aceita mais uma taça, enquanto ir sozinho até o bar ou propor que ela o acompanhe no trajeto parecem opções um tanto deselegantes. Por sorte ela parece apreciar o suplício dele – não o suplício real, a total ignorância a respeito do que ela esteve dizendo, mas a necessidade de mais bebida – e, sorrindo, diz alguma coisa com um gesto em direção à taça vazia, que ele interpreta com uma boa margem de segurança como sendo um sinal de que deve ir ao bar pegar mais vinho. "Acho que é uma boa ideia", diz ele. "Você também quer mais?" Que pergunta idiota – o que ela faria com duas taças de vinho branco, uma em cada mão? E ela obviamente não é o tipo de pessoa que se dispõe a entornar um copo enquanto alguém lhe traz outro. Mas ela sorri outra vez (um sorriso bonito, que revela uma fileira de dentes pequenos, brancos e simétricos), recusa com um meneio de cabeça e, para desespero dele, faz uma pergunta. Ele sabe que é uma pergunta por causa da entonação ascendente e da maneira quase imperceptível como ela abre os olhos um pouco mais e arqueia as sobrancelhas, e sem dúvida é preciso dar uma resposta. "Claro", arrisca ele; e como ela parece satisfeita ele acrescenta, cheio de convicção: "Com certeza". Ela faz mais uma pergunta, à qual ele responde com outra afirmativa, e então, para sua grande surpresa, estende a mão. Sem dúvida ela está indo embora da festa. "Foi um prazer", diz ele enquanto aperta a mão dela. A pele é fria e levemente úmida ao toque. "Como é mesmo o seu nome? Eu não entendi direito com todo esse barulho." Ela repete, mas não adianta: o primeiro nome soa meio como "látex", o que é impossível, e o sobrenome é completamente indecifrável, mas ele não pode pedir que ela repita *outra vez*. "Ah", diz ele, acenando com a cabeça, como se estivesse feliz por ter entendido. "Obrigado pela companhia, a conversa estava ótima."

"Quem era aquela moça loira que estava conversando com você?", Fred me perguntou a caminho de casa. Ela estava dirigindo porque tinha bebido pouco, enquanto eu tinha bebido um bocado.

"Não faço a menor ideia", respondi. "Ela me disse o nome dela, duas vezes até, mas eu não consegui entender. Não entendi uma palavra do que ela disse. O barulho..."

"É por causa do cimento – faz o som reverberar."

"Achei que ela pudesse ser cliente sua."

"Não, eu nunca vi ela antes. O que você achou da exposição?"

"Chata. Insossa. Qualquer um com uma câmera digital pode tirar fotos idênticas. Mas para quê?"

"Eu achei interessante aquele desalento..."

Essa é uma versão resumida da nossa conversa, que na verdade foi mais ou menos assim:

"Quem era aquela moça que estava conversando com você?"

"Quê?"

"Você estava conversando com uma moça loira."

"Eu não vi Moira. Ela estava lá?"

"Não, Moira não. A moça loira que estava falando com você, quem era?"

"Ah. Não faço a menor ideia. Ela me disse o nome dela, duas vezes até, mas eu não consegui entender. Não entendi uma palavra do que ela disse. O barulho..."

"É por causa do cimento."

"Por mim não precisa de aquecimento algum, você sabe que eu estou sempre morrendo de calor."

"Não, eu disse *cimento*. Nas paredes, no chão. Faz o som reverberar."

"Ah..."

(Pausa.)

"O que você achou da exposição?"

"Achei que ela pudesse ser cliente sua."

"Quem?"

"A moça loira."

"Ah. Não, eu nunca vi ela antes. O que você achou da exposição?"

"O quê?"

"A exposição – o que você achou?"

"Chata, insossa. Qualquer um com uma câmera digital pode tirar fotos idênticas."

"Eu achei interessante aquele desalento..."

"O que tem de interessante em alguém sem talento?"

"Desalento, eu achei interessante o desalento. Você está usando o aparelho auditivo, querido?"

"Claro."

"Parece que ele não está funcionando muito bem."

Ela tinha toda a razão. Bati com a ponta da unha no aparelho auditivo direito e só escutei um barulho abafado. A pilha havia acabado sem que eu percebesse. Eu não sabia direito a que altura da festa. Talvez por isso eu não tivesse entendido nada do que a moça loira me disse, mas eu acho que não. Acho que a pilha deve ter acabado quando eu fui ao banheiro, depois que ela foi embora. Lá dentro estava quieto e eu não teria notado a perda de volume, ou então eu a teria atribuído ao relativo silêncio do banheiro quando comparado à cacofonia no salão, e ao voltar para a festa nem ao menos tentei conversar – fiquei apenas fingindo estar interessado nas fotografias, que na verdade não tinham nada de interessante, com desalento, sem talento ou por qualquer outro motivo, e eram apenas banais.

"A pilha acabou", eu disse. "Será que tento trocar agora? No escuro é meio complicado."

"Não, não precisa", respondeu Fred, como ela tem feito nos últimos tempos. Ela entra no meu escritório, digamos, enquanto estou trabalhando no computador, sem o aparelho auditivo porque ele transforma o murmúrio tranquilizador do teclado em um estardalhaço invasivo alto como um velho piano de parede Remington, diz alguma coisa que eu não escuto e então eu preciso decidir em uma fração de segundo se paro a conversa enquanto procuro e coloco o aparelho auditivo ou se tento dar um jeito sem ele, e em geral eu decido dar um jeito, e logo começa um diálogo mais ou menos assim:

Fred: Bu bu bu.

Eu: O quê?

Fred: Bu bu bu.

Eu *(tentando ganhar tempo)*: Aham.

Fred: Bu bu bu.

Eu *(tentando adivinhar o que ela disse)*: Tudo bem.

Fred *(surpresa)*: O quê?

Eu: O que você disse?

Fred: Por que você disse "tudo bem" se não escutou o que eu disse?

Eu: Deixe eu colocar o aparelho auditivo.

Fred: Não, não precisa. Não era nada importante.

Fizemos o resto do trajeto em silêncio. Subi até o meu escritório para trocar a pilha do aparelhinho, ou "aparelho auditivo intra-aural", como o grandiloquente manual faz questão de chamá-lo. Eu gasto uma quantidade incrível de pilhas porque muitas vezes esqueço de desligar meus aparelhos auditivos intra-aurais quando os guardo no estojinho forrado de espuma, e nesses casos, a não ser que Fred escute o zumbido agudo da microfonia que eles produzem e chame a minha atenção, ficam lá até acabarem com as pilhas. Muitas vezes isso acontece à noite, quando os tiro no escritório ou no banheiro antes de me deitar e esqueço-os onde Fred não tem como ouvi-los zunindo como mosquitos. Na verdade, por mais que eu tente evitar, acontece com tanta frequência que às vezes suspeito da existência de um diabrete dos aparelhos auditivos, que os liga outra vez à noite, depois que eu os desligo. Sempre me custa acreditar quando abro o estojinho pela manhã e descubro-os ligados, quando lembro perfeitamente de tê-los desligado. Devo ter algum curto-circuito nas minhas sinapses que me faz ligá-los inconscientemente depois de havê-los desligado, um reflexo do polegar que empurra a gaveta das pilhas até a posição de "ligado" enquanto eu os ponho para dormir em seus pequenos ninhos de espuma sintética. É o efeito Bates, descrito por Desmond Bates, que no início do século XXI descobriu que os usuários desenvolvem uma hostilidade inconsciente em relação aos aparelhos auditivos que os leva a "punir" esses dispositivos, esquecendo-os ligados até que as pilhas acabem. Na verdade é uma autopunição, porque as pilhas são bem caras – seis delas custam quase quatro libras. Elas vêm numa embalagem de plástico transparente dividida em seis compartimentos, engenhosamente montados sobre uma base de papelão em forma de carrossel que, ao ser girada, solta uma pilha nova por uma ranhura no lado oposto. Todas as pilhas vêm com um adesivo plástico para impedir que elas se descarreguem sozinhas

– ao menos é o que eu imagino – que você precisa remover antes de colocá-las no aparelho auditivo. Esses adesivos são muito grudentos e é difícil desgrudá-los dos dedos e se ver livre deles. Tenho uma tendência natural a transferi-los sempre para a superfície mais próxima, então a minha escrivaninha, os meus arquivos, as minhas pastas-arquivo e outros itens de escritório são cobertos por bolinhas marrons, como que manchadas pelas evacuações de algum roedor noturno incontinente. As instruções no verso da embalagem dizem que após remover o adesivo plástico você deve esperar pelo menos um minuto antes de pôr as pilhas no aparelho (não me pergunte por quê), mas muitas vezes levo mais do que isso só para me desgrudar deles.

Depois de trocar a pilha fui até a sala, mas Fred já tinha subido para ler na cama. Eu sabia que era isso o que ela estava fazendo mesmo que ela não tivesse me dito nada porque os casais conhecem os hábitos um do outro sem precisar de informação alguma, o que é ainda mais útil se você for surdo; na verdade, se Fred tivesse me informado verbalmente de suas intenções, o mais provável é que eu as tivesse entendido errado. Eu ainda não queria me deitar porque não consigo ler na cama por mais de cinco minutos sem cair no sono e ainda era muito cedo – eu acabaria acordando de madrugada e ficaria rolando na cama de um lado para o outro, sem querer me levantar no escuro e no frio, mas sem conseguir voltar a dormir.

Pensei em assistir ao *News at Ten*, mas as notícias andam tão deprimentes – bombardeios, assassinatos, atrocidades, fome, epidemias, aquecimento global – que passamos a evitá-las à noite; parece melhor esperar pelo jornal do dia seguinte, no formato mais distante do papel. Voltei ao escritório e conferi meus emails – "Não há novas mensagens"; então resolvi escrever um breve relato da minha conversa, ou melhor, da minha não conversa com a moça na festa para convidados no Centro de Artes, que me pareceu um tanto divertida em retrospectiva, embora tenha sido estressante na hora. Primeiro escrevi como se fosse um diário, depois reescrevi tudo usando a terceira pessoa, no presente; o tipo de exercício que eu costumava dar aos meus alunos nos seminários de estilística. Da primeira para a terceira pessoa, do passado para o presente e vice-versa. Que diferença faz no efeito final? Existe um método mais adequado à experiência real ou qualquer um deles mais interpreta do que representa a experiência? Justifique.

Na fala as opções são mais limitadas – embora Daniel, meu enteado-neto, filho de Marcia, ainda não saiba. Ele tem dois anos, dois anos e meio, e tem um bom vocabulário para essa idade, mas sempre se refere a si mesmo usando a terceira pessoa do presente. Quando alguém diz que é hora de ir para a cama, ele diz, "Daniel não está cansado". Quando eu digo "dá um beijo no vovô", ele diz, "Daniel não dá beijo no vovô". Os pronomes são difíceis para as crianças, é claro, porque são *shifters*, como nós do ramo costumamos dizer; o significado deles depende de quem os usa: "você" se refere a você quando eu falo, mas a mim quando você fala. Assim, o uso correto dos pronomes é um dos últimos estágios na aquisição da linguagem, mas o uso exclusivo que Daniel faz da terceira pessoa na idade dele é pouco comum. Marcia ficou preocupada e me perguntou se isso poderia ser sintoma de alguma coisa, como autismo, por exemplo. Perguntei se ela se referia a si mesma na terceira pessoa ao falar com Daniel, dizendo "A mamãe está cansada" ou "A mamãe tem que fazer a janta", e ela respondeu que às vezes sim. "Você está dizendo que é minha culpa?", ela me perguntou em um tom meio ressentido. "Estou dizendo que ele faz o que você faz", respondi. "Mas não tem nada de errado. É só uma fase." Assegurei-lhe que as frases de Daniel eram muito bem-formadas para uma criança tão nova e que eu tinha certeza de que em breve ele aprenderia a usar os pronomes. Na verdade eu acho fascinante o jeito como ele diz "Daniel está cansado", "Daniel não arruma", "Daniel está com vergonha hoje", com um claro intervalo para pensar antes de falar. É de uma gravidade e de uma formalidade dignas da realeza, como se ele fosse um pequeno príncipe ou delfim. Eu o chamo de Daniel Delfim. Mas os pais jovens da classe média andam muito alarmados; eles têm acesso a tanta informação na mídia sobre tudo o que pode haver de errado com os filhos – autismo, dislexia, transtorno do déficit de atenção, alergias, obesidade e assim por diante – que acabam em um estado de pânico constante, observando as crias com olhos de águia em busca do menor sinal de aviso. E isso é contagioso: estou muito mais ansioso em relação ao bebê que Anne está esperando do que eu me senti em relação a todas as gestações de Maisie. Trinta e sete é tarde para ter o primeiro filho.

2

PRIMEIRO DE NOVEMBRO, *2006.* Gostei de escrever aquele relato na noite passada e hoje de manhã eu o reli. À medida que a comunicação aural-oral se torna mais difícil, o controle total que tenho sobre o discurso escrito se torna mais atraente, sobretudo quando o assunto é surdez. Então vou me deixar levar um pouco.

Eu descobri que estava ficando surdo uns vinte anos atrás. Aos poucos fui percebendo que era cada vez mais difícil entender o que os alunos diziam, em especial nos seminários, que sempre tinham de doze a vinte pessoas sentadas ao longo de uma mesa comprida. Eu achava que era porque eles balbuciavam – o que muitos fazem mesmo, seja por timidez, nervosismo ou medo de parecer taxativo diante dos outros –, mas isso não me atrapalhava quando eu era mais jovem. Pensei que minhas orelhas pudessem estar entupidas de cera e então fui ao médico. Ele examinou o meu ouvido com um instrumento óptico gelado, de aço, disse que não via acúmulo nenhum e que seria melhor eu passar no departamento de otorrinolaringologia do hospital universitário.

Lá eu fiz um audiograma: você põe uns fones de ouvido e segura um negocinho com um botão que você aperta quando ouve um som. O audiólogo opera o aparelho de um lugar onde você não o enxerga, então é impossível trapacear – não que fizesse sentido, mas, enfim. Os sons não são palavras nem fonemas, são só uns bipes que vão ficando mais baixos ou mais agudos até que você não consegue mais ouvi-los, como os gritos de um pássaro que sobe rodopiando aos céus. Philip Larkin descobriu que estava ficando surdo quando caminhava pelas ilhas Shetland com Monica Jones e ela fez um comentário sobre o lindo canto das cotovias; então ele parou e escutou, mas não conseguiu ouvir nada. É bastante pungente um poeta descobrir que está surdo desse jeito, ainda mais quando você pensa na *Ode a uma cotovia* de Shelley, um dos poemas que todo mundo aprende de cor na escola, ou ao menos aprendia até que a teoria educacional decidisse que não era bom memorizar versos. E ainda por cima um poeta chamado *Larkin* – é de um humor quase mórbido ver a surdez e a comédia lado a lado, como sempre.

A surdez é cômica como a cegueira é trágica. Tomemos Édipo como exemplo: imagine que, em vez de furar os olhos, ele furasse os tímpanos. Na verdade faria bem mais sentido, já que foi através dos ouvidos que ele descobriu a terrível verdade enterrada em seu passado, mas o efeito catártico não seria o mesmo. Talvez despertasse compaixão, mas não terror. Ou então o Sansão de Milton: "*Escuro, escuro, em meio ao sol diurno, / Escuro eterno, eclipse total / para o qual não há manhã.*" Que desespero plangente! "*Sou surdo, surdo...*" não tem o mesmo *páthos*. Como haveria de continuar? "*Sou surdo, surdo, em meio ao som diurno, / Sou um surdo eterno, um mouco total / para o qual não há barulho.* Não, não.

Claro, pode-se argumentar que a cegueira é mais grave do que a surdez. Se eu tivesse de escolher entre as duas coisas, reconheço que eu ficaria com a surdez. Mas as duas não se distinguem apenas no grau de privação sensorial. Em termos culturais e simbólicos, a cegueira e a surdez são antíteses.Trágico *versus* cômico. Poético *versus* prosaico. Sublime *versus* ridículo. Uma das expressões mais fortes para afirmar alguma coisa é "vi com estes olhos que a terra há de comer" (muito mais contundente do que "juro que vi" – experimente na próxima vez que algum chato duvidar de você). "Ouvi com estes ouvidos que a terra há de comer" simplesmente não dá certo. Ou imagine se Ben Jonson tivesse escrito "*Beba para mim só com as tuas orelhas*".... Na verdade não seria menos lógico do que escrever "*Beba para mim só com os teus olhos*", como o poeta fez. As duas metáforas são conceitos igualmente impossíveis, e de fato uma orelha é bem mais parecida com uma taça do que um olho, e em teoria é possível beber, ou ao menor chupar o líquido de uma orelha, desde que não seja a sua própria... Mas não é nada poético. "*Smoke gets in your ears*" também não daria um bom refrão. Se a fumaça entra nos seus olhos quando uma chama se apaga, ela deve entrar nos seus ouvidos também, mas você nem percebe e isso não faz você chorar. "*Estou de ouvido em você*" não tem o mesmo impacto da contrapartida visual.

Os cegos têm *páthos*. As pessoas que enxergam se condoem, param o que estão fazendo para ajudá-los, oferecem ajuda para atravessar a rua, avisam sobre obstáculos, alisam o pelo dos cães-guia. Os cães, as varetas e os óculos escuros são sinais visíveis da deficiência dos cegos, que despertam um sentimento instantâneo de solidariedade. Nós, surdos, não temos nenhum sinal visível que desperte a compaixão alheia. Nossos aparelhos auditivos são quase invisíveis e não temos nenhum animal adorável para cuidar de nós. (Qual seria o equivalente de um cão-guia para um surdo? Um papagaio empoleirado no ombro, que repetisse tudo o que os outros dizem bem perto do seu ouvido?) Os outros não percebem que você é surdo até que tenham tentado se comunicar com você por algum tempo e fracassado, quando então ficam irritados em vez de solidários. A Bíblia diz: "Não amaldiçoarás ao surdo, nem porás tropeço diante do cego" (Levítico, 19:14). Só mesmo um sádico para querer derrubar um cego, mas até Fred de vez em quando larga um "puta merda!" quando não consegue falar comigo. Profetas e visionários às vezes são cegos – como Tirésias, por exemplo –, mas jamais surdos. Imagine fazer uma pergunta à Sibila e ouvir como resposta "Como? O quê?".

A competição entre os dois órgãos é muito injusta. Os olhos são as janelas da alma; expressam sentimentos, têm cores e tonalidades sutis e atraentes, ficam marejados de lágrimas, brilham, cintilam e luzem. As orelhas, bem, elas têm um jeito meio esquisito, ainda mais quando são de abano; viradas em pele e cartilagem, cobertas de pelo e cheias de cera, não chega a ser uma surpresa que as mulheres, e também os homens de certas sociedades e períodos, pendurem brincos nos lóbulos para afastar o olhar deste buraquinho peludo que vai até o cérebro. Para que mais serve o lóbulo da orelha, afinal? Talvez ela tenha evoluído da seguinte forma, essa abinha de pele molenga: as pessoas pré-históricas que tinham espaço suficiente para pôr um brinco na borda inferior da orelha tinham alguma vantagem no acasalamento, e assim eram escolhidas. Mas não seria vantagem nenhuma se as orelhas não desempenhassem a função primordial delas.

De todas as velhas duras de ouvido,
Igual a Eleanor Spearing não terá havido!
Em sua cabeça, nos lados,
Enxertos grudados
Davam abrigo a dois brincos dourados,
Mas aquelas orelhas, na trela com amigos,
Ouviam não mais que as dos livros antigos.

Thomas Hood, "A história de uma corneta". Não é tão elegante quanto Larkin – mas Larkin não escreveu nenhum poema sobre a surdez, ao menos não que eu saiba. Talvez ele achasse o tema deprimente demais, embora tenha escrito muita coisa sobre outros assuntos deprimentes. Acabo de reler a anedota das cotovias na biografia escrita por Andrew Motion. Foi em 1959, então Larkin tinha apenas 37 anos. Motion escreve: "*Nos anos seguintes, à medida que sua audição piorava, Larkin sentia-se cada vez mais isolado, preso em um corpo inútil, ridículo e patético... a surdez agravou ainda mais sua melancolia.*" Ah, eu sei, eu sei. Eu era um pouco mais velho quando descobri, aos quarenta e poucos, mas eu teria mais tempo à frente para me sentir ridículo e patético.

Depois do exame fui ver o dr. Hopwood, o otorrinolaringologista – um sujeito robusto, careca e de bigode com um jeito meio perturbado, sem dúvida por conta da longa fila de pacientes sentados em cadeiras plásticas no corredor externo. Era um dia quente, e ele havia tirado o casaco do terno risca de giz azul-escuro e estava sentado usando apenas o colete atrás de uma escrivaninha atulhada de coisas. Ele me mostrou os gráficos que o audiólogo tinha feito, um para cada ouvido. Eles pareciam aqueles mapas celestes, cheios de constelações, com linhas retas que uniam os bipes, representados por pequenas cruzes. O desenho era praticamente igual para as duas orelhas. Hopwood me explicou que eu sofria de surdez de alta frequência, a forma mais comum do que se costuma chamar de "surdez adquirida" (para distingui-la da surdez congênita), causada pela perda acelerada das células capilares do ouvido interno que convertem as ondas sonoras em mensagens ao cérebro. Todo mundo começa a perder essas células assim que nasce, mas nós temos umas 17 mil em cada ouvido, muito mais do que precisamos, e a audição só fica comprometida com a perda de mais de trinta por cento delas, o que acontece na maioria das vezes por volta dos sessenta anos, mas em outros casos, como no de Philip Larkin e no meu, muito antes.

Os motivos são vários. O mais comum é um trauma: exposição a barulho excessivo – armas de fogo, por exemplo. Muitos soldados da artilharia sofrem com surdez de alta frequência quando ficam mais velhos, especialmente os que não usam protetores auriculares; o mesmo vale para trabalhadores em ambientes industriais muito ruidosos. Eu não fui exposto a nenhum fator ocupacional. Adiei o serviço militar até que eu tivesse terminado o doutorado, quando o serviço também já tinha acabado, e nunca trabalhei numa fábrica. Quando eu fui a uma conferência em São Francisco, no final dos anos 60, assisti a um concerto de rock no Fillmore West, só por curiosidade (a minha praia era o jazz moderno, Brubeck, MJQ, Chico Hamilton, Miles Davis) e também porque um colega tinha me dito que o lugar era famoso e que ele ia, então resolvi ir junto. Não lembro o nome do grupo que tocou, mas o som era alto a ponto de fazer os ouvidos doerem. Eu me afastei do palco tanto quanto pude e depois de meia hora fui embora porque eu não aguentava mais, e os meus ouvidos ficaram zumbindo por toda a noite. Perguntei a Hopwood se poderia ser esta a causa do dano e ele respondeu que era um tanto improvável por se tratar de um caso isolado, embora festeiros e roqueiros regulares estivessem em maior risco por causa da música excessivamente alta. Talvez seja uma deficiência genética, mas eu não conheço nenhum caso de surdez prematura na minha família. Papai é quase tão surdo quando eu, mas aos 89 anos ele tem todo o direito. Na minha idade, acho que ele não tinha problema nenhum. Na verdade ele trabalhou até os setenta e vários, tocando em algumas festas de sábado à noite nos clubes à moda antiga que ainda apostavam em danças de salão e bandas de músicos idosos, enquanto o resto do mundo se chacoalhava e enlouquecia nas discotecas. Pensando melhor, talvez ser um pouco surdo não seja um grande problema para quem toca nessas bandas – talvez seja até uma vantagem.

Mas, se não foi traumática e também não é genética, a causa mais provável para a minha surdez é alguma doença da infância, um vírus ou uma infecção auricular que tenha causado danos irreversíveis às minhas células capilares. Mais tarde, Mamãe disse que eu tinha dores de ouvido constantes quando era pequeno. "Você teve mastoidite", disse ela – na época, pensei que era uma palavra feia e sinistra, e hoje ela me parece ainda pior. E não existiam antibióticos no início dos anos 40. Enfim, a causa da minha surdez é de interesse meramente acadêmico (é curioso que "acadêmico" possa significar "inútil"), porque ela é incurável. Foi o que Hopwood me disse. "O seu caso não tem cura", afirmou com grande alegria. "E além disso tende a piorar – mas muito lentamente. O senhor também vai passar a escutar menos em todas as outras frequências à medida que envelhece." "Então", perguntei, "vou acabar surdo que nem uma porta?" "Não, não como uma *porta*", respondeu ele, franzindo um pouco o cenho, como se eu houvesse acabado de inventar uma metáfora excessivamente dramática. "Em tese o senhor pode perder até noventa por cento da audição, mas seria uma sorte e tanto viver até lá. Eu não me preocuparia. Arranje um aparelho auditivo. O senhor vai ver que ajuda muito."

Ganhei o meu primeiro aparelho do Serviço Nacional de Saúde, um dispositivo desajeitado, com duas partes: uma do tamanho de um gomo de tangerina, que ficava atrás da orelha com o microfone, o amplificador, a pilha, os controles e o tubinho plástico transparente que transportava o som até a outra parte – um molde plástico transparente, feito sob medida, que ficava dentro do ouvido. Pôr tudo no devido lugar é uma tarefa ingrata e o aparelho fica bem visível, a não ser que você deixe o cabelo crescer até tapar as orelhas – o que seria fácil nos anos 60, mas um tanto excêntrico em plena década de 80. Além do mais, se você usa óculos, como eu, o espaço atrás das suas orelhas fica um tanto exíguo. As hastes do óculos às vezes amassam o tubinho plástico e cortam o som, e ao tirar os óculos você pode tirar o aparelho auditivo junto sem querer. Uma vez tirei os óculos de grau na rua para pôr os óculos de sol e o aparelho auditivo voou pelos ares até aterrissar no meio da rua, onde foi atropelado por uma van da Parcelforce. O Serviço Nacional de Saúde teria me dado outro, mas eu decidi resolver o assunto por mim mesmo e comprar um aparelho intra-auricular, que na época era novidade – um pequeno milagre da microengenharia, que encerrava todos os componentes em um dispositivo pouco maior do que um protetor auricular. Mas esses aparelhinhos também pregam peças em você por serem tão pequenos. Há um ou dois anos, enquanto Fred dirigia o carro, tirei um dos aparelhos para trocar a pilha e derrubei-o entre o assento e a porta. Estávamos em uma autoestrada, então Fred não tinha como parar. Tateei embaixo do meu assento em busca do aparelhinho e senti-o na ponta dos dedos, mas sei lá como ele conseguiu se enfiar na canaleta de metal em que o banco desliza e sumiu debaixo do assoalho. No dia seguinte levei o carro a uma oficina e lá precisaram desmontar o todo o banco e também uma parte do assoalho para resgatar o aparelho, que estava no chassi. O balconista tinha um sorriso que ia de orelha a orelha quando me apresentou a conta e, dentro de um saquinho transparente, o aparelhinho plástico, que veio com a impressão digital do mecânico carimbada em óleo. "Foi o nosso primeiro serviço desse tipo", disse ele. Gastei 85 libras, mas eu não tinha outra opção, já que um aparelho novo custa mais de mil. Agora eu uso dois, um em cada orelha. Antes eu precisava de um só. Meu relacionamento com os aparelhos auditivos tem progredido em termos de custo e avanços técnicos.

O primeiro aparelho intra-auricular que eu comprei tinha um controle de volume que você girava com a ponta do indicador, como se estivesse apertando um parafuso dentro da cabeça, mas com o passar dos anos eles foram ficando mais sofisticados, e o último que comprei é digital, tem três programas diferentes (ambientes silenciosos, ambientes barulhentos e bobina telefônica) e se ajusta automaticamente aos dois primeiros ou então manualmente graças um controle remoto escondido no meu relógio (tudo muito James Bond). Infelizmente parece que a tecnologia estacionou e é improvável que surjam grandes melhorias no futuro próximo. Um ou dois anos atrás eu li um artigo de jornal que me fez ver uma luz no fim do túnel, sobre pessoas que recuperaram a audição graças a novas técnicas de implante cirúrgico, mas o meu médico explicou que o procedimento só funcionava com um outro tipo de surdez, chamada de otosclerose, em que um dos ossinhos do ouvido médio que transmite vibrações ao ouvido interno se enrijece – mas agora já pode ser substituído por uma prótese artificial. Ele se informou melhor e descobriu que estão fazendo testes com implantes no ouvido interno, mas os resultados ainda são muito limitados e o paciente precisa estar em condições muito precárias para que valha a pena correr o risco. Em suma, minha surdez não tem cura, como Hopwood já tinha me dito vinte anos atrás.

Assim que ele disse "surdez de alta frequência" eu soube que estava em apuros. "Então é por isso que eu não escuto as consoantes", disse eu. "Isso mesmo", respondeu ele, com uma expressão de surpresa. "Como o senhor sabia?" "Eu sou linguista", respondi. "Ah, é? Quantas línguas o senhor fala?" "Só a nossa", respondi. (Este é um engano clássico.) "Eu estudo linguística. Linguística aplicada, para ser mais exato." "Então o senhor entende qual é o problema?", ele me perguntou.

Eu entendia. As consoantes são produzidas em frequências mais altas do que as vogais. Eu podia – e ainda posso – ouvir perfeitamente as vogais. Mas é das consoantes que dependemos para distinguir as palavras umas das outras. "*Você disse* porco *ou* porto?", *perguntou o Gato.* "*Eu disse* porco", *respondeu Alice.* Talvez o Gato de Cheshire fosse um pouco surdo: ele não sabia ao certo se Alice tinha usado uma oclusiva velar ou uma oclusiva linguodental na primeira vez em que Alice pronunciou a palavra, mas, sendo uma garotinha muito bem-educada da classe média vitoriana, sem dúvida ela falou com uma dicção claríssima. "T" é uma consoante linguodental porque, para produzir o som que ela representa, você encosta a língua na parte posterior dos dentes frontais, o que bloqueia completamente a passagem do ar. Daí a classificação "oclusiva": você não pode prolongar um *t* da mesma maneira que pode prolongar um *ffffffffffffffffffffffff*, embora eu não consiga imaginar o que levaria alguém a fazer uma coisa dessas (a não ser que você começasse a dizer "foda-se" e depois mudasse de ideia). Eu entendo um pouco de fonética, embora não seja a minha área.

Uns anos atrás eu estava em uma festa, não tão barulhenta quanto a da noite passada, mas ainda assim barulhenta, e escutei um homem falar entusiasmado sobre um livro que ele estava lendo, chamado *A má audição em família.* Parecia o livro ideal para mim: uma espécie de manual de autoajuda, imaginei, mas não quis me intrometer na conversa para pedir os detalhes bibliográficos. O homem estava conversando com uma garota que olhava fundo nos olhos dele, cheia de admiração, ao mesmo tempo em que acenava sem parar com a cabeça, e acabou indo embora (com a garota) antes que eu pudesse abordá-lo. No dia seguinte fui até a Waterstone's para ver se eu encontrava o livro. "O senhor sabe quem é o autor?" "Acho que é Daniel", respondi. Na verdade era Dashiell, Dashiell Hammett, e o livro era um romance policial chamado *Maldição em família.* Muitas vezes só o contexto permite que eu distinga "má audição" de "maldição", e em outras as palavras parecem intercambiáveis. A má audição não deixa de ser uma espécie de maldição, uma maldição que precede o longo silêncio onde todos nós por fim acabaremos. "*A todo homem nesta terra, / A má audição da morte alcança*", poderia ter escrito Macaulay. Mas Dylan Thomas não teria escrito que "*Depois da primeira surdez, não há outra*". Há muitas outras – estágios da deterioração auditiva que, como uma longa escadaria, descem até as profundezas do túmulo.

Down among the deaf men, down among the
[deaf men,
Down, down, down, down;
Down among the deaf men let him lie!

3

2 DE NOVEMBRO. Uma coisa estranha aconteceu hoje pela manhã. Eu estava sentado à mesa com as sobras do café, de roupão, lendo o jornal. É uma das poucas vantagens da aposentadoria que eu aprecio de verdade, o café da manhã demorado, a leitura do *Guardian* sem a menor pressa, com a terceira xícara de chá... Depois disso o dia tende a se arrastar. Fred entrava e saía da cozinha, já vestida, enquanto se aprontava para sair. Ela tinha hora com a manicure antes de ir para a loja. Eu sabia porque estava usando o aparelho auditivo. Na verdade prefiro não usá-lo durante o café porque ele amplifica os sons dos cereais e das torradas no interior da minha cabeça com um resultado que lembra dinossauros estraçalhando ossos em som *surround*, mas quando acordamos juntos eu aguento, em nome da harmonia matrimonial. Fred estava fazendo uma lista de compras para mim quando o telefone tocou. "Você atende, querido?", ela perguntou. Muitas vezes Fred me chama de "querido", embora nem sempre com afeto. De fato eu não conheço ninguém que consiga pronunciar um termo afetivo com tantas notas de hostilidade, incluindo impaciência, reprovação, pena, ironia, incredulidade, desespero e tédio. Mas dessa vez era um "querido" um tanto interesseiro.

"Você sabe que não é para mim", suspirei, dobrando o jornal e pondo-me de pé a contragosto. Eu estava no meio de um artigo bem interessante, embora um pouco deprimente, sobre a população de idosos nos países desenvolvidos, que combinam altas expectativas de vida, graças aos avanços da medicina, com uma capacidade cada vez menor de aproveitá-la por conta da deterioração física e mental. "Ninguém liga para *mim* a esta hora da manhã", eu disse. Na verdade, quase ninguém me liga a hora alguma desde que eu me aposentei.

"Se for Jakki, diga que estou ocupada. E diga que eu vou me atrasar porque antes vou fazer as unhas", disse Fred, fazendo uma careta ao olhar para a lista de compras. Jakki é a sócia de Fred, e uma das inúmeras coisas que me irrita nela é a propensão a fazer ligações telefônicas desnecessárias. Outra é o jeito como se escreve o nome dela.

Retirei o telefone de parede do gancho e levei-o até o ouvido, o que resultou em uma microfonia instantânea. Eu sempre esqueço que telefones comuns fazem microfonia se você está usando um aparelho auditivo, ou então esqueço que estou usando o aparelho quando atendo telefones comuns. O que teria acontecido hoje de manhã? Não sei. Arranquei o aparelho do meu ouvido direito e na pressa o deixei cair, exclamando "Merda!" quando ele caiu no chão. Na última vez em que deixei cair um aparelho auditivo, o resultado foi perda total. O seguro cobriu, mas se eu registrar outro sinistro de mil libras a companhia pode se negar a renovar a apólice. Por sorte, o aparelho parecia não ter sofrido nenhum dano: ele assoviou na palma da minha mão quando o juntei, indicando que continuava a funcionar normalmente. Desliguei-o, guardei-o no bolso do roupão e levei o fone ao meu ouvido desobstruído. Percebi que Fred me olhava impaciente, como a professora de um garotinho que sofre de falta de jeito crônica. "Alô", eu disse, enfim.

"É assim que o senhor costuma atender o telefone?", perguntou uma fraca voz feminina. "'Merda' e depois 'alô'?"

"Não, me desculpe", eu disse. "Eu derrubei o – eu derrubei uma coisa aqui bem quando eu... Jakki, é você?"

"Não, é..."

Não entendi o nome. "Desculpe – quem?"

Ela disse alguma coisa que soava como "látex".

Eu respondi: "Só um pouco, este telefone não está bom, vou pegar o do escritório. Um segundo." No escritório, tenho um telefone especial para surdos. Você pode usá-lo com o aparelho auditivo no modo de bobina telefônica, e pode até aumentar o volume se precisar. Desliguei o telefone da cozinha e saí em direção à porta.

"Quem é?", perguntou Fred.

"Não sei – mas não era Jakki."

"Você desligou na cara da pessoa, querido." (Este foi um "querido" levemente sarcástico.)

"Não desliguei, não." Eu já tinha explicado antes – que as duas pessoas precisam desligar para interromper a ligação – mas Fred não acredita em mim.

"Enfim, se for pra mim e se for urgente você liga para o meu celular", disse Fred. "Eu preciso sair nesse instante. Vou deixar a lista aqui em cima." Fred ainda falou alguma coisa sobre melões, que eu não entendi porque estava com um único aparelho auditivo e já quase fora da cozinha, de costas. Rezei para que não fosse importante.

Sentei-me junto à escrivaninha, coloquei o aparelho no ouvido direito, ajustei-o para o modo bobina telefônica e peguei o fone. "Alô", disse eu.

"Ah, achei que o senhor tivesse desligado na minha cara", disse a voz. O som ainda estava muito baixo, então eu aumentei o volume.

"É verdade. Desculpe a confusão. Eu tenho um problema auditivo que me atrapalha para falar ao telefone. Acho que não entendi direito o seu nome."

"É Alex. A gente se conheceu na galeria do Centro de Artes, na noite da exposição." Ela tinha um sotaque americano.

"Ah, claro, eu me lembro."

"Mas o senhor não lembrou do nosso encontro."

"Que encontro?", perguntei, sentindo um princípio de pânico.

"O senhor tinha ficado de me dar umas dicas sobre a minha pesquisa."

"É mesmo? Onde? Quando?"

"O senhor não lembra de *nada*?", perguntou ela, com uma aspereza um tanto compreensível.

"Olhe, para ser honesto, eu não entendi muita coisa. O salão estava muito barulhento por causa do concreto e, como eu disse, eu tenho um problema auditivo..."

"Sei."

"Mil desculpas. Sei que pode ter parecido uma grosseria, mas..."

"Tudo bem, está desculpado. Quando podemos nos encontrar? Amanhã?"

Expliquei que eu não poderia encontrá-la no dia seguinte porque eu iria a Londres visitar o meu pai, e depois já seria fim de semana, e ela já tinha compromisso na segunda, então marcamos de nos encontrar na tarde de terça, às três horas.

"No mesmo lugar?", perguntou ela.

"Que lugar era?"

"O café do Centro de Artes", ela respondeu.

"Lá é muito barulhento", eu disse. "O piso azulejado e aquelas mesas de fórmica... Que tal a universidade? A sala dos professores no –"

"Não, não quero que a gente se encontre na universidade", disse ela, interrompendo-me com uma ênfase bem marcada. "Se o senhor prefere um lugar mais calmo, eu moro num apartamento a poucos minutos do Centro de Artes."

Enquanto eu pesava os prós e contras dessa proposta ela me deu o endereço, e eu o anotei.

"Sobre o que é a sua pesquisa?", perguntei.

"Esse seu problema é bem grave, hein? Eu conto outra vez na terça", disse ela, e então desligou.

Quando voltei para a cozinha, Fred já tinha saído. Pus a chaleira no fogo, preparei o chá, servi mais uma xícara e peguei mais uma vez o *Guardian*, mas não consegui me concentrar no artigo sobre o envelhecimento nem em coisa alguma. Marshall McLuhan uma vez disse (McLuhan! Só isso já entrega a minha idade) que não lemos jornais de maneira sistemática e ordenada, como os livros, mas que *passamos os olhos* por eles, saltamos de uma coluna à outra e logo de volta à primeira, mas os meus olhos saltitavam por toda a parte, e as minhas mãos folhearam as páginas sem parar até que eu me peguei lendo a contracapa, uma página inteira anunciando conexões banda larga baratas, sem saber o que tinha vindo antes. A ligação havia me perturbado por diversas razões. Foi algo totalmente inesperado; e ter marcado um encontro com aquela mulher para discutir a pesquisa dela sem ter a menor ideia do que eu estava fazendo não só era muito constrangedor como também evidenciava o grau deprimente da minha surdez. Que tipo de pesquisa poderia ser? Eu imaginei que teria a ver com linguística. Mas como ela sabia que essa era a minha especialidade? Eu não lembrava de ter dito nada a respeito. Não lembrava sequer de ter dito o meu nome, embora eu deva ter dito, já que ela descobriu o meu número. Nós estamos na lista telefônica e só tem um "Bates, D.S., Prof.".

Percebi que Fred havia saído sem saber quem estava na linha, e agora mesmo, enquanto escrevo estas linhas no escritório, percebo que ela ainda não sabe. Se ela tivesse perguntado quando voltou hoje à tarde eu teria dito, claro, mas ela não perguntou. Ela perguntou se eu tinha lembrado do melão gália. Eu disse "Não, eu trouxe um cantaloupe... estavam em promoção, dois pelo preço de um." Esta foi a minha desculpa, inventada no calor do momento: fingir que eu tinha desobedecido às instruções dela por motivos econômicos, quando na verdade eu não tinha ouvido a instrução, que imaginei ter sido "*Só traga o melão se for Gália*". Fred disse: "Nós não precisamos de *dois* melões, querido, porque não vamos conseguir comer os dois antes que um deles estrague, ainda mais cantaloupes." Sem dúvida ela tinha esquecido a ligação pela manhã, e no mau humor que se instaurou após essa pequena disputa a respeito dos melões eu não me preocupei em lembrá-la, nem em dizer quem havia ligado. De fato, eu soube quem era assim que ouvi a voz no telefone pronunciar um nome que soava como "látex", mas quando Fred perguntou "Quem é?" enquanto eu ia até o escritório para atender eu respondi "Não sei". Por quê? Porque eu não tinha mesmo certeza? Ou porque eu queria descobrir por que "látex" estava ligando e ter algum tempo para pensar antes de contar para Fred? Bem, eu tive o dia inteiro para pensar e ainda não contei para Fred. Parece que acabei meio comprometido ao marcar um encontro no apartamento onde a mulher mora – não que ela tenha segundas intenções comigo (não tenho a menor ilusão quanto a isso), mas, qualquer que seja o favor que pretende pedir, vai ser mais difícil recusá-lo na casa dela do que em território público, neutro – e afinal de contas o café do Centro de Artes nem deve ser tão barulhento à tarde. Eu poderia ligar de volta para mudar o lugar do encontro se eu tivesse o número dela – mas eu não tenho, e tampouco tenho como descobrir. Tentei ligar para o 1471, mas recebi a mensagem de "*O número deste usuário não pode ser informado*".

Afora esse pequeno episódio inquietante, foi um típico dia de aposentado. Fui fazer compras no Salisbury's pela manhã. Quando terminei de esvaziar as sacolas e guardar tudo, almocei (sopa de aspargo Covent Garden, pão e queijo com salada e de sobremesa uma maçã) e escutei *The World at One* na Radio Four. Só posso escutar rádio na cozinha quando estou sozinho, porque o volume precisa estar muito alto. Então me sentei na sala com o caderno G2 do *Guardian*, que eu costumo guardar para ler depois do almoço, e cochilei por meia hora, como eu quase sempre faço. Depois fui até a universidade fazer exercícios e, no escritório da faculdade de Letras, conferi o meu email, onde descobri o catálogo de uma editora, um convite para a aula inaugural de um novo professor de Teologia, intitulada "O problema da oração peticionária", e um pedido de doação para um órgão de caridade que estava arrecadando dinheiro para ajudar vítimas de terremotos. Tomei uma xícara de chá na sala dos professores e li a *TLS* da semana anterior, olhando para cima cada vez que as portas rangiam com a entrada de alguém, mas não vi nenhum conhecido meu. Era o meio da tarde, quando a maioria das pessoas estava dando aulas ou assistindo a reuniões. Havia apenas alguns velhotes aposentados como eu pela sala, atirados em cima das cadeiras, observando com um ressentimento mudo, por cima de jornais e revistas, o grupo de técnicos e secretárias que conversavam e riam juntos em um canto. Em outras épocas eles não poderiam estar lá dentro, mas o passar do tempo havia desgastado as distinções entre as castas da vida acadêmica.

Era o meu dia de preparar a janta, então não me demorei muito na sala dos professores. Eram exatamente quatro da tarde quando eu saí do prédio, e as portas abriram-se à frente e atrás de mim, deixando escapar salvas de artilharia vocal e o barulho de cadeiras arrastadas pelo chão. Os alunos saíam das salas e auditórios, amontoavam-se pelos andares, desciam as escadas em uma enxurrada, balançavam mochilas e pastas, conversavam e chamavam uns pelos outros, liberando toda a energia e a frustração acumuladas durante a última hora, ou talvez, quem sabe, o deslumbre e a empolgação de uma vivência educacional inspiradora. Eles me arrastavam como um rio caudaloso, indiferentes à minha presença, alheios à minha identidade. Flutuei naquela corrente como um destroço acadêmico até que os alunos chegassem ao saguão do primeiro piso e se espalhassem até a porta giratória, que me expeliu em direção ao ar úmido de novembro. O sol já ia baixo no ocidente, afundando em uma névoa de poluição laranja por trás do bloco de Engenharia Mecânica e destacando as silhuetas dos trabalhadores que consertavam as goteiras no telhado da premiada instituição de ensino. Começo a sentir uma vontade irresistível de escrever na terceira pessoa.

Ao atravessar o campus em direção ao portão principal ele percebeu que, se tivesse continuado a lecionar até a idade normal de aposentadoria, 65 anos, este teria sido o primeiro semestre do último ano acadêmico. Mas nos últimos tempos ele pensava, com frequência cada vez maior, se tinha feito a coisa certa ao se aposentar mais cedo, quatro anos atrás. Na época pareceu uma excelente oportunidade. Lecionar ficava cada vez mais difícil por conta da surdez – não apenas durante os seminários, mas também nas palestras, pois ele acreditava em palestras interativas. Sempre lhe havia parecido que a palestra clássica de humanidades – um discurso ininterrupto de cinquenta minutos, muitas vezes lido com os olhos baixos em um tom de voz constante – era o métodos de ensino mais ineficaz já inventado. Até se podia arranjar alguma desculpa para defendê-lo antes da invenção da imprensa, mas até os gregos já usavam uma forma dialógica de ensino oral. Pesquisas haviam demonstrado que o tempo médio que conseguimos prestar atenção no discurso contínuo de um único falante é de vinte minutos, e esse tempo diminui se o discurso for no mesmo estilo da prosa escrita, com maior densidade de informação e menos redundâncias. Assim, era necessário quebrar o fluxo de informação, dar um tempo para recapitular e reforçar o que fora dito – e com isso ele não se referia à prática tediosa, muito apreciada pelos consultores de gestão, de projetar um resumo da palestra em uma tela para lê-lo em voz alta, como se os espectadores fossem incapazes de ler sozinhos. O jeito era apelar para as perguntas e respostas. Ele sempre incentivava os alunos a levantarem a mão no meio da palestra se não tivessem entendido alguma coisa e de vez em quando fazia perguntas para mantê-los atentos, mas o método pressupunha a capacidade de ouvir os alunos, e assim foi preciso abandoná-lo pouco a pouco com o passar do tempo. Nas aulas ele sabia que estava falando demais, porque isso era mais fácil do que se esforçar para entender as colocações dos alunos. As reuniões também ficaram mais tensas, pelo mesmo motivo, e na década de 90 elas pareciam cada vez mais frequentes – reuniões de departamento, encontros da Faculdade, reuniões com o Senado, com subcomitês e outros órgãos relacionados – à medida que o polvo burocrático espremia-os nos tentáculos da vida acadêmica. Ele sentia que as dificuldades para captar a essência de uma conversa eram cada vez maiores, e assim se calava, evitando comentários por medo de ter trocado alhos por bugalhos, e por fim desistindo de vez e se entregando a devaneios tediosos – a não ser, é claro, que ele mesmo estivesse à frente da reunião. Às vezes ele captava o fantasma de um sorriso nos lábios de alguém, ou uma troca de olhares irônicos entre os dois lados da mesa, e assim notava que havia entendido alguma coisa errado, ou feito uma observação descabida, quando em geral algum colega amigável ou a secretária do departamento o salvava.

Assim, quando lhe ofereceram uma aposentadoria precoce, a oportunidade pareceu boa demais para recusar: salário integral e liberdade para fazer suas próprias pesquisas sem nenhuma restrição por conta das aulas ou de questões administrativas. A oportunidade foi resultado de uma das atribuladas reformas organizacionais em que os gestores da universidade estavam viciados. Decidiram que o departamento de Linguística, onde ele era chefe, era pequeno demais para ser rentável como unidade autônoma e portanto deveria ser integrado ao departamento de Inglês. O corpo docente podia escolher entre uma transferência para outro departamento, caso fossem aceitos, desligamento por meio de um plano de demissão voluntária ou aposentaria precoce, se já tivessem a idade mínima necessária. Os colegas da Linguística ficaram revoltados com a proposta e disseram que era tudo uma armação para a universidade cortar umas cabeças, ou um plano engenhoso do departamento de Inglês para melhorar o desempenho na próxima avaliação de produção acadêmica. Ele tentou explicar que a resistência era inútil. A proposta não deixava de ter uma certa lógica, já que muitos professores do setor de Língua no departamento de Inglês faziam um trabalho muito parecido com o dele e o dos colegas. Ele também não tinha nenhuma objeção a trabalhar no departamento de Inglês. Havia se formado em Língua e Literatura Inglesa e, embora tivesse cursado todas as disciplinas de língua ao longo do curso e ido para a Linguística na pós-graduação, sempre tinha usado textos literários nas aulas e nas pesquisas, e ainda lia poesia por simples prazer, o que não se pode dizer de muita gente, nem mesmo de alguns professores dessa matéria. Mas o plano trazia uma certa perda de prestígio e de independência que tornava a perspectiva pouco atraente. Ainda que achasse o cargo de chefe de departamento um estorvo cada vez maior, ele não sabia muito bem se gostaria de ser apenas mais um professor entre outros tantos no departamento de Inglês. Como recém-chegado, ele se veria na obrigação de ser cooperativo e flexível em relação às disciplinas a lecionar, e assim provavelmente não conseguiria dar o seminário sobre estilística literária do terceiro ano porque esta era a especialidade de Butterworth, o jovem professor que despontava como a estrela mais luminosa do setor de Língua Inglesa. Ao pôr tudo na balança, parecia óbvio que a aposentadoria precoce seria a melhor opção, e assim ele a escolheu.

No início foi tudo muito agradável, como um longo período sabático, mas passado um ano e meio a ausência de tarefas rotineiras e deveres começou a perder a graça. Ele sentia falta do calendário acadêmico que por tanto tempo havia moldado sua vida, em um ciclo marcado por acontecimentos confortavelmente previsíveis: a chegada dos calouros empolgados a cada outono; a festa de Natal do departamento, com as tradicionais apresentações dos alunos, em que eles imitavam os trejeitos e o modo de falar dos mestres; a semana de leitura durante a primavera, quando os professores levavam os alunos do segundo ano a um centro residencial de conferências no Lake District; os encontros de examinadores no verão, quando, sentados em volta de uma mesa comprida atulhada de papéis rabiscados e longos ensaios, calculavam e classificavam as médias finais como deuses que enviam castigos e recompensas aos mortais; e depois a cerimônia de colação de grau, com o desfile dos alunos ao som do órgão, o discurso do Orador da Universidade, que resumia fastidiosamente todas as conquistas dos formandos, a sessão de cumprimentos aos pais orgulhosos e aos filhos togados, o ponche de frutas sob o pavilhão erigido no pátio e, por fim, a dispensa para aproveitar as longas e merecidas férias. Ele sentia falta do ritmo acadêmico como um camponês sentiria falta das diferenças entre as estações, caso elas deixassem de existir; e logo descobriu que também sentia falta da estrutura da semana acadêmica, com o calendário de aulas, a orientação aos pós-graduandos, a correção de ensaios, as reuniões de comitê, as entrevistas e prazos para este e aquele relatório – tarefas que em geral o aborreciam, mas cuja execução, por mais trivial e efêmera que fosse, dava-lhe uma certa satisfação, embora pequena, e garantia que ele nunca, jamais precisasse se perguntar: *o que eu vou fazer da minha vida hoje?* Como aposentado, essa era uma pergunta que ele precisava se fazer todos os dias ao acordar.

Havia as pesquisas, é claro: ele tinha imaginado que preencheria assim a maior parte do tempo livre. Porém, para sua grande decepção, descobriu que não tinha mais vontade de levá-las adiante. A Linguística continuava lhe parecendo um tema fascinante – como é que alguém poderia se cansar de estudar Linguística? Como ele costumava dizer aos alunos do primeiro ano no primeiro dia de aula, "A linguagem é o que nos faz humanos, o que nos distingue dos animais e das máquinas, o que nos torna conscientes de nós mesmos e o que nos abre as portas da arte, da ciência e de toda a civilização. A linguagem é a chave para se entender tudo." A área dele, em termos gerais, era a do discurso: a linguagem acima do nível da frase, em uso efetivo, a *langue* abordada através da *parole*, e não o contrário. Talvez tivesse sido esta a área mais fértil e produtiva da disciplina em tempos recentes: a filologia histórica estava fora de moda e a linguística estrutural e transformacional havia perdido o atrativo desde que as pessoas perceberam o quão fútil seria tentar reduzir fenômenos de linguagem vivos e em constante mudança a um conjunto de regras ilustradas por frases-modelo sem nenhum contexto e muitas vezes inventadas para esse único fim. "Todo enunciado ou frase escrita tem *sempre* um contexto, está sempre de algum modo referindo-se a algo que já foi dito e aguardando uma resposta, tem sempre a intenção de *fazer* alguma coisa com alguém, um leitor ou um ouvinte. O estudo desses fenômenos às vezes é chamado de pragmática, outras vezes de estilística. Os computadores ajudam-nos a analisá-los com um rigor inigualável, graças a bancos de dados com gravações e textos digitalizados – o que gera toda uma subdisciplina, a linguística de corpus. Um termo abrangente para todo esse campo é análise do discurso. Vivemos dentro do discurso como os peixes vivem dentro d'água. Sistemas legais são sistemas discursivos. A diplomacia é um exercício de discurso.

As crenças das grandes religiões do mundo baseiam-se no discurso. E, num mundo cada vez mais alfabetizado e midiatizado – com rádio, televisão, internet, publicidade, embalagens e, além disso, livros, revistas e jornais –, o discurso está cada vez mais dominando os aspectos não verbais do nosso dia a dia. Nós *comemos* discurso (a deliciosa linguagem dos cardápios, como por exemplo 'pimentões assados no fogo regados com óleo de trufa'), *bebemos* discurso ('notas de tabaco, baunilha, chocolate e frutas vermelhas maduras neste ousado Shiraz australiano'); nós *olhamos* para o discurso (aquelas pinturas minimalistas e instalações enigmáticas nas galerias, que dependem das explicações de críticos e curadores para existir como arte); chegamos até a fazer sexo imitando o discurso da ficção erótica e dos manuais de sexo. Para entender a cultura e a sociedade, vocês precisam ser capazes de analisar todo tipo de discurso." (Este foi o professor Bates, todo empolgado na aula do primeiro ano, fazendo uma referência a sexo para ganhar a atenção até do aluno mais entediado e cético da sala – aquele com notas medianas que na verdade queria ter cursado Estudos Midiáticos, mas que, por causa do excesso de alunos por vaga, teve de mudar para Linguística no estágio final das matrículas.)

Ele não havia perdido a fé no valor da análise do discurso e ainda tinha umas ideias novas de vez em quando, mas só de pensar em organizar tudo da forma necessária à profissão acadêmica, em obter os dados, preparar um experimento, ler toda a bibliografia relacionada, escrever um artigo cheio de notas de rodapé e referências ao trabalho de outros estudiosos da mesma área, enviá-lo para os editores acadêmicos, esperar semanas pelo parecer, fazer os ajustes sugeridos pelo parecerista para então enviar tudo de volta outra vez, corrigir as provas e depois esperar meses pela publicação – só de pensar em todo o esforço necessário para embarcar em um projeto desses ele sentia uma fadiga mental antecipada tão profunda que invariavelmente abandonava a ideia antes mesmo de começar. Um artigo destes seria lido por poucas centenas de pessoas, se você desse sorte, o que é incentivo suficiente caso você se importe com o que elas pensam a respeito ou então possa melhorar a sua imagem diante dos colegas e contribuir de maneira útil ao desempenho do seu departamento (e como chefe do setor de Linguística ele se sentia obrigado a dar o exemplo); porém, depois da aposentadoria, o incentivo profissional havia desaparecido. Seria desnecessário dizer que também não havia incentivo econômico: periódicos acadêmicos não pagam os colaboradores e, mesmo que você desse a sorte de ter um artigo republicado em livro, os direitos autorais eram bem modestos. Em outras épocas ele tinha feito um dinheirinho extra como perito em casos judiciais que envolvessem provas linguísticas – interpretações de conversas gravadas às escondidas, determinação da autoria ou da autenticidade de documentos e assim por diante – e achado o trabalho prazeroso e rentável. Mas depois de uma experiência humilhante no primeiro ano de aposentadoria, quando, em um tribunal, ele teve dificuldades para entender as perguntas feitas pelo próprio colega, que tinha um forte sotaque escocês, e o advogado da outra parte aproveitou a oportunidade para questionar a competência dele para analisar a gravação telefônica em torno da qual todo o processo girava – depois dessa experiência, que ainda o fazia estremecer e ranger os dentes de desgosto, ele passou a receber poucas ofertas de trabalho, e a recusá-las por medo de repetir a experiência. Afora o salário de aposentado, sua única fonte de renda eram os direitos autorais cada vez mais minguados que recebia por um livro-texto de sua autoria, apelidado por ele de *Análise do discurso para idiotas* e publicado pela primeira vez uns 25 anos atrás.

Assim, foi bom que o negócio de Winifred tivesse deslanchado bem na hora em que ele resolveu se aposentar. Um título isento de impostos e corrigido pelo índice FTSE-100 que o ex-marido tinha comprado no nome dela em algum arroubo de generosidade ou arrependimento, ou talvez como um expediente para abater impostos, acabou rendendo uma bela quantia que ela usou para montar uma loja de decoração de interiores com Jakki, uma amiga da academia que tinha um diploma de Engenharia Têxtil da Manchester Polytechnic e alguma experiência em contabilidade e planilhas eletrônicas, adquirida no escritório de franquia de carros japoneses do ex-marido antes que os dois se divorciassem (e ela conseguisse um acordo polpudo, que também foi investido no negócio). As qualificações de Winifred eram mais nebulosas: ela tinha um diploma em História da Arte e gostava de decorar e mobiliar a própria casa, mas no devido tempo mostrou uma aptidão para os negócios que deixou Desmond bastante surpreso. A descoberta veio em boa hora. Nos anos 90, a cidade do norte, que havia parecido tão inóspita e enfadonha a ele e a Maisie logo que chegaram, e seus cidadãos nativos, que tradicionalmente se orgulhavam de ser frugais e econômicos, renderam-se à loucura global do consumismo. Lojas com nomes famosos no mundo inteiro abriram filiais por lá, e novos shopping centers começaram a pipocar aqui e acolá para acomodá-las ao lado das redes nacionais – shopping centers demais, para dizer a verdade. Fred e Jakki conseguiram alugar um ponto espaçoso no centro da cidade por um preço bem razoável dos empreendedores imobiliários ansiosos por preencher o espaço (nada parece menos atraente aos possíveis interessados do que uma fileira de lojas vazias). Era no térreo, e assim qualquer um que adentrasse o shopping Rialto vindo da rua, atraído pela arquitetura em aço, cerâmica e vidro, ou pelo som tranquilizante da música de fundo e das fontes d'água, tinha de passar pela frente da *Décor* (era assim que a loja se chamava – a sugestão de Jakki, "Swish Style", por sorte foi descartada) para subir as escadas rolantes que levavam até os andares superiores. Apesar da localização, no entanto, a *Décor* penou para se pagar durante uns dois ou três anos, até que um cabeleireiro famoso e muito careiro abriu um salão no segundo andar. A clientela dele – mulheres dos subúrbios ricos e condomínios fechados, com tempo e dinheiro de sobra para gastar com o embelezamento de seus rostos e de suas casas – também eram as clientes ideais para a *Décor*. Winifred e Jakki se especializaram em tecidos importados de alta qualidade para cortinas, almofadas, jogos de cama etc., mas também exibiam obras de artistas locais – pinturas, gravuras, cerâmicas, joias e pequenas esculturas – que estavam à venda. Nesse caso, a loja ficava com quarenta por cento do valor e, se não vendessem, as obras conferiam um charme decorativo à

Décor sem nenhum custo. A curiosidade fazia essas mulheres esnobes pararem e espiar para dentro da loja quando passavam pela vitrine a caminho do cabeleireiro, e na volta elas entravam para dar uma olhada nos tecidos e nos objetos de arte. Winifred e Jakki tinham instalado uma pequena mas excelente máquina italiana de café para servir *espressos* e *lattes* de cortesia, e graças a ela todo mundo acabava sempre levando alguma coisa, nem que fosse uma simples bijuteria ou um cartão artesanal feito à mão. O negócio ia de vento em popa. A *Décor* apareceu no jornal local em um artigo muito elogioso, ilustrado com fotos em cores das sorridentes proprietárias. Elas também conseguiram uma jovem recém-formada em artes para ajudar a tomar conta da loja e fizeram uma parceria com um faz-tudo chamado Ron, que providenciava as medições e as instalações necessárias para a clientela. Os serviços de corte e costura ficavam a cargo de uma cooperativa de costureiras que haviam perdido o emprego com o declínio da indústria de vestuário na cidade. Elas faziam um serviço excelente.

Enquanto ainda trabalhava, Desmond ficou muito alegre e satisfeito com o sucesso da esposa nessa carreira empresarial tardia. Mesmo com uma pequena redução no nível de conforto doméstico como resultado dessa ocupação – mais comida do supermercado para o jantar, às vezes uma escassez de meias limpas e camisas lavadas –, era um preço muito pequeno a ser pago pela satisfação que ela sem dúvida tinha no emprego, e a vida social dele também ficou mais agitada graças ao contato com novas pessoas em novos lugares, tudo graças à esposa. Winifred tinha um brilho e uma confiança inatos e refinados pelo estudo que sofreram com todo o peso da infelicidade no primeiro casamento, mas que agora voltavam a aflorar na idade madura. Embora Jakki tivesse investido a mesma quantia de dinheiro no negócio, graças a um acordo tácito Winifred acabou virando a gerente do negócio, por conta da idade mais avançada e do melhor trato social: e passado algum tempo ela se transformou em uma figura tarimbada da comunidade local e começou a receber convites para participar de painéis e comitês relacionados às artes, o que por sua vez resultava em convites para vernissages, estreias, concertos beneficentes, aberturas de festivais e festas e recepções ligadas a esses eventos, para os quais Desmond também era convidado. Às vezes ele encontrava o vice-reitor ou outros figurões da hierarquia universitária nesses eventos e notava que eles o viam com uma nova espécie de admiração. O vice-reitor começou a chamá-lo pelo primeiro nome e a perguntar por sua "simpática esposa" quando eles se encontravam no campus. Eles passaram a ser convidados para os eventuais jantares na residência do vice-reitor.

A aposentadoria de Desmond, no entanto, pôs tudo em uma perspectiva nova e menos agradável e alterou o equilíbrio do casamento. A carreira dele havia terminado, enquanto a de Winifred estava a todo vapor, e agora ela contribuía com muito mais dinheiro do que ele no sustento da casa. A vida dela era repleta de atividades – enquanto ele se esforçava para preencher os dias com tarefas rotineiras como ir às compras e outros compromissos, assumidos muito mais para ter uma ocupação do que por necessidade. Quando a acompanhava a um desses eventos sociais, ele às vezes sentia-se como um consorte real escoltando uma monarca, andando um ou dois passos atrás dela com as mãos enlaçadas nas costas e um sorriso difuso no rosto. Os eventos sociais em si haviam se tornado mais uma tortura do que um prazer por causa da surdez, e em certas ocasiões ele chegava a pensar em abandoná-los de uma vez por todas, mas quando contemplava as consequências dessa decisão o prospecto enchia-o de horror: mais horas vazias a preencher, sentado sozinho em casa, lendo um livro ou assistindo à tevê. Então ele se agarrou com todas as forças ao carrossel sociocultural, simulando um interesse e um entusiasmo que a bem dizer não existiam.

É ficar sozinho o que me dá medo, não o livro ou a tevê. O papel e a televisão são as duas únicas mídias que eu ainda consigo apreciar dc verdade – o papel por razões óbvias, e a televisão por causa das legendas e dos fones de ouvido. Ir ao teatro, por exemplo, me traz inúmeras dificuldades. A maioria dos teatros tem sistemas infravermelhos e fones de ouvido à disposição, mas a qualidade oscila demais e até quando o equipamento funciona bem as vozes saem com um timbre fino e distante, como se você estivesse escutando a performance através de um telefone que alguém esqueceu fora do gancho no palco. Em geral é melhor sentar na primeira fila e deixar o resto por conta do aparelho auditivo, mas nesse caso você corre o risco de acabar com torcicolo por segurar o queixo num ângulo de 45 graus para cima durante duas ou três horas, e além do mais pode ser atingido pelo cuspe dos atores em cenas de grande emoção. Fred também reclama, não sem razão, que de perto os atores sempre parecem estar exagerando na interpretação, então nós acabamos evitando. Se os diálogos são em um dialeto incomum ou se os personagens falam com sotaque regional, pouco importa onde você está sentado ou que tipo de aparelho auditivo você usa: como sempre, você vai perder a maioria das consoantes e as vogais vão soar estranhas, então dá no mesmo que assistir a uma peça em húngaro. Montagens em teatros de arena também não ajudam. Eu já não entendia qual é a vantagem de pôr os atores de costas para boa parte da plateia enquanto eles estão falando nem quando eu ouvia bem, mas agora é como escutar a peça através de uma porta que fica abrindo e fechando. Mas a pior coisa a respeito do teatro, mesmo quando a peça é falada em inglês padrão e encenada em um palco italiano, é perder as piadas. Eu consigo acompanhar o diálogo sem nenhum problema até que de repente um dos personagens diz alguma coisa que faz o auditório explodir em gargalhadas, mas que eu perdi. O motivo é que todas as falas engraçadas são ao mesmo tempo inesperadas e relevantes, então eu não tenho como antecipá-las ou deduzi-las a partir do contexto. Isso pode acontecer várias vezes na mesma peça e é extremamente frustrante: diálogos compreensíveis e banais vêm cheios de tiradas aparentemente inteligentes e divertidas que eu não consigo escutar. Às vezes, depois de uma encenação dessas, eu compro a peça para ler em casa e descobrir o que eu perdi, e assim desfruto a obra de duas maneiras: primeiro como teatro do absurdo e depois como uma peça bem-feita. De vez em quando eu também leio a peça antes de assistir à montagem: nesse caso eu pego todas as piadas, mas elas já não têm mais graça porque eu as estou esperando.

Ir ao cinema não é menos frustrante, à exceção dos filmes estrangeiros com legendas; mas em geral esse é o tipo de coisa que você não tem pressa para ver e que mais cedo ou mais tarde acaba passando na televisão. Os filmes que Fred quer ver porque são o assunto do momento são quase sempre produções inglesas ou americanas, e calculo que eu perca algo entre cinquenta e oitenta por cento de todos os diálogos na maioria deles, ou porque os personagens falam com sotaque (o de Glasgow é o pior de todos), ou porque os atores arrastam as palavras e balbuciam, ou porque a música ou outro ruído de fundo na trilha sonora abafa as palavras, ou ainda por uma mistura de todas essas coisas. Quando vimos *Brokeback Mountain*, por exemplo, passou-me totalmente batido o significado da cena no final em que o caubói descobre sua velha camisa no armário do amigo morto, porque eu não tinha entendido a palavra "camisa" na cena em que os dois descem da montanha e ele diz que deve tê-la deixado para trás. Na verdade o outro sujeito a tinha pegado às escondidas como lembrança do idílio homossexual vivido na montanha, conforme o caubói percebe na cena sem diálogos quando, ao visitar a viúva, encontra a tal camisa no armário. Fred teve de explicar tudo para mim no carro, enquanto voltávamos para casa. Muitas vezes ela tem de me explicar esse tipo de coisa quando voltamos do teatro ou do cinema. Chegou a tal ponto que eu reluto em dar qualquer opinião sobre o que assistimos por medo de me expor a um mal-entendido ridículo e humilhante relativo a elementos básicos da trama.

Nos últimos tempos descobri que alguns cinemas locais fazem exibições de filmes recentes com legendas especiais para pessoas com problemas de audição, mas os horários são muito antissociais, tipo onze da manhã em um dia de semana, quando Fred ou não pode ou não quer me fazer companhia. Uma vez fui assistir a um filme de Woody Allen com as tais legendas numa hora destas em uma sala de projeção quase deserta, nos limites da cidade, sentado sozinho no meio de um auditório gigantesco – mas desde então não repeti a experiência. Salas de cinema vazias são deprimentes: é melhor esperar e ver o filme na tevê.

A televisão é a salvação dos surdos. Como será que os surdos viviam antes dela? A maioria dos programas que vai ao ar, inclusive os filmes antigos, vem com closed-caption; até transmissões ao vivo, como boletins de notícias, são exibidas com legendas, mas se você consegue ouvir alguma coisa, por pouco que seja, acaba meio distraído, porque o texto aparece sempre com um certo atraso em relação à fala e várias vezes contém erros grotescos (como por exemplo uma reportagem sobre a "Cornoalha" na noite passada). Outra opção é usar fones de ouvido com ou sem fio, que são muito mais eficazes do que os fones dos teatros e têm um controle de volume independente; assim você pode aumentar o som sem ensurdecer as pessoas que estão por perto ou até assistir à televisão sozinho, com os alto-falantes no mudo. Mas essa estratégia também traz prejuízos sociais. Se a sua esposa quiser fazer algum comentário a respeito do programa, ou dizer qualquer outra coisa, ela precisa fazer algum gesto para chamar a sua atenção e então você precisa tirar os fones e pôr o aparelho auditivo para escutar a mensagem, e depois retirar o aparelho e pôr outra vez os fones para continuar assistindo. Se o processo for repetido muitas vezes, os dois têm grandes chances de se irritar um com o outro.

Para assistir aos programas que me interessam de verdade eu prefiro usar fones *e* closed-caption, para não dar chance ao azar, porque mesmo com os fones eu ainda perco algumas palavras e frases, e as legendas nem sempre reproduzem exatamente o que as pessoas falam. Às vezes as legendas encurtam os diálogos para não atrasá-los ou para não ocupar muito espaço na tela. Observei um fenômeno muito curioso e interessante em relação a isso: quando assisto televisão com fones e closed-caption, escuto palavras e frases que *não aparecem* nas legendas e que com certeza eu não teria captado usando apenas os fones de ouvido. Provavelmente o meu cérebro fica comparando as informações nos dois canais de comunicação e, quando elas não batem, a palavra ou a frase que falta nas legendas é destacada e de alguma forma se torna mais audível. Talvez valesse a pena escrever para um periódico de psicolinguística se eu fosse me dar o trabalho. Mas eu não vou.

4

4 *de novembro.* Isto parece estar virando uma espécie de diário, um caderno de notas autobiográficas, ou talvez seja uma simples terapia ocupacional. Ontem fui a Londres visitar Papai, uma visita que me obrigo a fazer uma vez por mês, mais ou menos. Uma descrição um pouco mais detalhada da última visita vale como registro de quase todas as outras, já que o ritual dificilmente varia. Foi um dia muito cansativo. Quando Mamãe ainda estava viva era comum eu dormir na casa deles sempre que algum assunto acadêmico me levava até Londres, e segui cultivando esse hábito por alguns anos depois que ela faleceu, mas agora quando vou ver Papai eu prefiro voltar no mesmo dia. Saio de casa cedo da manhã – como aposentado eu ganho descontos nas passagens de trem até nas horas de pico – e chego a Brickley ainda a tempo de levar Papai para almoçar, depois passo a tarde com ele e saio depois do jantar, ainda a tempo de pegar um trem noturno para casa. Ele sempre pergunta "Por que você não dorme aqui, filho?" e eu sempre respondo "Não, Pai, eu tenho muita coisa para fazer". E ele diz "Achei que você estivesse aposentado", e eu digo "Eu ainda estou fazendo as minhas pesquisas", e ele balança a cabeça, conformado, mas um pouco desiludido. Mesmo que discuta comigo em todos os outros assuntos, minha vida profissional continua sendo um mistério que ele aceita com uma admiração reverente. Ele nunca faz nenhum comentário sobre as publicações com dedicatória que eu lhe enviei ao longo dos anos, mas elas ocupam um lugar de honra na estante de livros da sala, e em lojas e ônibus eu já o escutei falando para estranhos totais sobre o filho, professor universitário. Assim,

as minhas pesquisas eram sempre uma carta na manga quando a questão de dormir por lá vinha à tona. A verdade é que não me atrai a ideia de dormir no colchão afundado, irregular e sempre um pouco úmido no quartinho dos fundos, que era o meu quarto quando eu era pequeno, nem de usar o banheiro triste e malcheiroso (o piso de linóleo fede a xixi, porque a mira de Papai já não é tão boa quanto antes), e muito menos a de preparar o meu café da manhã na cozinha minúscula, onde tudo está coberto por uma camada de gordura – as cadeiras, a mesa, os pratos, os talheres, as xícaras e os pires, a torradeira, as panelas, as superfícies, tudo – graças à precipitação diária de partículas de óleo queimado. A casa nunca esteve muito limpa desde que Mamãe morreu, treze anos atrás, mas a situação piorou muito quando Irena, a empregada polonesa que fazia o serviço da casa, cansou de trabalhar e se aposentou, já que Papai não aceita outra pessoa. O pessoal do conselho municipal tentou arranjar substitutas, mas ele desconfiava que todas elas quisessem roubar as "coisas" dele e o dinheiro que ele tem escondido debaixo das tábuas do assoalho por toda a casa e mandou todas elas embora, então no fim o pessoal do conselho desistiu e Papai não quis que eu pagasse uma pessoa para ajudá-lo.

A melhor parte do dia foi a viagem de volta a Londres. O meu trem chegou na hora, escolhi um lugar no Vagão Silencioso, tirei o meu aparelho auditivo e me acomodei com o *Guardian* e uma nova biografia de Thomas Hardy. A decisão de usar ou não usar o aparelho auditivo no transporte público quando você está viajando sozinho e não precisa falar nada com ninguém é um tanto complexa. É claro que você precisa dele para comprar o bilhete e ouvir os possíveis comunicados de troca de plataformas na estação, mas dá vontade de tirá-los assim que você embarca no trem, embora nesse caso você fique impossibilitado de ouvir as mensagens repassadas pelo sistema de som, que explicam por que o trem está parado há dez minutos em um campo aberto, por exemplo, ou até outras mais importantes, como um problema de sinalização que parou todos os trens entrando e saindo de King's Cross por um tempo indefinido; e você pode acabar criando confusões com o pessoal do carrinho de lanches sobre leite e açúcar no seu chá ou sobre o recheio dos sanduíches. Claro, eu poderia ficar com os aparelhos desligados e ligá-los apenas quando necessário, usando-os nesse caso como protetores auriculares, mas se não estão cumprindo a função deles eu me incomodo e me irrito com a presença invasiva daquelas pequenas bolinhas plásticas dentro da minha cabeça – uma sensação que não aguento por muito tempo antes de tirá-los. Então em geral eu os tiro assim que o trem sai da estação. A única vantagem de ser surdo, por assim dizer, é que você fica naturalmente imune a boa parte dos ruídos ambientes desagradáveis e irritantes (que se tornam ainda mais desagradáveis e irritantes quando amplificados por um aparelho auditivo) e pode tirar o máximo proveito da situação. Tirar os aparelhos auditivos no trem é como ganhar um upgrade grátis da classe econômica para a primeira classe: os ruídos e estrondos das rodas sobre os trilhos ficam reduzidos a um tuque-tuque sincopado, e as vozes dos outros passageiros transformam-se em um murmúrio tranquilizante.

Só mesmo os telefones celulares mantêm o poder de irritar até mesmo os passageiros duros de ouvido, tanto pelo toque em si como também pelo irritante staccato que caracteriza um único lado de uma conversa telefônica que você mal consegue ouvir, e é por isso que eu sempre tento pegar um assento no Vagão Silencioso, onde os celulares são proibidos. Mas é impressionante a quantidade de pessoas que ignoram ou nem leem os cartazes com essa proibição e continuam fazendo e recebendo ligações, sentadas debaixo de um adesivo na janela onde está escrito "*Vagão Silencioso. Proibido o uso de aparelhos celulares*", e muitas vezes toca para mim chamar a atenção dos infratores, uma vez que a maioria dos outros passageiros se limita a olhar com uma cara feia que a pessoa ao telefone, concentrada em um interlocutor distante, nem ao menos enxerga. Não é algo que eu faça com prazer, afinal isso perturba a tranquilidade que eu esperava obter ao retirar os aparelhos auditivos; e às vezes eu chego até a recolocá-los para estar pronto no caso de uma discussão. Uma certa adrenalina precisa entrar no sistema para que eu aja no momento exato – é melhor intervir assim que a pessoa puxa o telefone, esperar que ela desligue ou interromper no meio, se a chamada estiver se prolongando por um tempo além do razoável? Eu já tenho até uma frase pronta para essas situações: "*Desculpe, mas você sabia que este é um Vagão Silencioso?*", dita em um tom educado e confidencial, com um dedo apontado para o aviso na janela, mas as reações dos meus interlocutores são as mais variadas. Alguns, em geral as mulheres, abrem um sorriso constrangido e sem graça, acenam com a cabeça e estendem a mão, como se admitissem o erro mas pedissem paciência enquanto seguem conversando alegremente ao telefone; outros, que parecem realmente desconhecer as regras do Vagão Silencioso e incapazes sequer de conceber a existência desse vagão – um lugar onde se impõem restrições ao direito inalienável de ter longas conversas particulares em público –, encaram você por um tempo sem entender nada, quando então compreendem a dura verdade, fazem algum comentário negativo a seu respeito para o interlocutor e desligam, ou se retiram para um outro vagão como se fossem vítimas de uma perseguição. Uma vez um bêbado disse que ia esmurrar a minha cara até os meus dentes caírem todos no chão. Por sorte ele caiu no sono antes de tentar essa operação no meu rosto.

A viagem de ontem, no entanto, foi bem calma, e eu lamentei ter de trocar a relativa tranquilidade do Vagão Silencioso pela barulheira de King's Cross, onde chegamos com um atraso mínimo. Desci até as entranhas do metrô e peguei a Northern City Line até chegar na London Bridge, onde tomei um trem meio vazio até Brickley – uma verdadeira jornada à Grafitolândia. Tinha grafite por todo o interior do trem, mensagens escritas com cortadores de vidro nas janelas e rabiscadas nos painéis laminados com pincéis atômicos coloridos, e pichações com tinta em spray lá fora – nas estações por onde você passa, nos vagões parados nos desvios, nas construções que dão para a ferrovia, nos muros e pontes e escadas e nas portas das garagens, em cada centímetro quadrado de todas as superfícies disponíveis. A confusão de mensagens dá uma certa cor, eu acho, a esta parte feia do sudeste londrino, mas em termos linguísticos tudo aquilo me parece pobre – quase sempre são os nomes ou pseudônimos dos artistas, e raras vezes um epigrama bem-sacado ou um protesto político. Quando foi a última vez em que ri de uma pichação? Alguns anos atrás vi uma que me faz sorrir até hoje: debaixo de um aviso de "*Proibido colar cartazes*", algum engraçadinho havia escrito "*Quem não cola não sai da escola*". Mas não vi nada muito divertido enquanto eu atravessava a passarela da Brickley Station. Só nomes, palavrões e exaltações, em geral relativas a times de futebol.

Brickley é um dos antigos subúrbios de Londres, surgido há mais ou menos um século, com ruas cheias de casinhas idênticas enfileiradas nas áreas planas e fileiras de casas maiores e casarões de dois andares, geminados ou não, nas áreas mais elevadas. Essas moradias, construídas com os tijolos amarelados da London Brick Company, pedra e estuque, embora reformadas, convertidas, divididas e ampliadas, ainda são maioria no distrito, ao lado de outras propriedades de tijolo à vista erigidas após a Segunda Guerra – blocos de apartamentos e fileiras de casinhas minúsculas para os compradores de primeira viagem. Mas a Lime Avenue, onde eu nasci e onde Papai ainda mora, não pertence a nenhum desses dois períodos arquitetônicos. É uma rua levemente curva com casas geminadas do período pós-guerra espremidas em um terreno elevado entre a estrada principal e a ferrovia, que não leva a lugar nenhum – as duas pontas acabam na estrada. As casas no lado da ferrovia têm quintais que dão para um barranco de altura e largura incomuns, cheio de árvores e arbustos e pequenas falhas onde a grama cresce; ainda menino, eu invejava as crianças que tinham acesso a esse parque de aventuras ilegal. A nossa casa, no número 49, como todas as casas do outro lado da rua, tem um pequeno quintal artificial, erguido por cima de um aterro sustentado por um alto muro de concreto. Uma estrada passa debaixo da cerca dos fundos, e mal dá para ver o teto dos ônibus que passam do segundo andar, mas sempre dá para escutá-los no jardim. O nome Lime Avenue vem dos limoeiros que na minha infância cresciam a intervalos regulares nas calçadas dos dois lados e que desde então foram cortados e deram lugar a sorveiras-bravas, porque os donos dos carros reclamavam da gosma que os limoeiros pingavam em cima da lataria. As casas são separadas por aleias laterais e não têm garagens nem espaço para os carros, que ficam estacionados nos dois lados da rua com os para-choques encostados um no outro. Quando eu era pequeno nós jogávamos futebol e críquete na rua, parando de vez em quando para dar passagem a um carro ou a uma van, mas hoje seria impossível. Sempre que vou a Brickley e dobro na Lime Avenue vindo da estrada a memória me prega uma peça, e de repente eu volto a ser um menino de calças curtas, voltando da escola no fim da tarde, com as meias nas canelas, os sapatos gastos pelo futebol no parquinho, louco para brincar com os meus amigos até que me chamem para jantar e depois fazer as lições de casa. Sempre me pareceu uma bela rua para morar, e no geral ela continua mais elegante e mais convidativa do que as outras ruas da vizinhança. As casas têm fachadas de fulgê, com detalhes em madeira pintados em várias cores contrastantes, e jardinzinhos bem-arrumados com arbustos, vasos de flores e estradinhas, mesmo que o número 49 esteja um pouco triste nos últimos tempos: as cercas-vivas precisam de uma poda, o portão de madeira está apodrecendo na parte de baixo e a curta estradinha de concreto que vai até a porta está rachada e gasta, com ervas daninhas crescendo nas fissuras. Papai insiste em cuidar de tudo sozinho, o que na prática quer dizer que a maioria das coisas não é feita, ou ao menos não muito bem. Dez anos atrás, quando estava se recuperando de uma operação, Papai aceitou, muito a contragosto, que eu pagasse alguém para pintar a casa, mas hoje não tenho coragem de repetir a sugestão por medo de que ele pegue as escadas e resolva fazer tudo por conta própria.

Toquei a campainha e, quando vi que não adiantava, usei a aldraba, dando quatro batidas sonoras. Papai é duro de ouvido – não tanto quanto eu, é verdade, mas como ele se recusa a usar aparelhos auditivos, para fins práticos ele é tão surdo quanto eu, e na verdade até mais. Cinco anos atrás, depois de várias discussões, convenci-o a fazer uma audiometria e a pedir um aparelho auditivo para o Serviço Nacional de Saúde, mas ele reclamava que era desconfortável e desajeitado, que as pilhas não duravam nada e que o aparelho ficava assoviando. Logo ele desistiu da ideia. Morando sozinho, ele não tinha muitos motivos para insistir. Papai escuta a televisão com fones de ouvido desde que os vizinhos do outro lado da parede geminada reclamaram do volume, e o telefone dele tem uma campainha muito alta e uma luz que pisca. Porém muitas vezes ele perde as visitas dos vendedores porque não ouve a aldraba, e se não soubesse da minha visita eu poderia ter ficado um longo tempo esperando a porta abrir. O primeiro sinal de que ele tinha me escutado veio quando a cortina atrás da janelinha redonda de vidro jateado na porta foi afastada. É uma cortina grossa, de feltro, que ele mesmo fez para manter as correntes de vento frio do lado de fora e o calor do lado de dentro nos meses de inverno. A maior parte das outras cortinas na casa fica fechada ou parcialmente fechada pelo mesmo motivo, o que confere uma escuridão sepulcral à sordidez generalizada do interior. A porta se abriu. Um senhor vestido como um mendigo sorriu ao me ver.

"Oi, filho", disse ele. "Ah, você conseguiu!" Ele se afastou para me dar passagem e então enfiou a cabeça para fora da porta a fim de lançar olhares suspeitos para os dois lados da rua, como se temesse que assaltantes estivessem no meu encalço, antes de cerrá-la e fechar a cortina. "Como você foi de viagem?", perguntou ele enquanto eu tirava o sobretudo e pendurava-o no cabide ao lado da porta.

"Tudo certo. Até que enfim o trem saiu na hora", eu disse.

"Quê?" Esta é uma palavra frequente nas nossas conversas.

"O trem saiu na hora", gritei.

"Não precisa gritar", disse ele, e me acompanhou pelo corredor até a peça que chamava de sala de jantar, possivelmente devido à influência do corretor, embora ela sempre tivesse sido e ainda fosse a sala de estar, e uma sala de estar bem pequena – uns quatro por quatro metros, eu diria. Ela fica nos fundos da casa, ao lado da pequena cozinha. A sala de visitas é um pouco maior, mas não era muito usada na minha infância exceto pelas datas festivas e feriados, e menos ainda no inverno, quando era preciso acender uma segunda lareira. Na sala de jantar, verdade seja dita, ficava a mesa onde fazíamos a maioria das refeições, além de um aparador, mas lá também havia duas poltronas e uma escrivaninha e um radiograma, e mais tarde uma televisão, e foi lá que passamos a maior parte da nossa vida em família. Na época, Papai usava a sala de visitas para tocar saxofone e clarinete. Ele praticava pelo menos uma hora por dia, todas as manhãs, para manter os dedos ágeis e em forma, tocando o que para mim soava como escalas fragmentadas e fraseados desprovidos de melodia. Era enlouquecedor escutar aquilo, e até hoje me pergunto se não seria este o motivo pelo qual nunca me interessei em aprender a tocar um instrumento quando jovem – parecia não ter a menor graça. Para mim foi uma revelação vê-lo pela primeira vez no palco, tocando um solo de verdade no sax tenor. Mais tarde me interessei pelo jazz escutando os discos de Papai e sonhei em tocar trompete como Harry James ou Dizzy Gillespie, mas na época eu estava muito concentrado nos estudos, preparando-me para a universidade e com toneladas de trabalhos para entregar, e não tinha motivação suficiente para dedicar o meu parco tempo livre ao estudo da música; então eu nunca aprendi a tocar nada, e agora que tenho todo o tempo do mundo é tarde demais, porque a minha deficiência auditiva acabou com quase todo o prazer que eu sentia com a música.

Com Papai eu acho que aconteceu a mesma coisa. Ele não toca mais, é claro, e vendeu todos os instrumentos uns anos atrás – os dentes dele se foram e ele tem artrite nos dedos – e não escuta música com a mesma frequência de antigamente. O toca-discos e o toca-fitas do som estão quebrados, e ele se recusa a comprar um novo ou mandar consertar o velho. Quando lhe ofereci um som novo com CD player no Natal passado, ele teve um de seus surtos temperamentais: "Você está louco? O que eu faria com um CD player? Você acha que eu quero jogar fora o meu dinheiro comprando um monte de CDs, quando eles custam uma verdadeira fortuna e para mim não passam de um golpe, se você quer saber, quando tenho discos maravilhosos como estes aqui?" (Fazendo um gesto em direção à prateleira onde ele guarda uma modesta coleção de LPs.) Eu disse que tudo bem, neste caso eu poderia comprar um toca-discos novo, e ele perguntou "Mas onde é que eu ia pôr? Não tenho espaço para juntar mais tralha", e eu disse você pode pôr onde está o seu som, e ele disse "O quê? E me desfazer do meu som? Eu paguei cem libras por ele!" E eu disse "Pai, ele não funciona mais", e ele respondeu "O rádio ainda funciona", embora na verdade nunca use o rádio, porque o volume alto demais incomoda os vizinhos. Papai tem um rádio na cozinha que toca a uma altura que chega a chacoalhar as louças, e um outro, menor, que escuta na sala de jantar ou na cama com um par de fones de ouvido, em geral a programas falados. Às vezes Papai escuta música clássica no rádio, mas já se foi o tempo em que sentava para ouvir uma sinfonia inteira ou um concerto de seus compositores favoritos: Elgar, Rakhmáninov, Delius – os românticos tardios; nada de Mozart ou Beethoven ("Não suporto os malditos alemães, é tudo muito exagerado") – e gravar tudo em fita para ouvir depois, uma economia que lhe dava imensa satisfação. O jazz moderno também parecia ter deixado de interessá-lo, embora ele goste de programas nostálgicos sobre as grandes swing bands da década de 40, Benny Goodman, Glenn Miller, Tommy Dorsey. Rock e pop com guitarras ele odeia, nem preciso dizer, e sempre odiou desde que esses estilos acabaram com as bandas dançantes, embora ele abrisse uma exceção aos Beatles. Eles eram músicos de verdade, Papai dizia. "Músicas bem-feitas que você consegue entender, com rimas decentes." A favorita dele era "Eleanor Rugby". "Como você tem passado?", perguntei quando terminamos de nos acomodar nas duas espreguiçadeiras junto à lareira, onde uma barra do aquecedor elétrico estava acesa. Ainda que eu tivesse insistido em pagar pelo aquecimento central, instalado durante a última doença de Mamãe, ele nunca tinha se habituado àquilo; na maior parte do tempo, Papai deixa as estufas desligadas, para economizar, e prefere usar o aquecedor elétrico na sala de jantar, porque não consegue se sentir aquecido se não estiver vendo um brilho alaranjado e sentindo as canelas assar, como fazia com a lareira.

"Quê?", disse ele. Tenho certeza de que ele me escutou perfeitamente, mas, como a maioria dos surdos, Papai tem o hábito de repetir "Quê?" de maneira automática a cada passo da conversa – eu também faço a mesma coisa às vezes.

"Como você tem passado?", repeti, um pouco mais alto.

Ele franziu o cenho. "Vou levando. Não tenho dormido muito bem ultimamente."

"Você devia comprar um colchão novo", eu disse. Esse assunto era recorrente, e a conversa tomava um rumo bem conhecido, mais ou menos assim, com direito a muitas repetições e gritos:

"Não tem nada de errado com o meu colchão."

"Pai, eu pago."

"Não é questão de pagar. Eu tenho dinheiro."

"Você dormiria muito melhor em um colchão mais firme."

"Não tem nada que ver com o colchão. É por causa da minha... como se chama?" Ele olhou em direção à própria virilha.

"Próstata."

"Isso. Eu me levantei quatro vezes na noite passada."

"Você já falou com o médico a respeito?"

"Com o velho Simmonds? Falei, sim. Ele disse que eu posso me operar. Mas eu respondi que não, muito obrigado!"

"Ah, eu entendo, Pai." Arrisquei uma piada: "Sei que pode prejudicar a sua vida sexual." Mas ele não escutou e eu achei melhor não repetir.

"Ele me deu uns comprimidos", disse ele. "Acho que são algum tipo de adstringente. Sabe, para encolher o... a coisa esta. Mas eu não senti muita diferença." Ele balançou a cabeça, cheio de melancolia. Logo, como sempre, encontrou algo com o que se alegrar: "Ah, mas eu não posso me queixar. Eric, por exemplo, teve o problema oposto." Eric era um primo de segundo grau que havia morrido vários anos atrás. "Ele não conseguia, por mais que tentasse. Precisaram levá-lo às pressas para o hospital. Enfiar um negócio no..." Ele imitou a inserção de um cateter com uma expressão de dor. Após uma breve pausa, continuou em tom conciliatório:

"Mas pode deixar, eu ainda vou comprar um colchão novo. Só não tenho pressa."

Eu não tinha mais como segurar meus comentários sobre as roupas dele. "Acho melhor você trocar de roupa antes de a gente sair."

"É claro que eu vou trocar de roupa!", respondeu ele, contrariado. "Você não achou que eu ia sair desse jeito, achou?" Para ser bem sincero, não, mas me irrita vê-lo vestido como um mendigo dentro de casa, talvez por causa da notável semelhança física entre nós. É como se Papai me mostrasse uma caricatura de mim mesmo. Nós dois somos altos, ossudos, temos ombros altos e caídos e rostos angulosos, com o maxilar bem marcado, então vê-lo como um sujeito vestido para a Noite da Fogueira é como me ver na penúria daqui a vinte e poucos anos. Ele estava usando um par de calças imundas, de cintura alta, feitas de tweed tão grosso e tão encardidas que imaginei que ele as deixasse em pé no canto do quarto ao tirá-las, um cardigã bege com manchas e buracos nos dois cotovelos e uma camisa xadrez puída sem os dois primeiros botões, o que deixava seu pomo de adão saliente e a meia-lua amarelada da camisa de baixo à mostra. Com a possível exceção da camisa de baixo, essas roupas não eram, até onde eu sabia, peças de roupa gastas que ele vinha usando há anos, mas aquisições recentes, desencavadas em brechós e lojas de caridade. Nos pés ele trazia um par de pantufas escangalhadas, com o calcanhar gasto.

"Eu não entendo por que você usa essas coisas", eu disse. "As pessoas devem pensar que você não tem nenhuma roupa decente." Eu sabia que no andar de cima havia dois armários cheios de roupas elegantes e em boas condições.

"Para que me arrumar quando estou sozinho em casa?", ele perguntou. "Eu passo dias e mais dias sem receber uma visita."

Era uma tentativa velada de despertar a minha compaixão, e teve um certo efeito, mas eu me obriguei a seguir na ofensiva. "Mas você *sabia* que ia me ver agora de manhã", eu disse.

"Não é a mesma coisa", respondeu ele. "De qualquer maneira, eu estive trabalhando."

"Trabalhando no quê?"

"Na limpeza do fogão."

"Como você está se saindo?"

O fogão elétrico era uma compra recente, embora não fosse um eletrodoméstico novo. Eu me dispus a pagar por um novo, mas como sempre Papai preferiu comprar um recondicionado de uma loja mais adiante na rua, daquelas que têm móveis brancos na calçada com placas pintadas à mão e anunciam preços de barbada. Sem dúvida saiu barato, mas o fogão veio sem manual e eu não tive como conseguir outro, já que o modelo havia saído de linha, então Papai vinha aprendendo a usá-lo na base da tentativa e erro. A operação do forno, em especial, tem sido um problema, e a comida às vezes fica torrada e outras vezes não assa o suficiente.

"Até que bem", respondeu ele, com um sorriso meio hesitante. "Estou quase dando um jeito nele." Como não pode culpar mais ninguém pela compra do fogão, Papai achou melhor personificá-lo como um adversário engenhoso, que de algum modo invadiu sua casa e precisa ser vencido na base da astúcia. "Mas quando eu penso que consegui, logo ele aparece com mais um truque sujo", acrescentou. "A grelha só funciona aberta."

"Claro, fechada ela vira um segundo forno", respondo. "Eu já tinha dito, Pai."

"Na idade que eu estou não adianta você me dizer, você tem que anotar", disse ele.

"Tudo bem, eu vou anotar umas instruções básicas para você", respondi. "Por que você não aproveita e vai se trocar?"

Enquanto ele estava no andar de cima eu fui até a cozinha fazer algumas anotações sobre o fogão. Ele estava em condições lamentáveis: como todo o resto da cozinha, tinha uma camada de gordura por dentro e por fora, que Papai havia tentado raspar. A superfície de fórmica logo ao lado estava chamuscada como resultado de panelas que deveriam estar quase incandescentes quando foram largadas lá em cima, e uma enorme mancha preta erguia-se logo acima das chapas, onde uma panela com óleo com certeza havia pegado fogo. Abri a geladeira e descobri inúmeras porções de comidas cruas e cozidas, embrulhadas em papel-manteiga e papel-alumínio, e logo a seguir pus no lixo do quintal aquelas de pior aspecto. Fui tomado por uma terrível sensação de desesperança e desamparo. É óbvio que Papai não pode continuar morando sozinho indefinidamente, que mais cedo ou mais tarde ele vai acabar ou pondo fogo na casa ou então se envenenando. Mas ele nunca vai consentir em sair de lá – e, mesmo que consentisse, para onde iria?

Quando ele desceu a escada, estava transformado: trajava uma paletó de tweed da Harris, calças cinza de lã cardada, uma camisa listrada e gravata. Tinha uma mancha de comida na lapela do paletó, mas pensei que eu não podia querer tudo. Nos pés ele ostentava um par de sapatos reluzentes. O cabelo ralo e grisalho estava cuidadosamente penteado. "Ótimo", disse eu, em tom de aprovação, valendo-me do pretexto de sentir o tecido para tirar a mancha de comida com a unha.

"Já não se encontra mais um tecido como este", disse ele. "Comprei por cinco libras na Burtons. Era um belo dinheiro na época."

"Onde você quer almoçar?", perguntei.

"No lugar de sempre", disse ele.

"Não quer experimentar um lugar novo?"

"Não", foi a resposta.

O lugar de sempre é o refeitório dentro do Sainsbury's da vizinhança. A sugestão de um lugar novo era apenas simbólica: eu havia desistido de levá-lo a outro lugar. A maioria dos restaurantes nas redondezas são indianos ou chineses, e Papai preferia "manter a maior distância possível" deles. Uma vez eu o convenci a comer em uma trattoria italiana, mas os preços no cardápio o deixaram escandalizado, e ele reclamou do gosto de alho e azeite na comida. Papai ficou com uma expressão amarga e infeliz ao longo de toda a refeição, e assim achei melhor não repetir a experiência. Os pubs, para ele, servem para beber cerveja, o que desistiu de fazer por achar que a bebida piora o seu problema de próstata, não para comer uma refeição quente, que de qualquer modo ele seria incapaz de apreciar por inveja das pessoas entornando canecos de cerveja ao redor. Então, por um processo de eliminação, acabamos indo sempre ao Sainsbury's.

"Então eu vou ligar e reservar uma mesa", eu disse, mas essa foi mais uma piada que ele não ouviu e eu não repeti.

"Quê?"

"Vou chamar um táxi."

Em outras épocas Papai teria feito protestos inflamados contra essa extravagância, mas nos últimos tempos ele vinha deixando, mesmo contrariado, que eu pagasse um táxi até o supermercado, desde que voltássemos de ônibus. Como sempre ele disse "Vamos tomar um xerez antes?", e como sempre eu aceitei. Eu não gosto muito do xerez doce e barato que Papai toma, mas o refeitório do Sainsbury's não vende bebidas alcoólicas e eu preciso de ao menos uma dose para enfrentar o almoço por lá. Quando acabamos de tomar o xerez eu liguei para a central de táxis e eles disseram que o carro chegaria em uns cinco minutos, quando Papai disse, em uma cena já tradicional, que precisaria ir outra vez ao banheiro antes de sairmos. Aproveitei o ensejo para servir mais uma dose, na verdade quase um copo cheio, enquanto ele estava no andar de cima, mas, conforme eu temia, o táxi buzinou em frente à casa antes que Papai tivesse posto o casaco e o chapéu. Para piorar, ele não conseguia encontrar as chaves para trancar a casa. O taxista impaciente buzinou outra vez. Olhei para a rua e percebi que ele estava bloqueando o caminho entre as filas de carros estacionados e atrapalhando a passagem de outro veículo. Saí e pedi ao motorista que desse uma volta na quadra e voltasse dentro de dois minutos. Ele resmungou algo que não entendi e arrancou em alta velocidade. Eu não tinha certeza quanto a vê-lo outra vez. Voltei ao corredor, onde Papai estava remexendo desesperado os bolsos de vários casacos e jaquetas pendurados no cabide. "Não tem um gancho na cozinha onde você costuma pendurá-las?", perguntei.

"Não estão lá."

Entrei na cozinha e encontrei as chaves no gancho. "Aqui estão", eu disse, entregando-lhe as chaves.

O rosto dele ficou radiante de alívio. "Muito obrigado. Onde elas estavam?"

"No gancho da cozinha. Mas vamos indo." O taxista estava de volta, fazendo uma cara feia por trás do para-brisa do Honda vermelho, e eu acomodei Papai às pressas no banco de trás. Saímos cantando os pneus, rolando e deslizando no assento de vinil.

"Eu juro que olhei no gancho e elas não estavam lá", disse Papai.

"Não se preocupe, Pai", disse eu.

"Você lembra se eu desliguei o fogão?", ele perguntou.

"Desligou, desligou sim", respondi, embora eu não lembrasse. Não tive coragem de pedir ao motorista que desse a volta. Por um instante contemplei o pensamento sinistro de que, se a casa pegasse fogo, estaria resolvido o problema de como tirar Papai de lá.

O Sainsbury's é um prédio novo, erguido um terreno perto da ferrovia. O refeitório é limpo e bem-iluminado; em um lado ele fica separado dos longos e movimentados corredores da loja por um cordão, e no outro dá para o enorme estacionamento. A comida, eu admito, não é ruim, e o preço é ótimo. Você se adona de uma mesa de fórmica numerada, entra na fila com uma bandeja, se serve dos pratos frios no balcão e pede os pratos quentes no caixa, quando paga. Depois uma das mulheres alegres e maternais que integram a equipe leva tudo até a sua mesa, dentro de um intervalo que varia conforme o movimento. Na parede atrás do balcão ficam fotos brilhantes e coloridas dos pratos em promoção, que Papai observa por algum tempo antes de entrar na fila: este é um grande banquete e ele não quer estragá-lo fazendo a escolha errada. Em geral ele pede uma torta de carne com legumes ou peixe com batatas fritas e torta de maçã para a sobremesa. Nossas duas refeições, somadas, provavelmente custam menos que uma entrada no Savoy Grill.

Devemos parecer uma dupla um tanto esquisita para os outros clientes, uma mistura de alunos pré-universitários, mães jovens com crianças e bebês de colo, vendedores no intervalo de almoço e desempregados crônicos. É uma área multirracial da classe trabalhadora, e as pessoas usam roupas casuais no estilo moderno: camadas de roupas sintéticas estampadas com nomes de marcas e tênis de desenho barroco com solados grossos, cheios de entalhaduras. Lamentei ter criticado as roupas esfarrapadas de Papai pela manhã, levando-o assim a um contra-ataque sartorial. Eu uso roupas bastante formais, nunca me sinto à vontade com camisas polo e sempre uso paletó e gravata, ou então o blazer azul que eu estava usando ontem. Achei que nossas roupas estavam dando muito na vista, como se tivéssemos ido ao Savoy Grill, descoberto que não tínhamos dinheiro o bastante e assim resolvido ir almoçar no Sainsbury's.

Papai comeu depressa e com vontade, para logo se recostar na cadeira com um suspiro de satisfação. Com uma xícara de chá ele ficou nostálgico. A exemplo de todas as pessoas surdas, Papai acha mais fácil falar do que ouvir, e eu o deixei bem à vontade. Como já ouvi todas as histórias dele muitas vezes em outras ocasiões, não preciso prestar muita atenção para segui-las e reagir de acordo. Alguma coisa, provavelmente o chuvisco que havia começado a cair lá fora, escurecendo o asfalto do estacionamento, lembrou-o de quando voltou da Índia, no final da guerra, para ser desmobilizado após nove meses viajando a serviço como integrante de uma pequena banda da Força Aérea. Ele havia incrementado o modo de contar a história graças a várias repetições. "Nós fundeamos em Southampton e tomamos um trem para Londres. Estava chovendo, mas não demos bola. Era uma deliciosa chuva inglesa, e o campo estava tão verde! Nós tínhamos passado meses sem ver nenhum verde. Só poeira. 'Poeira, cuspe e aranhas, isto é a Índia', como Arthur Lane dizia. 'Se os indianos quiserem o país de volta, é deles.' O verde dos campos e das árvores ao passar por Hampshire era incrível, como a visão de água para um homem morrendo de sede. Era com se quiséssemos beber a Inglaterra. E não nos saciávamos nunca. Penduramo-nos para fora das janelas do vagão enquanto o trem avançava, encharcados de chuva, sem dar a mínima. E Arthur Lane – acredite, Arthur – ele abriu a porta do nosso vagão – sabe, os trens tinham vagões separados naquela época, com portas – ele escancarou a porta e sentou no chão com os pés balançando acima das rodas, enquanto olhava para o campo, e disse: 'É inacreditável, tudo isso é inacreditável'." Papai conteve uma risada diante dessa lembrança. Arthur Lane tocava bumbo na banda militar da qual Papai fez parte durante quase toda a guerra e aparecia em muitas das anedotas que ele contava, sempre como uma figura sarcástica e independente. Não cheguei a conhecer pessoalmente esse lendário personagem, mas vi uma foto em que ele e Papai apareciam lado a lado, trajando calções militares, rindo e apertando os olhos por causa do sol indiano – Papai, alto e magro, com a mão no ombro do gorducho e atarracado Arthur.

Então o sorriso sumiu do rosto de Papai e ele deu um suspiro e balançou a cabeça. "Pobre Arthur", exclamou. "Ele morreu. Morreu anos atrás. Eu já contei para você?"

"Não", menti.

"Pois é. Câncer." Ele baixou a voz ao pronunciar a terrível palavra e fez um gesto como quem traga um cigarro. "De pulmão. Era uma chaminé, Arthur. Ele fumava até enquanto tocava bateria."

"Vocês continuaram se falando depois da guerra?, perguntei, para dar-lhe corda.

"A gente costumava se ver na Archer Street", disse ele, referindo-se à ruela sem graça atrás do Piccadilly Circus onde os dançarinos se reuniam nas tardes de segunda-feira para combinar apresentações, acertar contas e fofocar um pouco, antes que as discotecas acabassem com o seu ganha-pão. "Mas quando a Archer Street acabou nós perdemos contato. Fiquei sabendo que ele largou a música e arranjou um trabalho qualquer, como muitos outros. Aí um dia eu resolvi ligar, ver como ele estava. Nem sei por quê. Acho que eu estava pensando nos velhos tempos... eu só queria escutar a voz dele outra vez. A esposa dele atendeu o telefone. Eu nunca a encontrei pessoalmente, mas reconheci a voz. Eu disse

'Aqui quem está falando é Harry Bates. Arthur está por aí?' Tudo ficou em silêncio. Eu achei até que a ligação tinha caído. E aí ela disse, 'Arthur morreu faz oito anos'. Naquela hora uma brisa teria me derrubado. Arthur, morto todo aquele tempo, e eu não fazia a menor ideia. Ele era mais novo que eu." Papai apertou os lábios e mais uma vez balançou a cabeça. "São poucos os meus conhecidos que ainda estão por aí."

"É verdade. Você é um sobrevivente, Pai."

"Ah, eu cuidei bem de mim mesmo, entende? Larguei os cigarros quando veio aquela tosse – você lembra? E nunca fui de beber muito, mesmo quando eu tomava a minha cervejinha. E mesmo assim, nada de destilados." Ele fez um gesto como quem segura um martelinho e leva-o aos lábios. "Os destilados mataram muitos excelentes músicos. Quando o cliente de um clube ou o mestre de cerimônias de um casamento judaico oferecia uma rodada para a banda, a maioria dos rapazes pedia um uísque duplo, mas eu sempre bebia meia dose de bíter. Uísque é perigoso." Então ele acrescentou em tom sério: "Espero que *você* não beba uísque."

"Muito raramente", respondi. "O meu fraco é vinho, você sabe."

"Ah, bem, eu aprecio um cálice de vinho branco doce de vez em quando, mas nada daqueles tintos azedos que você gosta."

"Não se preocupe, Pai, eu vou comprar um Liebfraumilch para você de Natal."

Ele me olhou com os olhos marejados. "Então eu estou convidado para passar o Natal com vocês?"

"Claro. Eu não vou deixar você passar o Natal sozinho." Na verdade nada me agradaria mais do que não ter Papai por perto no Natal. O Natal já é ruim o bastante sem o desgaste extra de cuidar dele e tentar aplacar os inevitáveis atritos entre ele e Fred e a mãe de Fred, mas a culpa que eu sentiria se o deixasse sozinho em Londres por todo o feriado seria ainda pior.

"Não sei se aguento a viagem", ele disse.

"Eu venho buscar você de carro, como sempre", eu disse.

"Mas preciso fazer xixi de meia em meia hora, quase", ele me advertiu.

"Tem vários paradouros ao longo da M1", eu comentei. "E podemos deixar uma garrafa no carro, para o caso de uma emergência."

"Quê?"

Olhei ao redor para me certificar de que não havia ninguém por perto. Por sorte o intervalo do almoço tinha acabado, e a maioria das outras mesas estavam vazias. "Podemos deixar uma garrafa no carro", eu disse, erguendo um pouco a voz.

"Ah, muito bem", disse ele, amargurado. "E se a gente ficar preso em um engarrafamento e todas as pessoas nos outros carros ficarem me olhando pelo vidro?"

"Aí você pode se esconder debaixo de um cobertor", respondi irritado. "Enfim, não é tão complicado como você está fazendo parecer. Você não foi ao banheiro nenhuma vez desde que chegamos."

"Mas eu preciso ir *agora*", disse ele, pondo-se de pé. "Parece que o chá já desceu." Este é o tipo de comentário que faz Fred contar até dez, e a mãe dela até cem.

Quando nós dois saímos do banheiro, fomos fazer algumas compras para Papai. Mesmo sabendo que eu pagaria, ele insistiu em comprar os produtos mais baratos – tão baratos que muitos deles não têm sequer marca: latas de feijões cozidos com uma etiqueta branca que informa apenas "Feijões Cozidos" em letras pretas e um pão branco fatiado que traz apenas "Pão Branco Econômico" impresso na embalagem plástica. Tinha até garrafas de "Liebfraumilch Alemão", sem nenhuma outra informação no rótulo sobre a origem, por um preço que não chegava a duas libras. Quando saímos para a rua, com as sacolas cheias, o chuvisco havia se transformado em uma chuva constante, que usei como pretexto para tomar um táxi preto que estava naquele instante deixando um passageiro, empurrando Papai em direção ao banco de trás antes que ele tivesse ocasião para protestar. Durante toda a viagem ele ficou com os olhos grudados no taxímetro; fazia comentários incrédulos cada vez que os dígitos mudavam e desviou o olhar quando entreguei o dinheiro ao motorista, como se aquilo fosse uma transação vergonhosa demais para se testemunhar.

De volta em casa, Papai cobriu os olhos com um lenço de seda e adormeceu na poltrona em frente à lareira elétrica. Eu também cochilei por alguns instantes, mas acordei primeiro e não o despertei. Na verdade, quanto mais tempo eu puder cumprir com o meu dever filial de lhe fazer companhia sem precisar conversar, mais feliz eu fico. Papai estava jogado na poltrona, com a cabeça atirada para trás e a boca aberta, como se lhe faltasse ar. De fato, ele é um sobrevivente. Quando a guerra estourou, Papai teve a presença de espírito de se alistar como voluntário da Força Aérea na condição de músico em vez de esperar que o convocassem para um posto provavelmente mais arriscado e certamente menos agradável. Nas bases aéreas de East Anglia ele desfilava em bandas marciais nos funerais dos jovens pilotos mortos em acidentes de treinamento, e à noite tocava em bailes e concertos da ENSA para entreter os heróis que retornavam dos bombardeios aéreos à Alemanha e que tinham uma chance em duas de não voltar da próxima missão. Depois ele ficou estacionado nas Ilhas Shetland, talvez o lugar mais seguro nas Ilhas Britânicas na época, e de lá me enviou, quando eu ainda tinha três anos, desenhos dele pescando e jogando golfe sob o olhar atônito das ovelhas. No último ano da guerra a banda foi enviada à Índia, outra zona livre de combates. Papai sempre viajou de trem e de ônibus e chegou a recusar uma carona de Bombaim até a Inglaterra em um avião militar, embora a desmobilização fosse muito mais rápida pelo ar, e assim completou seis anos de serviços na Royal Air Force sem jamais embarcar em um avião, um meio de transporte que ele considerava, não sem razão, intrinsecamente perigoso. Ele não voou nunca, sequer em tempos de paz, embora tenha chegado a sentar em algumas aeronaves estacionadas quando fez o papel de passageiro em comerciais de linhas aéreas para a televisão. Papai é um homem muito versátil e capaz, que superou as dificuldades impostas por uma formação desfavorável e sempre se ajustou muito bem às circunstâncias em constante mudança. Um violinista nato na juventude, embora quase não tenha estudado música, aos catorze anos abandonou a escola para trabalhar como contínuo, mas logo se interessou pelo jazz, um ambiente não muito propício ao violino (exceção feita a Stephane Grappelli), aprendeu sozinho a tocar saxofone e clarinete, passou a complementar a renda do escritório tocando em bandas de baile à noite, profissionalizou-se, tocou em clubes noturnos, fossos de orquestra, big bands do rádio, cantou baladas no ar em uma voz aguda e doce de tenor, muito ao gosto da década de 30, retornou da guerra para descobrir que as baladas tinham virado febre, desempoeirou o violino quando Mantovani ressuscitou o instrumento, tocou música de fundo em banquetes luxuosos e recepções de casamento, aprendeu a tocar reels para os bailes de caça e por vários anos teve emprego fixo com o quarteto dele em um clube do West End. Quando o clube fechou e ele precisou voltar a se apresentar em eventos, Papai notou que eles estavam ficando cada vez mais raros; então ele se associou ao sindicato de atores e pagou um agente para conseguir trabalho como figurante na TV e no cinema durante o dia. De vez em quando ele ainda se vê na televisão, quando reprisam seriados antigos, e me liga para perguntar se eu o vi, e eu sempre faço de conta que sim.

Ele também tem sido um homem com interesses muito diversos – um atrás do outro. Ao longo dos anos, Papai sempre teve algum hobby ou passatempo que consumia todo o tempo livre e toda a energia dele, até que de repente perdia o interesse e esquecia o assunto, em alguns casos retomando-o anos mais tarde. Por um longo tempo foi o golfe – um passatempo conveniente para quem trabalhava à noite e estava livre nas tardes da semana, quando os campos municipais estão vazios –, mas, por mais que se esforçasse, praticasse por horas a fio e estudasse manuais do esporte, Papai nunca conseguiu reduzir o handicap dele a um número de um dígito, e depois de um tempo começou a ter problemas nos joelhos e abandonou o jogo. Depois foi a pescaria no mar, viagens de um dia ao West Pier em Brighton, até que a construção incendiasse, uma tragédia que deixou Papai muito abalado e pareceu acabar com seu entusiasmo pelo passatempo. Depois foi a coleção de antiguidades, a peregrinação pelas lojas de artigos usados e mercados das pulgas em busca de pequenos objetos promissores (a casa não comportava nada muito grande) e o exame de tomos da biblioteca na tentativa de avaliá-los. Depois, as aplicações no mercado de ações. Depois caligrafia. Depois pintura a óleo. Invariavelmente ele aprendia essas coisas em livros da biblioteca ou em revistas, ou achacava conselhos e informações de pessoas mais experientes. A ideia de entrar para uma aula de pintura, por exemplo, parecia-lhe uma heresia. Papai era um autodidata nato. Talvez por isso ele nunca tenha se destacado na música ou em qualquer outro desses passatempos, mas eu tiro o chapéu para a versatilidade profissional e a gama de interesses dele, ao lado dos quais a minha vida parece sem brilho e limitada.

Assim, vê-lo agora, despido de todos os interesses que dão graça à vida, é ainda mais pungente. Ele só persiste em um dos antigos hobbies: guardar dinheiro, acompanhar os preços, economizar na comida, nas roupas e nos gastos domésticos. E não adianta perguntar para que ele está guardando o dinheiro, ou dizer que mesmo com gastos mensais maiores ele dificilmente conseguiria gastar tudo, e que neste último caso eu providenciaria o dinheiro necessário. Na verdade, Papai tende a interpretar esses comentários como insinuações cruéis de que ele não tem muito tempo de vida – o que sem dúvida, em termos atuariais, é verdade, embora não seja o que eu gostaria de dizer. Um dos motivos que me levou a deixá-lo tirar um cochilo na poltrona foi a consciência de que ainda não tínhamos abordado esse delicado assunto e de que, quanto menos tempo houvesse para tratá-lo antes de eu ir embora, melhor. Eu sabia que as gavetas da escrivaninha às minhas costas estavam abarrotadas de contas antigas e demonstrativos bancários, formulários de imposto e títulos de ações e do National Savings, canhotos de cheque e cadernetas e extratos de sociedades de crédito imobiliário e comprovantes de títulos de capitalização no National Savings e Deus sabe o que mais, e que quando Papai acordasse era quase certo que ele iria pedir os meus conselhos em relação a algum dos itens recolhidos naquele sítio de arqueologia financeira. Quando enfim acordou e voltou à vida com uma xícara de chá, ele foi até a escrivaninha e retirou uma correspondência que havia recebido do National Savings.

"Essa mulher lá do Norte não para de insistir para que eu compre mais títulos de capitalização", disse ele. "Qual é o problema dela, afinal?"

"Essa assinatura na carta é impressa", respondi. "Tudo é feito por computador." Olhei para os papéis, que eram cartas timbradas com a assinatura impressa da diretora comercial do National Savings, enviadas da sede em Durham. "Você tem vários títulos que já venceram. Eles querem saber se você quer resgatá-los ou comprar novos títulos."

"Eu não posso simplesmente deixá-los por lá?", ele perguntou.

"Até pode, mas eles vão render menos do que os títulos novos."

"Mas se eu comprar os novos eu vou ter que esperar mais cinco anos até eu poder... como é mesmo..."

"Até poder resgatá-los."

Em silêncio, contemplamos a possibilidade de que ele pudesse não viver o suficiente para usufruir dos juros acumulados no empréstimo para o governo.

"Acho que vou deixá-los quietos", ele disse.

"Por que você não os resgata e não faz um agrado para você mesmo com o dinheiro?"

"O quê?", disse ele, desta vez não no sentido de *O que foi que você disse?*, mas no de *Que tipo de coisa?*

"Eu sei lá... Contratar um motorista de limusine para levá-lo a Brighton."

"Pare de falar besteira", ele respondeu.

"Você sempre diz que tem saudades do mar. Você podia ir pescar na marina."

"Por um tempo eu tentei. Mas não é a mesma coisa que o velho West Pier. Você tem que andar quilômetros até encontrar um lugar bom para lançar. E depois são outros tantos quilômetros até o banheiro mais próximo."

Sem dúvida ele achava que essa era uma resposta irretorquível à minha sugestão leviana, e eu não insisti mais.

"Mas deve ter alguma coisa que você queira fazer", eu disse.

"Não, não tem", insistiu ele. "Já não estou mais na idade de fazer as coisas. Se eu conseguir passar a noite sem me levantar mais de três vezes, cumprir minha missão no banheiro antes de tomar café, preparar a janta sem queimar nada e ainda encontrar algo de bom para olhar na tevê... isso é tudo o que eu posso querer. Isso é um dia bom para mim."

Não consegui pensar em nada animador para dizer.

"Escute o que eu digo, filho", ele disse. "Não envelheça."

"Mas eu *já sou velho*, Pai", eu disse.

"Não velho como eu estou dizendo."

"Eu parei de trabalhar. Estou aposentado. Tenho um cartão de desconto no trem e um passe de ônibus. Sempre me levanto à noite ao menos uma vez. E sou surdo."

Um sorriso discreto iluminou-lhe o semblante. "É, você está meio surdo, não é mesmo?", disse ele. "Eu notei. Por que será? Quando eu tinha a sua idade a minha audição era perfeita."

Após essa declaração de superioridade, o humor dele melhorou. "O que você gostaria de jantar?", ele perguntou. "A gente podia comer aqueles feijões cozidos com um pouco de bacon."

Olhei para o relógio. "Eu não vou demorar muito, Pai", eu disse.

"Por que você não dorme aqui? A cama do seu quarto está feita."

"Não, Pai, obrigado. Eu tenho um monte de coisas para fazer amanhã." Mentira.

"Ah, mas coma alguma coisa antes."

Eu disse que comeria se ele me deixasse cozinhar e mostrar como a grelha do fogão funcionava.

"Não precisa, já tirei de letra", ele disse.

Mas eu insisti, para garantir que a refeição fosse comestível, e ele concordou, resmungando.

Fui embora em torno das seis. Papai ficou olhando enquanto eu vestia o sobretudo no corredorzinho minúsculo, sob a luz fraca, e afastou a cortina de feltro da porta de entrada para me dar passagem. Apertamos as mãos, e seus dedos de músico pareceram frios e macios ao toque. "Até logo, então, Pai", eu disse. "Se cuide."

"Tchau, filho, obrigado pela visita." Ele me deu um sorriso quase terno e ficou de pé no marco da porta até que eu atravessasse o portão de entrada. Ergui o braço em uma saudação final e tomei o rumo da estação com o coração leve e culpado. Dever cumprido.

5

5 *DE NOVEMBRO*. A responsabilidade pelo bem-estar de Papai pesa nos meus ombros porque eu não tenho com quem dividi-la. Sou o filho único de pais que também não tiveram irmãos. Eu e Papai praticamente não temos contato com os outros membros da família, que igual não moram em Londres. Ele tem duas primas mais velhas por parte de mãe, que vivem aposentadas em Devon e Suffolk, com quem troca cartões de Natal, mas a coisa para por aí. Os meus filhos fazem visitas ocasionais ao avô, mas os dois moram meio longe de Londres e têm as próprias vidas deles para se ocupar. E Papai quase não tem amigos. Os que eram do meio musical morreram ou se afastaram; e no mais ele nunca teve o que se costuma chamar de vida social. A vida social dele era o trabalho, conforme aprendi nas poucas vezes em que o vi em ação: contar piadas no palco durante os intervalos, conversar com os clientes de um clube noturno, sempre rindo, sorrindo e distribuindo apertos de mão – afinal, é o que se espera de um músico de baile, como ele uma vez me explicou. "O pessoal sai para se divertir e gosta que você pareça estar se divertindo também, mesmo que você esteja um caco por dentro." Assim, nas horas em que não estava trabalhando ele não queria saber de vida social: preferia jogar golfe ou pescar ou se dedicar a um dos outros hobbies. Ele trabalhava nas horas em que as pessoas em geral se divertem, e se por acaso estivesse em casa à noite era porque não tinha conseguido nenhuma apresentação ou estava desempregado, então ele não sentia vontade de sair e gastar dinheiro. Até nos domingos era comum ele tocar em um casamento judaico ou em um bar mitzvah. A principal vítima desse

estilo de vida foi a minha mãe, que teve pouco convívio social e uma carreira profissional nada glamorosa, trabalhando 25 anos no escritório de uma loja de materiais de construção por um salário irrisório. Mamãe tinha algumas amigas na rua, mas desde que ela morreu a maioria das amigas morreu também, ou se mudou para longe, e o relacionamento de Papai com os vizinhos se resume, na maior parte dos casos, a cumprimentá-los com um aceno de cabeça, a não ser pelos Barker, que moram na casa geminada – um ferroviário aposentado e a esposa, que moram lá há trinta anos, em quem Papai confia sem gostar. Na casa do outro lado da cerca mora uma família de sikhs com que ele mantém um relacionamento educadamente distante. A bem dizer ele está sozinho na Lime Avenue, e hoje provavelmente eu sou a única pessoa que cruza a porta da casa, além do médico e do homem que vem medir o consumo de energia. É uma existência solitária e vulnerável. O que eu posso fazer? Discuti o assunto com Fred quando cheguei em casa anteontem à noite.

Passava das dez e meia quando o meu táxi entrou na estradinha de cascalho no número nove da Rectory Road. Ao atravessar a porta da frente chamou-me a atenção, como sempre acontece quando volto desses passeios, o contraste entre a casa geminada de proporções malcalculadas, escura e sórdida de onde eu vinha e a casa em estilo Regência, modernizada e muito bem-cuidada onde eu moro, com a pintura reluzente e os pisos de tabuão, o pé-direito alto e a escada curva, as paredes magnólia ornadas com vívidas pinturas e gravuras contemporâneas, os móveis confortáveis, discretos e modernos, os tapetes grossos e as cortinas modernas, que abrem e fecham como simples apertar de um botão. O dia estava quente, mas o ar tinha um cheiro doce.

Fred tornou-se a dona da casa como parte do acordo de divórcio, e passou a dedicar a maior parte de seu tempo a melhorá-la até que, com a abertura da *Décor*, a casa passou a ser uma extensão do trabalho, um laboratório de novas ideias e um cartão de visita para os clientes em potencial. Quando nos casamos, eu gostei de vender a confortável mas tediosa casa moderna onde eu e Maisie criamos nossos filhos e de me mudar para a casa de Fred, onde investi o dinheiro arrecadado com a venda nas ambiciosas reformas que ela havia planejado. Os três pisos tinham quartos suficientes para todos os nossos filhos ao mesmo tempo, sendo dois meus, que de qualquer jeito ou já estavam na universidade ou então prestes a entrar, e três dela. Hoje o tamanho da casa parece uma extravagância para nós dois, mas Fred gosta de dar grandes festas e de promover reuniões familiares no Natal e em outras ocasiões parecidas. Além do mais, segundo ela, espaço é o luxo de que mais gosta: há quem prefira carros potentes, iates ou casas na Dordonha, mas Fred prefere gastar o dinheiro em espaço que ela possa aproveitar dia após dia.

Pendurei o meu casaco no corredor e gritei "Fred!" para anunciar o meu retorno, e encontrei-a, como eu já esperava, na sala de estar. As luzes estavam baixas, e os carvões a gás artificiais ardiam e bruxuleavam na grelha, como se me dessem boas-vindas. Fred estava deitada no sofá com os pés para cima, assistindo *Newsnight* na televisão, e de relance eu vi soldados fardados fazendo a patrulha de uma rua poeirenta no Oriente Médio antes que ela apagasse a imagem com o controle remoto. Fui até o sofá e ela inclinou o rosto para receber um beijo.

"Pode continuar assistindo, se você quiser", eu disse.

"Não, querido, é muito deprimente. Mais um homem-bomba em Bagdá."

Afundei em uma poltrona e tirei os sapatos. Fred disse algo que eu não entendi, acho que sobre o noticiário, alguma coisa sobre "bingo". "Mas o que o bingo tem a ver com o homem-bomba?", perguntei. Vi pela expressão dela que algo estava errado. "Só um pouco", eu disse, e remexi o meu bolso em busca dos aparelhos auditivos, que eu havia tirado no trem. Ao colocá-los, percebi que um deles já estava ligado. "O que você disse?"

"Eu disse que você está zumbindo, querido. Ou melhor, estava."

"Eu devo ter esquecido de desligar essas coisas. Ou então elas se ligaram sozinhas. Acho que às vezes elas fazem isso."

"Como foi o seu dia longe de casa?" O tom de voz dela era agradável, mas a micro-humilhação do aparelho auditivo zumbidor, símbolo da minha debilidade, perdurou como a irritação de uma picada de inseto e diminuiu o prazer do meu retorno ao lar. *Onde está, surdez, o teu aguilhão?* Resposta: em toda parte. Talvez por esse motivo eu tenha pintado o quadro de Papai com tintas um pouco mais sombrias. Descrevi o estado geral da casa, em especial o fogão e a geladeira.

"Ele não pode continuar vivendo sozinho por muito tempo", concluí.

Fred pareceu séria. "Escute, querido, eu não quero parecer dura nem insensível, mas tem uma coisa que eu preciso dizer: ele não pode vir morar conosco."

"Eu sei."

"Seria demais para mim. O Natal e algumas outras vezes por ano, tudo bem, mas eu não quero tê-lo aqui permanentemente."

O fato é que eu também não queria, mas me senti grato por Fred estar disposta a assumir todo o desgosto dessa decisão. "Ele também não ia querer", eu disse. É verdade. Papai nunca se sentiu muito à vontade na casa de Fred. As peças grandes e o pé-direito alto o intimidam; assustam-no com correntes de ar e aterrorizam-no com visões de enormes contas de luz. A bem dizer, uma vez ele sugeriu a Fred, com toda a seriedade, que ela dividisse a sala de estar ao meio com uma grande cortina de feltro presa no teto e colocasse umas poltronas perto da lareira; acho que os trilhos motorizados das cortinas de veludo lhe deram a ideia. Papai sente-se de fato mais confortável em seu pequeno ninho sujo, atulhado de móveis, onde três ou quatro passos podem levá-lo da porta até a parede mais distante do cômodo, do que neste salão de móveis luxuosos e proporções magníficas.

"Mas o que nós vamos fazer com ele?", perguntei.

"Você vai ter que procurar uma casa geriátrica, alguma coisa assim."

"Aqui, você diz?"

"Ele toparia se mudar para cá?", Fred perguntou, cética.

"Ele não vai se mudar para lugar nenhum de boa vontade", eu disse. "Mas faz sentido. A gente poderia fazer mais visitas, trazê-lo mais vezes para comer aqui em casa."

"*Você* poderia, querido; ele é o seu pai", Fred disse. "Claro que ele vai sempre ser muito bem-vindo aqui, mas você é quem vai se encarregar dele. Você sabe como eu ando ocupada."

Contemplei a possibilidade por alguns instantes – Papai aparecendo todos os dias para conversar, ou melhor, para resmungar –, mas a ideia não me pareceu muito atraente. Por outro lado eu estou me cansando das intermináveis peregrinações até a casa dele em Londres, e visitá-lo em um lar para idosos lá, supondo que eu achasse algum, não seria menos aborrecido.

"Vou ver o que eu descubro", continuei, "e levá-lo para ver alguns lugares enquanto ele estiver aqui para o Natal. Eu não tenho a menor ideia de quanto isso custa, você sabe?"

"Tudo o que é bom é caro", respondeu Fred. "Mas se ele vender a casa, dá para pagar as mensalidades por alguns anos."

Tentei me imaginar convencendo Papai a aceitar esse esquema, a viver de modo extravagante às custas de um capital cada vez menor, mas não consegui.

"E depois de alguns anos?"

"Nós assumimos a despesa, se for preciso." Sem dúvida ela achava que não seria preciso. "Por falar em Natal", disse ela, "eu quero dar uma grande festa aqui no dia 26, para os amigos, vizinhos e clientes. Um bufê de almoço com bebidas."

Imaginei aquela sala agradável e tranquila cheia de pessoas sorrindo e suando e levando o efeito Lombard às últimas consequências e precisei segurar um gemido. "Não vai ser demais para você, depois do jantar de Natal?", perguntei, em busca de uma objeção aceitável.

"Nós vamos contratar um bufê. Jakki conhece uma empresa asiática que trabalha durante o Natal. Diz ela que eles fazem saladas e curries tailandeses deliciosos. O pessoal vai gostar de comer outra coisa que não seja peru e tortas doces."

"Papai não vai gostar nem um pouco", eu disse.

"Bom, então ele pode pegar uma coxa fria de peru e levar para o quarto", respondeu Fred, sem papas na língua, "junto com todas as tortas que ele quiser." Senti que para ela esta seria uma alternativa perfeitamente satisfatória.

Fred perguntou se eu queria jantar, mas eu tinha comido um sanduíche no trem e estava sem fome. Servi uma dose caprichada de uísque – talvez um ato de rebelião edípica motivado pelo sermão de Papai sobre o assunto, porque eu não tenho o hábito – e levei-o comigo para o andar cima, a fim de bebericar um pouco na banheira antes de ir para a cama. Relaxei no vapor e na água quente, dissolvendo a tensão e o cansaço do dia, vesti um pijama limpo e fui para a cama. Em geral eu leio um pouco de poesia antes de dormir. Deixo meus poetas favoritos na mesa de cabeceira – Hardy, Betjeman, Larkin – e abro os livros ao acaso. Eu estava lendo "Beeny Cliff" quando Fred entrou no quarto:

Ah, a opala e a safira em mar e ondas do
[Ocidente,
No alto, ela, com o cabelo em fios de raio
[reluzente –
Ela a quem eu tanto amei e que me amou
[tão lealmente.

De vez em quando eu afastava discretamente os olhos do meu livro para espiar Fred enquanto ela se preparava para deitar, tirava a roupa, entrava e saía do banheiro e vestia a camisola, e fui recompensado com um vislumbre das curvas generosas de sua bunda e com a silhueta de um belo seio nu. A bunda é obra dela mesma, mas os seios devem alguma coisa à arte do cirurgião. Alguns anos atrás ela fez uma cirurgia de redução. Na época eu fui contra, por motivos de saúde e de segurança (com as infecções que hoje em dia grassam pelos hospitais, só uma doença fatal me convenceria a ser operado), e a visão das bandagens e dos pontos me deixou enjoado no início, mas admito que o resultado final, quando os cortes cicatrizaram até desaparecer, ficou impressionante. Mais ou menos na mesma época Fred se matriculou na academia e começou a fazer exercícios, praticar ioga, correr quilômetros na esteira e estirar-se como um mártir medieval em diversos aparelhos ligados a pesos e polias, dando a seu tronco matronal o atraente contorno de uma ampulheta. Nada foi feito para o meu benefício, mas como parte de uma mudança pessoal completa que acompanhou a nova carreira dela e incluiu dietas, tinturas de cabelo e a troca dos óculos pelas lentes de contato. Mesmo assim, fui afetado pelo que Betjeman chamou de "luxúria de aflorar tardio" – uma luxúria adúltera, no caso dele, e uxória no meu. Enquanto eu espiava aquelas preparações rotineiras e totalmente desprovidas de coqueteria, senti uma comoção na minha virilha, mas precisei resistir à tentação de deslizar a mão por baixo da camisola dela quando Fred entrou para baixo dos lençóis e se virou de lado, pois eu sabia que, depois do uísque, eu não seria capaz de levar nenhum avanço amoroso a uma conclusão satisfatória. Em vez disso, aconcheguei-me atrás dela, de conchinha, ajustando o meu corpo à curva de sua bunda e abraçando-a pela cintura – uma cintura que não existia cinco ou seis anos atrás. Entoei "Beeny Cliff" para mim mesmo e adormeci em algum ponto da última estrofe:

> *E se o mar ainda assoma em suas belezas abismais,*
> *Ela que partiu num pônei para não voltar atrás*
> *Já não lembra ou pensa em Beeny, e por lá não*
> *[rirá mais.*

Acordei às três e meia, talvez porque o efeito do álcool tivesse passado, me levantei para fazer xixi e depois fiquei me revirando na cama por um tempo, sem conseguir pegar no sono outra vez. Tentei me aconchegar em Fred, mas ela me afastou, não porque estivesse irritada, eu acho – o mais provável é que fosse apenas um reflexo durante o sono –, mas ficar longe de seu corpo fez com que eu me sentisse rejeitado e vulnerável. Retornei aos pensamentos abandonados quando adormeci: o sexo com Fred, ou melhor, o não sexo com Fred, somado à elegia que Hardy escreveu para a primeira esposa, trouxe-me lembranças perturbadoras de Maisie.

Tento não pensar demais em Maisie. Os últimos anos da vida dela foram terríveis, não só para ela, mas para todos nós. Desde o instante em que ela disse ter achado um nódulo embaixo do braço eu soube com uma certeza terrível como aquilo ia acabar: as intermináveis consultas no hospital, as salas de espera abafadas e lotadas, as consultas tensas, as operações e a quimioterapia e a radioterapia, os breves períodos de melhora e esperança, a depressão e o desespero indizíveis quando as tomografias seguintes mostravam que tudo havia sido em vão, a transformação gradual da casa em uma ala de tratamento, primeiro com a instalação de um elevador nas escadas e depois, quando até isso passou a ser demais para ela, a conversão da sala em um quarto de doente, com banheiro anexo e uma enfermeira de plantão. Maisie estava decidida a morrer em casa. Ela conseguiu realizar esse desejo, afinal era tudo o que podíamos fazer por ela no fim, mas o preço que eu e as crianças pagamos foi alto. Acho que um dos motivos da minha profunda amargura em relação à minha surdez é que, tendo passado por tudo aquilo, sobrevivido e depois encontrado a felicidade outra vez ao lado Fred, de algum modo eu imaginava ter sofrido todo o meu quinhão de desgraças, imaginava que dali em diante tudo correria bem. Mas, claro, não é assim que as coisas funcionam. Não é assim mesmo.

Ele só sobreviveu ao desgaste daquela época mergulhando no trabalho, devotando todas as horas que não eram ocupadas com cuidados a Maisie ou com as crianças às aulas e às pesquisas. Nos primeiros estágios da doença eles ainda faziam amor por pura ternura, mas, à medida que a doença avançava, Maisie passou a sentir dores e ele começou a ter dificuldades, e assim os dois desistiram em um acordo tácito. Certa vez, seis meses antes de morrer, Maisie tocou no assunto de maneira comovente, mas constrangedora, dizendo que entenderia se ele precisasse do que ela chamava de "alívio" de outra mulher, desde que ela não ficasse sabendo, e nenhum de seus amigos tampouco. Ele respondeu, com toda a sinceridade, que não sentia a menor necessidade. Maisie disse à irmã que ele era "um santo", mas ele repudiou o elogio com veemência quando ficou sabendo. Aquela castidade não era nenhuma virtude. Ele simplesmente se sentia anestesiado pela desgraça da situação. A ideia de começar um envolvimento emocional com outra mulher enquanto Maisie morria um pouco mais a cada dia era inconcebível, e ele não era o tipo de homem que recorreria a prostitutas ou a salões de massagem.

Após a morte de Maisie, ou melhor, uns seis meses depois de ela ter falecido e ele ter se recuperado do primeiro impacto do luto e da perda, misturado ao alívio de ver o fim do sofrimento da esposa, bem como o de se ver livre de seu fardo, ele percebeu que tinha voltado a ser um homem desimpedido e estava sendo observado com um interesse ora terno, ora lascivo – como se o seu círculo de amigos estivesse conspirando para lhe encontrar outra companheira, ou então apostando em quem ela seria. Também notou que Anne e Richard, na época adolescentes e muito fiéis à memória da mãe, reagiam com extrema desconfiança sempre que ele ficava fora até tarde da noite ou falava bem de alguma colega durante uma conversa. Ele achava que esse temor de que qualquer tentativa de ser agradável pudesse ser mal-interpretada tinha um efeito inibidor em seus relacionamentos com as mulheres disponíveis que conhecia – e o mesmo se poderia dizer das crianças. Então Winifred Holt entrou em sua vida, primeiro como uma aluna que se diplomaria em História da Arte e Linguística.

Era uma combinação inusitada, já que não existem muitas relações entre as duas áreas, seja em termos de conteúdo ou de metodologia. Na verdade, a única em que ele conseguia pensar, segundo ele disse no primeiro tutorial (o departamento ainda oferecia tutoriais naquela época), era a aplicação da distinção entre metáfora e metonímia proposta por Jakobson para distinguir o Surrealismo do Cubismo. Ela admitiu, sorridente, que não havia nenhum motivo para a combinação das disciplinas: ela simplesmente se interessava pelas duas, por diferentes motivos. Sempre havia gostado de visitar galerias de arte e observar quadros e, sendo mãe de filhos pequenos, também estava fascinada pela facilidade com que as crianças adquiriam a linguagem e queria aprender mais sobre o assunto. De fato ela nunca teve muita facilidade com a linguística, mas fez o melhor que podia dentro das possibilidades e, com um mínimo de ajuda da parte dele, tirou um A em História da Arte graças a um longo ensaio sobre a diferença entre o Surrealismo e o Cubismo. Ele sempre tinha nutrido um certo interesse pelas artes visuais, que aos poucos foi se desenvolvendo graças a Winifred.

Ela era uma "aluna madura", perto dos quarenta, mas parecia ainda mais madura do que isso. Winifred era alta, tinha ossos grandes e seios fartos, e seus cabelos castanho-escuros ondulados já tinham alguns fios grisalhos. Ela usava óculos de armação dourada que, quando não estavam repousando em seu nariz, ficavam balançando entre aqueles seios impressionantes, pendurados ao pescoço por uma correntinha dourada. Também se destacou da multidão de alunos por outros motivos quando chegou ao Departamento. Ela era esnobe – de um esnobismo óbvio, inescapável, impossível de não perceber. O jeito de falar era esnobe, os modos eram esnobes e as roupas eram de um esnobismo *demodé*: twin-sets, saias de tweed e escarpins de couro. Quando começou o curso, ela achava que todo mundo devia se apresentar aos professores e palestrantes como as pessoas em geral se apresentam aos médicos e advogados. As jovens alunas do primeiro ano, com camisetas de monograma, minissaias de brim, *collants* listrados e botas da Doc Martens olhavam-na cheias de incredulidade, ou rolavam os olhos umas para as outras cada vez que ela fazia uma pergunta perfeitamente bem-formulada com um sotaque cristalino. Mais tarde ela adotou um modo de vestir mais descontraído e se misturou melhor à fauna local, mas nunca conseguiu disfarçar o sotaque.

Foi só no segundo ano que ele passou a ser o tutor dela (na época ele era professor adjunto). Naquela época privilegiada o departamento promovia encontros semanais entre dois ou três alunos que discutiam um ensaio ou faziam alguma outra tarefa, e os professores também atendiam em horários preestabelecidos, nos quais os alunos podiam aparecer para pedir esclarecimentos e orientações. Winifred tirava proveito dessa oportunidade com relativa frequência, talvez porque não tivesse amigos mais próximos entre os colegas, e ele logo passou a conhecer as linhas gerais de sua vida, que ela ia pintando com detalhes cada vez mais íntimos à medida que o relacionamento entre os dois amadurecia. Ela vinha de uma família católica inglesa que remontava ao período normando e tinha mantido a fé inabalável nessa religião durante a difícil época da Reforma – em algum galho da árvore genealógica havia um mártir jesuíta. A avó dela era filha de um visconde, mas ninguém da família imediata tinha fortunas ou posses. O pai de Winifred trabalhava no consulado, e ela havia estudado em vários países estrangeiros e também num internato religioso, isolada da cultura jovem dos anos 60. Ela não tinha um currículo acadêmico brilhante e a família não tinha o costume de mandar as meninas para a universidade, então ela passou seis meses em uma escola para moças em Genebra e depois fez um curso de secretariado em Londres, na esperança de que não precisasse ganhar a vida por muito tempo antes de arranjar um marido. Uma tia assumiu todos os cuidados com Winifred, já que seus pais estavam no exterior, e apresentou-a a jovens católicos solteiros, um dos quais era um consultor de investimentos chamado Andrew Holt, que havia estudado em Downside e em Oxford, por quem, segundo Winifred, "Eu imaginei que estivesse apaixonada, quando na verdade eu só queria levá-lo para a cama, e como eu achava que o único jeito de levar um homem para a cama era casando, eu casei com ele." Eles tiveram a primeira filha, Marcia, no mesmo ano do casamento, e logo depois vieram Giles e Ben. "Controle de natalidade católico, sabe como é", disse ela, fazendo uma careta. "Mas depois de Ben eu comecei a tomar pílula. E aí viemos para cá." A firma onde Andrew trabalhava estava crescendo, e ele poderia ser promovido caso se mudasse para uma das novas filiais que a empresa estava abrindo no norte da Inglaterra. O casal queria uma casa próxima à universidade porque de lá era fácil ir até o centro, e a localização, na época antes do *boom* imobiliário, não era das mais caras: uma área com casas mais antigas, mais ou menos decrépitas, muitas delas enormes casarões vitorianos construídos com as pedras da região para o usufruto dos comerciantes e fabricantes da cidade, muitas delas convertidas em apartamentos muito populares entre os universitários. A casa da Rectory Road, com suas proporções clássicas e fachada de estuque, era mais imponente do que a maioria das casas vizinhas, mas na época estava dilapidada, e eles não tinham dinheiro para reformá-la. Winifred se desdobrava para cuidar das três crianças pequenas em uma casa fria e úmida com uma fiação elétrica antiga, que vivia dando problemas, e um marido que passava os dias inteiros no trabalho até altas horas. "Só que ele não estava só trabalhando, ele também estava tendo um caso com uma colega." Eles fizeram terapia de casal e deram um jeito de consertar as coisas, mas quando Andrew saiu da linha outra vez Winifred pediu o divórcio. Ela ficou com a casa e também recebia uma pensão mensal, que era complementada com o aluguel de quartos para estudantes da pós-graduação. Nas conversas com os inquilinos ela sentia o gostinho do que havia perdido por não ter frequentado a universidade, então quando as crianças cresceram ela se inscreveu como aluna madura, um procedimento que a dispensava de certas exigências para a matrícula. "E aqui estou eu – adorando cada segundo."

Os dois precisaram conduzir o relacionamento de modo muito discreto até terem certeza de que desejavam torná-lo público, e no início foi preciso um tanto de subterfúgio, o que aumentava ainda mais a excitação e a satisfação com o envolvimento amoroso. Para ele era como voltar à vida outra vez, depois de passar um tempo congelado, em animação suspensa. Ele nunca iria esquecer o êxtase do primeiro fim de semana em que os dois viajaram juntos e hospedaram-se em uma pensão campestre, protegidos por álibis engenhosamente concebidos para enganar os filhos de ambos. Ele estava um pouco apreensivo quanto a fazer sexo outra vez após um intervalo tão longo, mas Winifred fez tudo parecer muito fácil. Ela tinha – e continua tendo – uma atitude muito simples em relação ao sexo, encarando-o, segundo ele às vezes pensava, como um exercício saudável e empolgante, como andar a cavalo ou pegar jacaré na praia. Ela gostava de fazer, mas aguentava longos períodos de abstinência sem sofrer com a privação. "Que delícia", ele suspirou depois que eles fizeram amor pela primeira vez. "Eu tinha esquecido como é bom." Era diferente com Maisie, que ficava ansiosa se eles não fizessem amor com uma certa regularidade, temendo que a afeição dele diminuísse, embora ela fosse tímida na cama, talvez como resultado da criação em uma família de escoceses presbiterianos. Os primeiros anos do casamento foram uma época em que casais respeitáveis de toda parte estavam curiosos em aprender como incrementar os prazeres do sexo em manuais com esse nome ou em fontes parecidas, e Maisie se dispôs a tentar algumas das posições novas que ele propôs; mas ele via que ela não estava aproveitando e depois de um tempo os dois retornaram aos abraços conjugais mais comuns. Maisie tinha uma aversão invencível por qualquer forma de sexo oral. Assim, foi uma surpresa e tanto quando, na terceira vez na cama com Winifred, ela tratou o pênis dele como se fosse um pirulito especialmente delicioso. "Está bom assim?", perguntou ela erguendo o rosto, com os cabelos desalinhados. "Bom demais", ele respondeu. "Foi Andrew quem me ensinou, mas o desgraçado não fazia em mim." "Eu vou fazer", acrescentou ele.

Foi naquele fim de semana que ela mencionou o apelido "Fred", que havia ganhado no internato, e ele o adotou como uma espécie de codinome em anotações e entradas de diário por toda a duração do envolvimento clandestino. Ele nunca tinha gostado muito de nomes como Winifred ou Winnie, e assim resolveu adotar o antigo apelido dela. Eles esperaram até que os filhos terminassem a época de provas naquele verão antes de dar a notícia de que iriam se casar. Àquela altura, as crianças já haviam adivinhado que seus pais tinham um envolvimento mais sério e aceitaram a união com resignação e, em alguns casos, até mesmo aprovação. A princípio os filhos não gostaram da ideia de morar na mesma casa, mas no devido tempo a saída de cada um para uma universidade e uma carreira diferente resolveu o problema. Ele e Winifred casaram em uma cerimônia discreta nas férias de verão e ela retomou os estudos no semestre seguinte. Depois de algumas conversas com o chefe do departamento ficou combinado que, para evitar qualquer suspeita de favoritismo, Winifred não cursaria nenhuma disciplina com ele no terceiro ano, e ele se absteria de participar do conselho de examinadores em que a graduação dela seria discutida. Ela tirou 2,1, que não era uma nota tão comum quanto se tornou mais tarde, fez um mestrado de meio-turno ao longo de dois anos em História da Arte do século XIX e começou um doutorado meio desconjuntado sobre Art Nouveau e a Secessão vienense, abandonado quando a *Décor* começou a consumir todo o tempo e a energia disponíveis.

O casamento foi no civil, porque Fred ainda era a esposa de Andrew perante os olhos da Igreja Católica. No início isso não a incomodou, embora tenha aborrecido seus pais. Ela tinha praticamente abandonado a fé católica como resultado dos tumultos no primeiro casamento e culpava a doutrina religiosa durante sua criação e sua infância pela escolha precipitada de um marido e pelo desgaste de ter tido muitos filhos em um período tão curto. Eles concordaram em não ter mais filhos: seria arriscado na idade em que ela estava – trinta e oito anos – e eles achavam que já tinham posto filhos o suficiente no mundo. Os primeiros anos do casamento, portanto, foram uma lua de mel longa e apaixonada, em que ambos redescobriram os prazeres eróticos sem as distrações nem as interrupções decorrentes de cuidados com bebês e filhos pequenos que haviam sucedido a primeira união de cada um. O diagnóstico da surdez de alta frequência lançou uma sombra sobre essa felicidade, mas a qualidade da vida sexual dos dois não foi muito afetada, afinal os sons que a acompanham são em boa parte não verbais e de baixa frequência. Com o passar dos anos, o vigor dele foi diminuindo, Fred ficou mais robusta e menos atraente e, como a maioria dos casais, eles caíram em uma rotina cada vez mais serena de fazer amor – uma rotina que, segundo ele acreditava, tendia a desaparecer em uma velhice casta para os dois. Mas a nova carreira e o novo visual de Winifred a rejuvenesceram, enquanto ele ficava cada vez mais velho e mais surdo e propenso a disfunções eréteis. Quando os dois se casaram, a diferença de oito anos entre eles parecia insignificante, mas agora a idade começava a pregar peças nos pensamentos dele. Não eram exatamente como Janeiro e Maio, na história de Chaucer; estavam mais para Março e Abril, mas essa pequena diferença parecia cada vez mais visível à medida que ele envelhecia, em especial porque Fred cultivava uma aparência ainda mais jovem. Ela sempre era compreensiva e bem-humorada quando o sexo não vingava, por assim dizer, e acabava sem um clímax. Ela dizia que havia outras formas de dar e receber prazer e topava quase todas, mas para ele aquilo eram apenas as preliminares. Por sugestão do médico, ele experimentou tomar Viagra, que teve o efeito desejado, mas causou uma reação alérgica, e assim ele acabou desistindo. Assim, nos últimos tempos ele planejava o sexo com todo o cuidado, o que incluía não ingerir álcool, tomar uma chuveirada revigorante em vez de ficar de molho na banheira quente e regular o aquecimento e a iluminação do quarto antes de propor que os dois fossem para a cama mais cedo. Mas os preparativos nem sempre davam resultado. O prazer da expectativa havia se transformado em angústia, e os emails diários de spam com anúncios de Viagra, Cialis e outras falcatruas fitoterápicas que prometiam maior vigor sexual pouco faziam para lhe trazer paz de espírito. "*Impressione a sua parceira com ereções rígidas, ejaculações abundantes e relações duradouras. Leve a sua masculinidade a níveis nunca imaginados... Tudo o que um homem de verdade pode querer... Olá, amigo! Agora você pode se livrar para sempre desse constrangimento... Extra-Time é a solução definitiva para os seus problemas. Não contém hormônios... Alguma vez ela disse que você era pequeno demais? Não? Talvez ela estivesse apenas sendo gentil. Imagine como você seria mais feliz com mais tamanho, mais apreciação feminina e mais autoestima. Clique aqui...*"

Acho que se isso fosse um romance, qualquer leitor pensaria: “Haha, esse coitado não percebeu que Winifred tem um amante, que a dieta e a cirurgia plástica foram para o benefício *dele* e que, graças à cumplicidade de Jakki, ela dá umas escapadas da loja para dedicar tardes inteiras ao adultério enquanto segura o velho em casa com um chupada de vez em quando.” Mas eu estou certo de que não é nada disso. Afora a minha confiança intuitiva na fidelidade dela, o processo de embelezamento coincidiu mais ou menos com a retomada dos preceitos religiosos por parte de Fred, um desdobramento que em termos intelectuais eu desprezo, embora o veja como uma espécie de garantia contra um par de cornos. Parece que começou na missa do casamento de Marcia, quando Fred não pôde fazer a Comunhão junto com a mãe dela e os outros membros da família, o que nas palavras dela foi “um escândalo”. Antes ela costumava ir à missa sozinha quando sentia vontade, em especial quando tirávamos férias em países católicos, mas eu achava que era apenas um triste prazer nostálgico. Porém, após o casamento de Marcia, ela ficou ressentida com a própria situação matrimonial e decidiu pedir na Igreja a anulação do casamento com Andrew, com a justificativa de que na época os dois eram muito imaturos em termos emocionais e psicológicos para entender o que o casamento significava. Tive a impressão de que isso era o que acontecia com pelo menos cinquenta por cento de todas as pessoas que casam cedo, inclusive comigo e com Maisie, mas não disse nada, pois eu via que para ela era muito importante regularizar a situação perante a Igreja. O processo foi bastante longo e incluiu entrevistas com a mãe e os irmãos dela, para confirmar que ela era imatura em termos emocionais e psicológicos na época do casamento. A família, é claro, ficou feliz de poder ajudar. Andrew, que havia casado outra vez e abandonado o Catolicismo, no início relutou em reconhecer sua imaturidade juvenil, mas cedeu em nome do bom relacionamento com os filhos que teve com Fred, e no fim a anulação foi concedida. Eu tinha curiosidade de saber o que as crianças acharam de tudo e perguntei a Fred. A anulação do casamento não as transformava em filhos ilegítimos? Ela disse que não, que a legitimidade era um conceito da lei civil. No que dizia respeito à lei, ela e Andrew haviam de fato casado e tido filhos legítimos, mas aos olhos de Deus eles não tinham casado nunca, embora eles mesmos e todos os convidados, incluindo o padre que os casou, achasse que sim, porque uma exigência fundamental para um casamento válido não tinha sido cumprida. Eu a provoquei um pouco: "Então na verdade Andrew não cometeu adultério quando foi para a cama com aquelas outras mulheres? Afinal ele não era casado." "Claro que cometeu", respondeu ela, irritada. "Foi por isso que eu pedi o divórcio. Não seja infantil, querido." "Adultério aos olhos da lei, talvez, mas aos olhos de Deus?", perguntei. "Aos olhos Dele também", disse Fred, com um olhar frio como o aço. Não insisti. Para mim, era óbvio que o processo, que nos últimos tempos ficou bem mais liberal e acessível do que era no passado, quando só os ricos e poderosos capazes de mexer os pauzinhos no Vaticano conseguiam a anulação, não passava de um esquema para burlar a oposição histórica da Igreja Católica ao divórcio sem dar a impressão de contradizê-la, mas como o resultado final é benéfico eu achei melhor não criar caso. Cheguei até a concordar em fazer uma espécie de casamento religioso na igreja da paróquia de Fred – uma cerimônia privada e discreta, com apenas Marcia e o marido presentes para servirem de testemunhas –, embora eu me sentisse um pouco idiota repetindo todos os juramentos que já havíamos feito no civil outra vez. "Você está notando alguma diferença?", perguntei a Fred logo depois. "Claro, querido, sem dúvida", ela respondeu. "Então você não se sentia como se a gente fosse um casal de verdade antes?", perguntei. "Não, claro que não – quer dizer, sim, eu sentia, sim. É só que agora parece que... está tudo no seu lugar. Em paz."

Fui batizado na Igreja Anglicana, mas a minha educação não foi religiosa. Mamãe me ensinou a rezar antes de dormir quando eu ainda era criança e me levava para a igreja no Natal e na Páscoa, mas parava por aí; Papai dizia – e de vez em quando ainda diz – acreditar em Deus, mas ele nunca põe os pés em igreja alguma, exceto em casamentos e funerais. Eu frequentei um curso clássico que promovia assembleias religiosas e incentivava os alunos com inclinações às ciências humanas a se diplomarem em ensino religioso ao término dos estudos, e quase tudo o que eu sei sobre o Cristianismo vem dessa educação e de estudar literatura inglesa, especialmente Milton e James Joyce, na universidade. Eu invejo a crença das pessoas religiosas e ao mesmo tempo me sinto ressentido. As pesquisas demonstram que elas têm muito mais chances de ser felizes do que os puramente seculares – e não é difícil entender por quê. A vida de todo mundo tem parcelas de tristeza, sofrimento e decepção que podem ser aceitas com muito mais facilidade se você acredita que vai viver uma outra vida em que todas as imperfeições e injustiças desta serão corrigidas; até a morte se torna um assunto bem menos deprimente. É por isso que eu invejo as pessoas religiosas. Claro, não existe um embasamento sólido para a crença delas, mas você não pode fazer menção a esse fato sem parecer rude, agressivo e desrespeitoso – sem parecer que você está atacando o direito delas à felicidade. É por isso que me ressinto com as crenças religiosas, mesmo entre as pessoas mais próximas e mais queridas – na verdade, especialmente entre as pessoas mais próximas e mais queridas, já que com elas a impossibilidade de discutir a religião de maneira desapaixonada fica ainda mais evidente. Fred vai todo domingo à missa, deixando-me para trás com os jornais de domingo, e volta uma hora e meia depois parecendo muito satisfeita com sua virtude. Eu posso perguntar sobre o que foi o sermão, e ela me dá uma resposta vaga – tenho sérias dúvidas quando à atenção que ela dedica ao que é dito –, mas eu nem sonharia em perguntar, por exemplo, se ela recebeu a Comunhão com uma crença inabalável na doutrina da transubstanciação. Acho que a fé de Fred nunca teve uma base intelectual muito forte. Este foi um dos efeitos da criação, da educação e das tradições de família. As intempéries da sexualidade e de um casamento infeliz no início da idade adulta arrastaram-na para longe da fé católica, mas quando os ventos cessaram ela retornou ao abrigo da fé. Pelas poucas ocasiões em que a acompanhei à missa por questões familiares, eu diria que para ela tudo não passa de um ritual, um ritual de reafirmação. Ela senta e fica de pé e se ajoelha e canta os hinos religiosos e murmura as respostas em uma espécie de transe, feliz por estar em sintonia com o clima generalizado de fé e esperança transcendentais, sem precisar pensar muito a respeito. E quem sou eu para dizer que ela está enganando a si mesma, sozinho em casa com as minhas dúvidas e a minha surdez e as tagarelações superficiais dos jornais de domingo?

Hoje Marcia veio almoçar conosco e trouxe a família junto, como é de praxe aos domingos. De todos os nossos filhos, Marcia é a que mora mais perto, na verdade a poucos quilômetros, então nós a vemos com maior frequência. Eu sempre fico feliz de ver Daniel Delfim e Helena, a irmã mais velha dele – "Lena", como todo mundo a chama. Me dou bem com Marcia e Peter, o marido dela, até certo ponto, mas acho que Marcia foi, dentre os filhos de Fred, quem mais se opôs à ideia de que ela casasse comigo – um homem mais velho, professor de sua mãe, não católico e com filhos –, e nunca conseguiu superar essa contrariedade em relação ao nosso casamento. Na verdade, enquanto Fred florescia e alcançava o sucesso nos negócios e eu me reduzia à minha aposentadoria e sucumbia à surdez, acho que Marcia passou a me ver cada vez mais como um apêndice desnecessário à família, uma responsabilidade infeliz. Como ela é a parte dominante no casamento, Peter aproveita as deixas dela e mantém uma certa distância em relação a mim. Um dia, quando comentei o assunto com Fred, ela disse, "Não mesmo, Marcia respeita você demais, e se Peter parece um pouco 'resguardado', como você diz, é porque ele acha que você deve estar criticando silenciosamente o inglês dele o tempo inteiro, já que você é professor de Linguística". Dei uma risada, porque a linguística moderna é não prescritiva ao extremo, mas acho que Fred podia ter um pouco de razão. Peter vem de uma família humilde, fala com um sotaque regional bem perceptível e usa algumas palavras dialetais de vez em quando. Como estudou contabilidade na antiga Politécnica e trabalha na indústria, é meio desnutrido em termos culturais e também um pouco admirado da família em que foi acolhido. Eu tentei deixá-lo mais à vontade no encontro seguinte com algumas críticas ao best-seller que Lynne Truss escreveu sobre a apóstrofe, mas só consegui chateá-lo – ele é um adepto de Truss e usa o livro dela como se fosse uma bíblia. Enfim... Eles são um casal admirável por vários motivos: os dois têm carreiras exigentes, mas são preocupados com o bem-estar dos filhos e reservam um tempo para ficar com eles à noite e aos fins de semana, sem nunca ter tempo para ficarem um com o outro, e eu queria gostar mais deles. Com as crianças não há problema algum: elas são lindas e encantadoras, e estão naquela idade interessante em que começam a adquirir a linguagem com uma rapidez incrível e às vezes cometem erros muito expressivos, que eu gostaria de poder ouvir. Hoje, quando elogiei o belo vestido de Lena, ela respondeu que sua Mamãe o tinha comprado na Marks & Spencer, quando todo mundo riu, menos eu. Quando fiz uma cara de desentendido, Fred me explicou que ela tinha dito "A Mamãe comprou na Marks & Spensive". Então eu ri sozinho.

6

7 DE NOVEMBRO. Hoje eu levantei antes de Fred e estava tomando café da manhã quando ela entrou na cozinha ainda de camisola. Ela disse "Bom dia, querido" e então, indo em direção ao fogão, disse mais alguma coisa que eu não captei porque não estava usando o aparelho auditivo; ontem à noite, antes de me deitar, eu o havia tirado no banheiro da família, que é o meu banheiro quando não temos família nem outros convidados em casa, e ele ainda estava lá. Eu disse "O quê?" e ela repetiu a frase, mas continuei sem entender. Ela estava abrindo e fechando cortinas e armários enquanto falava, o que não ajudou muito. "Desculpe", eu disse, "mas eu não estou usando o aparelho – está lá em cima." Ela se virou na minha direção e disse, levantando a voz, algo que soou como "aguardente". Eu perguntei, "Para que você quer aguardente?". Meu cérebro já estava considerando as possibilidades – alguma receita de sobremesa? Ou talvez um molho de carne? Ela chegou mais perto e disse, "Panela. Panela de aguardente." "O que é uma panela de aguardente?", perguntei. "Você quer dizer uma garrafa?" Ela ergueu os olhos para o céu em desespero e voltou para o fogão. Fiquei pensando por mais alguns instantes e então a ficha caiu. "Ah, você está falando da panela *antiaderente*! Está no armário da direita." Mas eu demorei demais: ela já estava preparando o mingau em uma panela de inox que daria muito mais trabalho para limpar depois. E por minha culpa, porque eu tinha guardado a panela antiaderente no lugar errado.

Fred sentou-se à mesa, apoiou a seção de tabloide do *Guardian* contra o pote de geleia e começou a ler em silêncio, compenetrada.

Eu tinha feito planos de mencionar, como quem não quer nada, os meus planos de encontrar Alex à tarde. Eu tinha preparado um breve discurso: "*Você lembra daquela moça com quem eu fiquei conversando no coquetel do Centro de Artes na semana passada? A loira? Estava tão barulhento que eu não entendi literalmente nada do que ela disse, mas parece que ela está fazendo algum tipo de pesquisa em linguística, porque ao que tudo indica eu me comprometi a dar algum apoio para ela. Ela me ligou para reclamar que eu não tinha aparecido no nosso encontro, mas eu não tinha a menor lembrança de ter marcado nada. Foi muito constrangedor. Depois disso eu não tive como negar...*" Porém, devido ao contratempo da panela antiaderente, o momento pareceu inoportuno, e eu acabei deixando-o passar. Vou ter de contar a Fred sobre o encontro só depois que ele tiver acontecido, o que vai complicar ainda mais as coisas.

"*A surdez de minha mãe é muito branda, sabe – quase imperceptível. Basta eu levantar a voz e repetir cada coisa duas ou três vezes para que ela me ouça; se bem que ela está acostumada à minha voz*", diz a sra. Bates em *Emma*. Com que sutileza Jane Austen insinua a frustração e a irritação educadamente disfarçadas de quem precisa aturar a repetição de cada comentário banal em tom de voz cada vez mais alto para o benefício da velha sra. Bates! Devo estar em piores condições do que a minha xará ficcional, porque estou acostumado à voz de Fred, mas nem assim consigo escutar o que ela diz sem o aparelho auditivo.

Existe algo que se possa dizer a favor da surdez? Alguma dádiva redentora? Alguma melhoria nos outros sentidos? Acho que não – ao menos não no meu caso. Talvez no de Goya. Li um livro sobre Goya onde o autor afirmava que foi a surdez que o transformou em um gênio. Até os quarenta e poucos anos ele era um pintor hábil mas convencional, sem muita originalidade; porém masi tarde contraiu uma misteriosa doença paralisante que o privou da visão, da fala e da audição por várias semanas. Quando se recuperou, ele estava surdo como uma porta e assim permaneceu até o fim da vida. Todas as grandes obras de Goya pertencem ao período da surdez: os Caprichos, os Desastres da Guerra, os Provérbios, as Pinturas Negras. Todas as obras escuras como pesadelos. O crítico disse que foi como se a surdez tivesse levantado um véu; quando observou o comportamento humano sem se distrair com a algaravia ao redor, Goya viu-o tal como ele é: violento, malicioso, cínico e insano, como um espetáculo de loucos em um hospício. Eu vi as Pinturas Negras alguns anos atrás, quando estava em Madri dando palestras para o British Council, e voltei duas vezes ao Museu do Prado para dar mais uma olhada nelas. Goya pintou-as como murais para a sua casa de campo – conhecida pelo moradores locais como "La Quinta del Sordo" –, aplicando a tinta diretamente sobre o reboco, porém mais tarde as pinturas foram removidas das paredes e transferidas para telas. Hoje elas estão no Prado: *Saturno devorando seus filhos*, *O sabá das bruxas*, *Duelo com porretes* e outras, a maioria delas de tonalidade e tema igualmente negros. Mas a obra que sempre faz os espectadores se demorarem um pouco mais, intrigados e confusos, é pintada em tom mais claro do que as outras. A obra é conhecida como *O cão enterrado na areia* (nenhum desses títulos foi dado por Goya). Poderia ser uma pintura do expressionismo abstrato contemporâneo, composta por três planos de tons predominantemente marrons, sendo dois verticais e um horizontal, se não fosse pela cabeça de um cachorro preto na parte inferior do quadro, pintado de maneira quase caricatural, enterrado até o pescoço no que parece ser areia e com um olhar patético e apreensivo voltado para o alto, em direção a outro monte da mesma substância, prestes a deslizar. Existem muitas teorias sobre o que a pintura significa, como o Fim do Iluminismo ou o Advento da Modernidade, mas eu sei o que ela significa para mim: é uma imagem da surdez, da surdez representada como uma asfixia iminente, inevitável, inexorável.

Será que Goya achava que devia toda a sua grandeza à surdez? Será que ele era grato à doença que o privou da audição? Algo me faz crer que não. Mas deve ter passado pela cabeça dele que tinha sido uma sorte perder a audição em vez da visão. Em termos práticos, a surdez não é desvantagem alguma para um pintor, e poderia até ser uma vantagem, um auxílio para a concentração – não ter de conversar com os modelos, por exemplo. Já para um músico é a pior coisa que poderia acontecer. Beethoven é o grande exemplo. Eu li um livro sobre ele também, a biografia escrita por Thayer – tenho um certo interesse mórbido pelos grandes surdos do passado. Fiquei surpreso ao descobrir que ele era muito jovem quando ficou surdo: tinha apenas 28 anos. Beethoven pegou uma gripe que evoluiu para uma doença mais séria, não tão grave quanto a de Goya, mas grave o bastante para prejudicar sua audição (provavelmente algum dano nas células capilares), que foi piorando cada vez mais ao longo da vida. Quando percebeu o que estava acontecendo, ele era conhecido como um músico e um regente virtuoso – carreiras sem dúvida impossíveis para alguém com perda auditiva, e foi por isso que desse ponto em diante ele se concentrou apenas na composição. Portanto eu acho que se pode atribuir a grandeza dele como artista à surdez, como no caso de Goya, mas Beethoven com certeza não via a deficiência como uma bênção disfarçada. Ele ficou arrasado ao descobrir que estava perdendo a audição, saiu desesperado em busca de curas (nenhuma funcionou, é claro) e atravessou períodos de profunda depressão, nos quais amaldiçoava o Criador e por vezes contemplava o suicídio. Beethoven pediu que os amigos a quem confiou suas agruras fizessem votos de silêncio, temendo perder toda a credibilidade profissional caso o segredo viesse à tona. E por muito tempo ele conseguiu mantê-lo escondido, em parte evitando as companhias e em parte fingindo estar distraído quando não conseguia ouvir o que alguém lhe dizia. Como todos os surdos sabem, no entanto, essas estratégias custam caro: elas fazem você parecer distante, antissocial, rabugento. Depois de sofrer por seis anos com a surdez, quando havia abandonado a esperança de encontrar uma cura, Beethoven escreveu uma carta, endereçada a seus dois irmãos, mas de certo modo para todos os que o conheciam, que deveria ser lida após a sua morte, na qual explicava a "causa secreta" de seu temperamento desagradável. A carta é conhecida como o Testamento de Heiligenstadt, porque ele a escreveu no vilarejo desse nome, nos arrabaldes de Viena, onde estava passando seis meses de descanso solitário por indicação de seu médico. Eu a copiei do livro de Thayer e tenho-a guardada em um arquivo. A carta começa assim:

> *Vós homens que achais ou dizeis que sou malevolente, teimoso ou misantrópico, incorreis em grande injustiça. Não sabeis a causa secreta que assim me faz parecer a vós... Era-me impossível dizer às pessoas "Falai mais alto, gritai, pois sou surdo!" Ah, como poderia eu admitir qualquer desvirtude <u>naquele sentido</u> que deve ser mais perfeito em mim do que nos outros, um sentido que outrora possuí com grande perfeição, uma perfeição tal como poucos na minha profissão a desfrutam... Ah, eu não posso, portanto perdoai-me se me virdes afastar-me quando de bom grado ter-me-ia juntado à vossa companhia. Meu infortúnio é duplamente doloroso para mim porque estou fadado a ser malcompreendido; pois a mim não é dado relaxar com meus semelhantes, entabular conversas refinadas, trocar ideias, devo viver sozinho como alguém banido.*

É um documento pungente, um extravasamento da emoção reprimida, um lamento arrancado ao coração. Na carta, Beethoven diz que às vezes cedia ao desejo de ter companhia.

> *Mas que humilhação para mim quando alguém ao meu lado escutava uma flauta à distância e eu <u>não ouvia nada</u>, ou quando alguém escutava um <u>pastor cantar</u> e eu <u>não ouvia nada.</u> Tais incidentes quase me precipitavam ao desespero, mais um pouco e eu teria posto fim à minha própria vida*

> *– foi apenas a minha arte o que me impediu. Ah, parecia-me impossível abandonar o mundo enquanto eu não materializasse tudo o que eu sentia estar dentro de mim.*

As referências à flauta e ao pastor me fazem pensar em Philip Larkin, incapaz de ouvir as cotovias cantando no céu enquanto caminhava com Monica Jones pelas Ilhas Shetland. Também evocam a Sinfonia Pastoral, que Beethoven compôs seis anos mais tarde, uma sublime evocação musical de sons que ele próprio não escutava havia mais de uma década. E ele tampouco pôde escutar a sinfonia quando ela foi executada. Acredito que ele tenha ouvido alguma coisa – mas o quê? Uma versão distorcida da partitura, como um concerto escutado em um radinho portátil barato com pilhas prestes a acabar? Ou será que, observando os músicos, ele pôde recriar na imaginação toda a riqueza da tessitura sinfônica e escutá-la dentro de sua cabeça, como hoje fazem os usuários do iPod? Acho que a primeira hipótese é a mais provável.

Que consolo eu tiro desses estudos de caso? Muito pouco. Esses dois homens foram gênios e descobriram algum tipo de alívio para o sofrimento na arte. Mas eu não sou gênio nem artista. Acho que um linguista que não escuta o que as pessoas estão dizendo é mais parecido com um músico surdo do que com um pintor surdo, então eu me identifico mais com Beethoven do que com Goya. Mas eu não posso dizer que apenas o meu trabalho com análise do discurso me poupou do desespero nos últimos vinte anos, nem que não posso abandonar o mundo enquanto eu não tiver expressado todas as minhas ideias a respeito de, digamos, ruptura tópica em conversas casuais, o que eu ainda poderia fazer usando transcrições de diálogos gravados. Na verdade eu *já expressei* todas as minhas ideias sobre esses e outros assuntos um tempo atrás. Que motivo eu tenho para viver, quando as relações sociais e sexuais também estão chegando ao fim? É melhor não pensar muito a respeito.

7

8 *DE NOVEMBRO*. Encontrei Alex Loom ontem, conforme havíamos combinado. Esse é o sobrenome dela, Loom: estava escrito ao lado do interfone do número 36 na entrada de Wharfside Court, o condomínio onde ela mora. Um nome diferente, fácil de lembrar e, como estava escrito, sei que o entendi direito. Mas não estou tão confiante em relação ao restante das coisas que ouvi ao longo da tarde, porque muito do que Alex me disse foi surpreendente, e além do mais ela tende a baixar a voz em pontos cruciais dos enunciados, de modo que eu nunca tinha certeza de tê-la entendido corretamente. Eis a seguir um registro organizado, desambiguizado e não muito confiável da nossa conversa.

Como tantas outras cidades industriais, nos últimos anos Brickley colaborou com a reforma dos canais da British Waterways a fim de torná-los mais atraentes e acessíveis ao lazer: arrumaram os caminhos de sirga, pintaram as eclusas e instalaram placas indicativas e postes de iluminação em estilo retrô para incentivar as pessoas a caminhar, correr e pedalar pelos caminhos. O mercado imobiliário também se desenvolveu bastante ao longo do canal que ziguezagueia pelo centro da cidade graças aos apartamentos direcionados ao público que compra para alugar. O apartamento de Alex fica em um dos prédios mais baratos, uma construção de quatro andares em um estilo que Fred chama de Lego pós-moderno, tijolo à vista com detalhes em plástico verde, e dá para uma espécie de dique, onde se vê uma espuma meio submersa e nem um pouco decorativa de lixo não biodegradável acumulado. Levei um bom tempo para encontrá-lo, já que o endereço que Alex me deu não constava no meu surrado mapa. Ainda de carro, passei por terrenos baldios, armazéns abandonados e pequenas oficinas até chegar ao estacionamento atrás de Wharfside Court. Fiquei surpreso com o silêncio do lugar: o tráfego do centro, distante a menos de um quilômetro, era apenas um murmúrio, e não havia ninguém por perto. Era o meio da tarde, quando a maioria dos moradores estaria no trabalho, mas aquele quase silêncio parecia sinistro em uma cidade de quase meio milhão de habitantes; de fato, a cidade parecia pouco familiar vista daquele ângulo, com todos os marcos – o Castle Keep, o campanário da Prefeitura, o zigurate do Hilton – rearranjados, como se alguém a tivesse virado do avesso. A tarde estava fria e clara, com uma boa visibilidade. O sol já ia baixo, projetando sombras longas e bem-definidas sobre os caminhos de sirga desertos, como nas telas enfeitiçadas de De Chirico.

O silêncio quase sobrenatural, eu logo percebi, era ainda mais profundo porque eu não estava usando o aparelho auditivo. Prefiro dirigir sem ele quando estou sozinho porque assim o meu Focus de quatro anos fica silencioso como um Mercedes. Depois de inserir as maquininhas de escutar nos meus ouvidos, apertei o botão do apartamento número 36 e escutei a voz de Alex em meio aos chiados do interfone: "Oi! É no quarto andar, mas acho que o senhor vai ter que subir pela escada, porque o elevador enguiçou." Subi os três lances de escadas empoeiradas e descuidadas, e ela estava me esperando na porta do apartamento quando, meio sem fôlego, cheguei. Ela estava vestindo calças pretas e uma blusa preta com gola V, usando pouca maquiagem, a não ser pelos olhos, que tinham a intensa cor azul ressaltada pelos cosméticos. Era como o azul da área de trabalho do Windows, luminoso mas opaco. "O elevador passa a maior parte do tempo enguiçado", disse ela, com um sorriso de desculpas. "Eu sempre ligo para a administradora, mas eles não fazem nada. Entre."

O apartamento é pequeno: um dormitório, banheiro e uma kitchenette ao lado da sala. Ela tirou o meu casaco e o pendurou no minúsculo corredor e então me acompanhou até a sala. Não é muito maior do que a casa de Papai, porém é mais claro e mais iluminado. Um laptop estava aberto em cima da mesa, com a proteção de tela mostrando vários desenhos abstratos que se formavam e logo se dissolviam, e numa das paredes havia uma estante cheia de livros e pastas-arquivo. As outras paredes estavam decoradas com reproduções modernas e pôsteres – reconheci uma pintura de Munch com uma adolescente nua sentada em uma cama. Duas cadeiras, um pequeno sofá, uma poltrona, uma mesa de centro, um arquivo de duas gavetas, um CD player com rádio e uma pequena TV tela plana completavam a mobília, cuja maior parte parecia ter vindo há pouco da Ikea. Ela riu e espalmou as mãos. "*Chez moi*", disse ela.

Fui até a janela, que dava para um prédio parecido no outro lado das águas do canal. "A vista é boa", disse eu, por educação. "Você mora aqui há tempo?"

"Não muito", respondeu ela.

"É seu?"

"Não, imagine!", exclamou ela, rindo. "Eu alugo – mas não é caro. Os donos estão meio desesperados porque a oferta está muito grande. A maioria dos apartamentos aqui no prédio está desocupada."

"E você não se sente sozinha?"

"Não, eu gosto. É silencioso. Bom para escrever sobre a minha pesquisa."

"Pesquisa sobre o quê?", perguntei.

"Espere só um pouco, eu vou trazer um bule de chá primeiro. Earl Grey ou Assam? Ou chá de ervas?"

Escolhi Assam, e ela foi até a pequena kitchenette, que dava para a sala sem nenhuma porta divisória. Sentei na poltrona, mas eu não estava à vontade. Por algum motivo me passou pela cabeça que ninguém sabia onde eu estava. Ela disse alguma coisa e eu pensei ter ouvido a palavra "suicídio". Pus-me de pé num sobressalto e dei um passo em direção à cozinha. "Como é?", perguntei.

Ela saiu da kitchenette com os apetrechos para o chá em uma bandeja. "Bilhetes de suicidas", ela repetiu, colocando a bandeja na mesa de centro. Quando ela se inclinou sobre a mesa a gola da blusa se soltou e eu tive um vislumbre da sombra entre os seios dela, como na galeria. "Esse é o assunto do meu doutorado. Uma análise estilística de bilhetes de suicidas."

Quase perguntei como ela havia tomado interesse pelo assunto, mas venci a curiosidade para evitar me meter em assuntos delicados e pessoais. Ela percebeu a minha hesitação e disse: "Parece que o senhor está se perguntando por que eu escolhi um assunto tão mórbido. Todo mundo pergunta. Eu namorei um psicólogo clínico na universidade de Columbia um tempo atrás e ele estava fazendo uma análise de conteúdo dos bilhetes de suicidas para fins de avaliação de risco, comparando os bilhetes de suicidas bem-sucedidos e malsucedidos. Ele juntou um pequeno *corpus* e eu achei que seria interessante fazer uma análise estilística, sabe? Será que os bilhetes constituem um gênero, por exemplo? Será que essas pessoas sujeitas a uma tensão tão intensa recorrem a fórmulas retóricas? Ou será que o desespero as leva a transcender os limites normais de suas habilidades expressivas?"

"Como é que você vai descobrir", perguntei, "sem ler outros escritos dos mesmos coitados?"

"Ah, não tem como, a não ser baseado em evidências internas – de vez em quando aparece uma frase que se sobressai em meio ao restante do discurso. Mas esse é só um aspecto da minha tese."

Perguntei onde ela estava fazendo o doutorado e fiquei surpreso ao descobrir que ela faz pós-graduação no nosso departamento de Inglês, sob a orientação de Colin Butterworth.

"E por que a Inglaterra?", perguntei. "Você é americana, não?" O sotaque dela não era arrastado nem nasalizado, mas era inconfundível.

"Isso mesmo. Mas quando Bush foi reeleito eu senti que precisava sair do país. Eu trabalhei vários meses na campanha de Kerry e fiquei *muito* frustrada..."

"Você foi voluntária?", perguntei.

"Não, eu fazia trabalho pago. Na verdade eu estava pensando em trabalhar para o governo, mas decidi voltar a estudar, tentar uma carreira acadêmica. Eu gosto da Inglaterra e passei um tempo aqui na minha infância – o meu pai trabalhava na Embaixada em Londres. E um doutorado aqui custa muito menos do que nos Estados Unidos. Só o que eu não sabia quando fiz a matrícula é que também não tem aulas." Ela riu quando demonstrei certa surpresa com o comentário. "Aqui não tem nenhum tipo de curso ou de prova, só a tese, que os alunos fazem sozinhos, com um ou outro encontro com o orientador."

"Mas não tem nenhum grupo de estudos, nada?", eu perguntei.

"O senhor quer dizer aquelas reuniões em que cada um fala sobre a sua pesquisa enquanto os outros ficam bancando os educados e dando o maior apoio e fazendo perguntas fáceis? Tem, tem sim", disse ela, num tom seco. "A sorte é que eu gosto de trabalhar sozinha. O sistema é bom pra mim, ou melhor, seria, se a orientação valesse alguma coisa."

"Você não está se acertando com o professor Butterworth?", perguntei. Comecei a compreender por que ela não tinha aceitado me encontrar no campus.

"Para dizer o mínimo", ela respondeu. "Eu tinha lido um artigo dele sobre a influência dos emails no estilo epistolar e achei que ele seria um ótimo orientador, foi por isso que vim até aqui, mas ele não tem me ajudado em nada."

"Deve ser porque ele não tem tempo", eu disse. "O mais provável é que ele esteja frequentando reuniões, preparando verbas, conduzindo avaliações da equipe e fazendo mais um monte de coisas que hoje em dia os professores precisam fazer em vez de pensar."

"Pode ser, mas ele também não é lá muito inteligente", disse Alex.

Não pude conter um discreto sorriso de cumplicidade diante do comentário. Eu sempre achei que a reputação de Butterworth é um pouco exagerada e deve-se mais a seu faro para assuntos da moda e a sua popularidade na mídia, como especialista em questões linguísticas, do que a pesquisas originais. Mas fiquei desconcertado com o comentário que ela fez a seguir.

"É por isso que eu quero que o senhor me oriente." Ela comentou que nos últimos tempos vinha lendo boa parte dos meus trabalhos e estava muito impressionada. "Eu já tinha lido algumas coisas, claro, há muito tempo, quando eu ainda estava fazendo o mestrado na universidade de Columbia, mas quando descobri que o senhor lecionava aqui até pouco tempo atrás, fiquei muito empolgada... Li todo o material de sua autoria disponível na biblioteca. O senhor é o orientador que eu preciso."

"Mas eu estou aposentado", eu disse.

"Eu sei", ela respondeu. "Mas descobri que alguns ex-professores aposentados continuam orientando alunos da graduação."

"São os alunos que eles estavam orientando antes de se aposentar", expliquei. "Esses professores só fazem um acompanhamento até que os alunos terminem de escrever as teses deles. Mas não tem como aceitar um orientando depois da aposentadoria."

"Não mesmo?", disse ela, fazendo biquinho e sorrindo. "Não tem como dar um jeito?"

"Não que eu saiba", eu disse. "Mas afora a questão de eu estar ou não disposto a –"

"O senhor estaria?", perguntou ela, me interrompendo.

"Afora isso, seria um grande insulto ao professor Butterworth eu reaparecer, depois de aposentado, para assumir uma orientanda dele. Ele nunca aceitaria. E a universidade tampouco. Então parece que eu estou fora."

Fiquei feliz de encontrar uma boa razão para recusar o pedido dela, porque de outra forma eu poderia ter me sentido tentado. A perspectiva de voltar a me envolver em pesquisas, aplicar o meu conhecimento a esse tema bizarro, mas sem dúvida interessante, e marcar encontros com uma aluna inteligente, articulada e – sejamos honestos – muito bem-apessoada para discutir o assunto não era nada má. Mas a experiência me ensinou que a orientação de alunos na pós-graduação pode trazer problemas e preocupações: você se sente de certo modo responsável pelas conquistas, pela autoestima e por todo o destino do aluno, e a orientação pode durar anos. Foi bom não precisar sequer pesar os prós e os contras da proposta antes de recusá-la.

"Ah. Puxa, que decepção", disse ela, desconsolada.

"Desculpe", eu disse. Tomei um gole do chá, que a essas alturas já estava frio, e olhei de relance para o meu relógio. "Acho que está na minha hora."

"Ah, não, por favor não vá embora ainda", disse ela. "Tome mais um pouco de chá." Ela encheu a minha xícara.

"Fale um pouco mais sobre a sua pesquisa", eu disse. "Onde você consegue os dados?"

"Ah, existem antologias. E a internet também é útil. Eu vou lhe mostrar." Ela se levantou e tirou um enorme pasta-arquivo da prateleira. "Este aqui é o meu *corpus*. Está tudo no meu HD, é claro, mas eu gosto de folhear esta pasta de vez em quando."

Senti o peso da pasta no meu colo, e também o peso metafórico de todo aquele sofrimento humano. Manuseei cópias de bilhetes de suicidas, algumas retiradas de fontes impressas, outras, reproduções de originais datilografados e manuscritos. Lembro de apenas algumas frases que Alex havia marcado e anotado em uma caligrafia minúscula, quase ilegível. "*Estou tão farto da vida que acabei me matando. As pessoas só se aproveitam umas das outras nessa merda de família...*" "*Ouço o barulho do gás, ele me enche de medo...*" "*Não tenho outra escolha. Para melhorar as coisas eu preciso morrer...*" "*O homem do meu lado é só uma triste coincidência...*" O último bilhete era de uma mulher que havia escolhido um estranho com quem fazer sexo antes de abrir o gás enquanto ele dormia. Quando olhei para cima, Alex estava com o olhar fixo em mim.

"É uma leitura interessante, não?", ela perguntou.

"Fascinante – mas perturbadora. Você não fica deprimida trabalhando com esse material dia após dia?"

Ela deu de ombros. "Será que os legistas ficam deprimidos fazendo autópsias dia após dia?"

"Você já fez alguma análise estatística dos dados?"

"Já – o senhor sabe qual é a palavra não gramatical mais frequente?"

"Matar? Morrer?"

"Amar."

"Hmm. E as colocações?"

"Ah, nenhuma surpresa: nomes, pronomes, algumas negativas. *Eu te amo, Mãe. Eu te amo, Pai, eu te amo, Jack, vocês nunca me amaram, Papai e Mamãe nunca me amaram, ninguém me ama...*"

Li mais algumas cartas – em geral se fala em "bilhetes" de suicidas, mas muitos deles eram longos como cartas – e comentei que muitas vezes parecia haver uma certa ambiguidade em relação ao destinatário. "Elas são escritas para um familiar ou para um parceiro, mas às vezes trazem informações conhecidas por ambas as partes, então também é como se fossem endereçadas ao mundo em geral."

"Isso mesmo, e às vezes também aparece alguma coisa endereçada a Deus. Como se os suicidas não quisessem deixar nenhum ponto sem nó com as últimas palavras deles", ela disse. "Sem dúvida o senhor está interessado no assunto. Tem certeza que não quer me orientar?"

"Certeza", eu disse. "Em que pé está a sua pesquisa?"

"Bem, eu comecei nos Estados Unidos um tempo atrás e desisti. Aí eu me matriculei aqui na primavera e comecei tudo de novo."

"Não lembro de ter visto você no campus."

"Não, mas eu vi o senhor. Alguém me apontou o senhor um dia na biblioteca. Foi assim que eu o reconheci no Centro de Artes."

"Ah", exclamei. Eu achei que aquela conversa tinha sido um mero acaso, mas pelo visto não era nada disso.

"Eu quase não vou ao campus, exceto para pegar livros na biblioteca. Prefiro trabalhar em casa. E também faço outros serviços para pagar o aluguel."

"Que serviços?"

"Ah, uns bicos de vez em quando. Garçonete, barmaid. Eu tinha esperanças de conseguir dar umas aulas no Departamento de Inglês, mas até agora, nada."

"Aqui é muito raro que os alunos da pós deem aulas, como acontece nos Estados Unidos", eu disse.

Então ela deu uma risadinha e disse alguma coisa meio de qualquer jeito, e eu só entendi "cheirador de calcinhas". Alex continuou falando e entendi que uma amiga dela, que havia trabalhado por algum tempo em um bar, descobriu um sujeito que comprava calcinhas usadas e não lavadas. Ela as enviava pelo correio, em um saco plástico hermético para freezer, e três dias depois o sujeito enviava um cheque. Sem nenhum contato pessoal. Era dinheiro fácil. "O dinheiro mais fácil de que já ouvi falar", disse ela. Porém, tendo perdido o início da história, eu não sabia se Alex também havia explorado esse mercado ou se estava simplesmente contando uma história sobre a amiga. Então me limitei a acenar a cabeça e soltar murmúrios fáticos, prestando atenção ao tom e à expressão de Alex e mantendo uma atitude de refinamento irreverente, até me precipitar e perguntar, "E ele escolhe o tipo de lingerie que você vai usar?", o que pressupunha que eu tinha ao menos imaginado que a própria Alex poderia estar bancando seus estudos de pós-graduação assim.

Ela me olhou boquiaberta por um instante e caiu na gargalhada. "Professor Bates! O senhor não está achando que *eu* mando as minhas calcinhas para esse sujeito, está?"

Corei muito – eu não costumo corar, mas corei – e disse "Não, não, é claro que não".

"Não é o que parece!", disse ela com um jeito de moleca. Mas ela não pareceu ofendida.

"Eu quis dizer 'você' no sentido de 'alguém'", expliquei, cheio de pedantismo.

"Bem que alguém poderia ficar tentada se estivesse na bancarrota", disse Alex em um tom leve.

"Essa frase que você acabou de usar tem uma estrutura interessante", disse eu, desesperado para mudar de assunto. "Você usou um pronome indefinido no início da frase e depois mudou para o pronome pessoal feminino *ela*. O mais natural seria você dizer '*Bem que alguém poderia ficar tentado se estivesse na bancarrota.*'" Notei que o meu exemplo havia nos levado de volta à minha gafe.

"Pois é", disse ela, sorrindo ao perceber o meu constrangimento. Alex aproveitou a oportunidade para voltar ao tema da pesquisa, perguntando-me se eu não estaria disposto a ler o que ela tinha escrito e dar alguns conselhos informais e confidenciais. Ansioso por ir embora, respondi que eu pensaria a respeito. Alex me deu um cartão com o número do celular dela – o apartamento não tem telefone fixo. Tentei encontrar alguma forma de desencorajá-la a ligar para a minha casa que não soasse rude ou conspiratória, mas não consegui.

Enquanto dirigia de volta para casa, decidi que eu contaria para Fred a respeito do encontro com Alex antes que ela descobrisse tudo em uma ligação telefônica. Mas a história toda, desde o início – o compromisso que assumi sem saber no Centro de Artes, a ligação de Alex, as tratativas para nos encontrarmos no apartamento dela e depois o encontro em si –, era tão longa e complicada a ponto de levantar suspeitas: por que eu não havia feito nenhum comentário até então? Achei melhor preparar um relato sucinto, em que ficava subentendido, embora não explícito, que tudo tinha acontecido naquela tarde na universidade: "*Você lembra daquela moça loira com quem eu estava conversando no Centro de Artes aquela outra noite, quando eu não entendi nada do que ela disse? Hoje de tarde nos encontramos outra vez e eu descobri que ela é uma estudante de pós-graduação no departamento de Inglês, uma americana que está sendo orientada por Butterworth e escrevendo uma dissertação sobre bilhetes de suicidas, imagine. Tomamos um chá juntos. Ela pediu minha opinião – na verdade, deixou bem claro que gostaria que eu fosse seu orientador. Eu disse que estava fora de cogitação, é claro. Mas talvez eu me disponha a ajudar extraoficialmente. O tema é muito intrigante...*"

Fiz o meu discurso durante o jantar e Fred pareceu recebê-lo sem nenhuma suspeita e sem grande entusiasmo. Ela estava às voltas com um problema relativo a um tecido italiano para cortinas que havia sido entregue na *Décor* pela manhã. O tecido tinha alguma falha na tecelagem que afetava todo o rolo e precisaria ser devolvido, mas os fornecedores não tinham mais nada em estoque, e assim ele teria de ser refeito em Milão, o que levaria várias semanas, embora ela houvesse prometido aprontar as cortinas da cliente antes do Natal. "Talvez ainda dê tempo, mas vai ser em cima da hora", disse ela. "O defeito é muito visível?", perguntei. "Não", disse ela. "Bom, então talvez a cliente aceite este mesmo se você oferecer um desconto." "Talvez", disse Fred. "Mas ela ficaria remoendo isso dia após dia enquanto as cortinas estivessem penduradas na sala. Ela nunca conseguiria abrir as cortinas sem lembrar que o tecido tem um defeito. Ficaria sempre pensando se os outros também notavam e precisaria se conter para não dizer nada a eles. Ela associaria a loja a uma coisa imperfeita. Não posso aceitar." "E o que você pretende fazer?" "Vamos dar um jeito", disse ela com um sorriso. "Vamos conseguir o material a tempo nem que eu vá de avião até a Itália buscá-lo." Uma mulher decidida, a minha esposa.

Alex Loom é uma pessoa intrigante, mas também um enigma. Até o nome dela é um quebra-cabeça. Não encontrei "Loom" no dicionário de sobrenomes editado pela Penguin. Pode ser uma daquela mutações americanas de um sobrenome estrangeiro. Talvez um nome alemão ou escandinavo – ela tem uma aparência nórdica, de valquíria. Por simples curiosidade eu abri o Oxford English Dictionary e procurei o substantivo *loom*, que além de ser uma das palavras mais comuns em inglês para se referir a um tear, tem vários outros significados, alguns deles obsoletos, como por exemplo: um apresto ou ferramenta, uma teia de aranha, uma embarcação aberta, um barco, a haste de um remo, uma variedade de pássaros mergulhadores que habita os mares do Norte, um clarão no céu causado pelo reflexo da luz de um farol, uma miragem sobre a água ou o gelo, um feixe isolado de fios elétricos paralelos e, o mais estranho de todos, um pênis. A citação que o dicionário traz para este último é "*And large was his odd lome the lenthe of a yerde*", de um romance aliterativo do século XV que por acaso se chama *Alexander*. (Imagino que o nome completo dela seja Alexandra Loom.) A ideia de uma "ferramenta" com quase um metro de comprimento daria um ótimo slogan para um desses emails que anunciam milagres sexuais. Como verbo, a palavra tem menos significados: aparecer de modo indistinto, assomar de modo indefinido e ameaçador; quando usada em relação ao mar, refere-se ao lento movimento para cima e para baixo executado pelo navio.

Apesar do desfecho constrangedor da minha visita, não me arrependo de tê-la feito. Já fazia algum tempo que eu não saía da rotina – os canais eram uma parte da cidade que eu não conhecia. E o tema da tese de Alex é sem dúvida interessante. Acho que posso ajudá-la um pouco em caráter extraoficial – a ideia de suplementar e até mesmo subverter as orientações de Butterworth às escondidas é bastante atraente. Imagino a surpresa dele quando Alex aparecer com alguma ideia brilhante que na verdade é minha... Sorrio só de pensar.

8

9 DE NOVEMBRO. Minha visita a Alex Loom teve um estranho desdobramento. Hoje de tarde eu estava me preparando para ir ao banco e ao correio central e resolvi pôr o meu sobretudo. Eu não o vestia desde sábado, porque ontem o clima estava ameno e úmido, mas hoje estava gelado outra vez. Enquanto eu abotoava o sobretudo e dava uma última olhada no espelho, percebi um pequeno volume no meu peito, como se houvesse um lenço amassado no bolso interno. Levei a mão ao bolso e, como um mágico involuntário, puxei um par calcinhas femininas lá de dentro. Estendi-as entre os meus indicadores e polegares e fiquei olhando. Eram calcinhas de algodão, com um estreito lacinho de renda. Na mesma hora percebi como elas haviam ido parar no meu bolso: eu tinha usado o banheiro de Alex antes de ir embora – as xícaras de chá já estavam pressionando minha bexiga – e ela deve ter aproveitado a oportunidade para pôr um par de calcinhas no bolso do meu sobretudo como uma espécie de adendo à nossa conversa. Mas o que ela pretendia com aquilo?

As calcinhas não eram novas, mas estavam limpas – e não precisei cheirá-las para descobrir, afinal elas não tinham nenhum tipo de mancha e o tecido estava macio e elástico ao toque. Espiei pelo lado de dentro e descobri uma etiqueta desbotada da Bloomingdale's, onde se lia *made in USA* – mais uma confirmação de que pertenciam a Alex, embora eu não tivesse nenhuma outra suspeita sobre quem pudesse ter me pregado uma peça dessas nos últimos dois dias. Me ocorreu que eu poderia ter feito essa descoberta na frente de Fred. Se ontem de noite, por exemplo, eu tivesse posto o sobretudo em vez da gabardine para ir com Fred ao Playhouse, eu poderia ter puxado as calcinhas de Alex no corredor, quando estávamos indo embora, ou mesmo em pleno saguão do teatro, cercado por espectadores curiosos e risonhos, ao deixar o casaco na chapelaria. "*Como é que...?*" Foi o que me imaginei dizendo enquanto eu puxava as calcinhas dobradas do meu bolso interno e as segurava diante de mim, boquiaberto, enquanto as pessoas riam e se cutucavam e Fred me observava, primeiro surpresa, mas logo a seguir furiosa. Em ambos os casos ela teria pedido alguma explicação, mas que explicação eu poderia dar sem dizer que eu tinha estado no apartamento de Alex, o que nesse contexto pareceria algo muito pior do que realmente foi? Fui tomado por uma onda de raiva pelo comportamento de Alex.

Olhei para mim mesmo no espelho do corredor, um senhor esquálido e grisalho com um sobretudo escuro e um par de calcinhas brancas na mão, como um detetive que acaba de encontrar uma prova do crime, e pensei no que eu faria com aquilo. Primeiro pensei em jogá-las no lixo, mas já tinha acontecido de Fred perder as chaves ou alguma joia e depois fazer uma busca meticulosa nas latas de lixo, espalhando todo o conteúdo delas sobre folhas de jornal no quintal, e o acaso poderia querer que ela repetisse a experiência mais uma vez antes que o caminhão de lixo viesse fazer a coleta. Pensei em queimá-las, mas não temos nenhum combustível em casa e, se eu as queimasse no pátio – na churrasqueira, por exemplo –, correria o risco de ser visto por algum vizinho, virando um par de calcinhas chamuscadas com uma pinça. Pensei em cortá-las em pedaços minúsculos com uma tesoura, atirá-los no vaso e dar descarga; mas o encanamento nesta casa antiga não é dos melhores, e o que aconteceria se o vaso ficasse entupido e depois o funcionário da desentupidora encontrasse uma bola de retalhos de algodão, uma delas com uma etiqueta da Bloomingdale's? As possibilidades pareciam cada vez mais bizarras à medida que eu as ruminava. No fim, pus a causa de toda essa comoção em um envelope endereçado à Alex, em Wharfside Court, e incluí um cartão-postal com uma mensagem curta e grossa: "Acho que esta roupa de baixo é sua. Não sei como ela foi parar no bolso interno do meu sobretudo, mas foi uma ideia muito estúpida que poderia ter me causado grandes constrangimentos. Nas atuais circunstâncias não tenho como orientá-la nem como oferecer assistência para a sua pesquisa. D.B." A caminho do banco, deixei o pacote no correio. Paguei a postagem mais cara, para que ela sentisse a força do meu desgosto o mais rápido possível.

10 DE NOVEMBRO. Alex Loom me telefonou hoje de manhã, logo após receber o pacote. Por sorte Fred já tinha saído para o trabalho.

"Me desculpe", disse ela de maneira abrupta, sem se identificar, assim que atendi a ligação. "Eu estou arrependida. Foi uma atitude estúpida."

"Foi mesmo", eu disse, indiferente. Ela murmurou algo que me escapou. Aumentei o volume do telefone e disse "O quê?"

"Foi só uma brincadeira."

"Eu não achei graça nenhuma."

"As calcinhas estavam limpas." (Ela falou como se isso fosse um atenuante.)

"Eu sei que estavam", respondi, embora não fosse necessário. Na pausa a seguir, Alex pareceu compreender que eu havia examinado suas calcinhas com atenção. "Seja como for, não interessa. Teria sido um grande constrangimento tirá-las do meu bolso na frente da... na frente de outras pessoas." Ouviu-se um som discreto na linha, que poderia ter sido uma risadinha contida.

"Como a sua esposa, por exemplo?"

"Isso mesmo."

"Eu não tinha pensado nisso", disse ela. "Eu tinha certeza que o senhor ia encontrá-las antes de chegar em casa."

"É, mas eu não encontrei."

"Escute, eu estou arrependida. Prometo não fazer outra vez."

"Não se preocupe, você não vai ter outra oportunidade", eu disse.

"Ah, o senhor não estava falando sério quando disse aquilo sobre não me ajudar na minha pesquisa?", ela protestou.

"Estava", eu disse. "Tchau." E desliguei o telefone.

Ele voltou a tocar quase no mesmo instante. "Por favor não faça isso comigo", ela disse. "Vamos começar de novo. Vamos fingir que as calcinhas não existiram. Preciso que o senhor me ajude com a minha tese. O senhor prometeu."

"Eu só prometi pensar a respeito."

"Mas o senhor está interessado, não? No tema? Eu notei."

Eu já estava pensando em sugerir a Fred que trocássemos o número do telefone e pedíssemos a nossa exclusão do guia telefônico o mais rápido possível e imaginando uma desculpa quando percebi que havia um jeito mais simples.

"Muito bem", eu disse. "Vou pensar melhor. Mas tem uma condição."

"Qual?", ela perguntou.

"Que você prometa nunca mais ligar para a minha casa."

No outro da linha ela ficou em silêncio, e então disse, "Está bem. Combinado."

Depois eu percebi que havia tacitamente concordado em orientá-la, já que de outra forma eu não teria nenhuma sanção a fazer caso ela ligasse de novo. Ou, como diriam os teóricos dos atos de fala, a minha elocução perderia a força perlocutória.

Que tipo de ato de fala é um bilhete de suicida? Vai depender, é claro, do sistema de classificação que você estiver usando. Segundo o esquema clássico de Austin, existem três níveis de ato de fala em qualquer elocução, falada ou escrita: o locutório (ou seja, o que você diz, o sentido literal), o ilocutório (que é o efeito que a sua elocução pretende ter sobre os outros) e o perlocutório (que é o efeito que ela de fato tem). Mas também existem várias outras distinções e subcategorias, classificações alternativas, como os termos "comissivo", "declarativo", "diretivo", "expressivo" e "assertivo" propostos por Searle, atos de fala indiretos e assim por diante. A maioria das elocuções tem, ao mesmo tempo, um significado locutório e uma força ilocutória. A parte confusa é a linha que separa o ilocutório do perlocutório. Será que a força perlocutória é mesmo um ato de fala? Austin dá o exemplo de um homem que diz "Atire nela!" (um exemplo bastante curioso, talvez sintomático do chauvinismo masculino e da misoginia entre os professores de Oxford). *Locução:* ele me disse "atire nela", querendo dizer "atire" com "atire" e "nela" com "nela". *Ilocução:* ele pediu (sugeriu, ordenou etc.) que eu atirasse nela. *Perlocução:* ele me convenceu a atirar nela. O nível mais interessante é o ilocutório: mesmo nesse exemplo é possível ver como as mesmas palavras podem adquirir uma força ilocutória diferente em diferentes contextos. Eu costumava pedir aos meus alunos do primeiro ano que imaginassem esses contextos. "Ele ordenou que eu atirasse nela", por exemplo, poderia descrever as ordens de um oficial da SS para um guarda em um campo de concentração. "Ele sugeriu que eu atirasse nela" requer uma imaginação um pouco mais fértil, tamanho o abismo entre a neutralidade do verbo finito e a brutalidade do infinitivo; talvez algum chefão da Máfia, falando com um membro da família traído pela esposa. (Pensando melhor, eu daria apenas B- para esta última resposta: em geral, tanto a arma quanto o alvo devem estar presentes para que "atire" respeite as condições de felicidade.)

Mas que tal um bilhete de suicida onde estivesse escrito apenas "Pretendo me dar um tiro"? *Locução:* ele declarou a intenção de se dar um tiro, querendo dizer que "pretende" com "pretendo", "dar um tiro" com "dar um tiro" e "em si mesmo" com "me". *Ilocução:* aqui surgem várias possibilidades. Ele poderia estar explicando para quem fosse encontrá-lo, já morto, que se deu um tiro de propósito, não por acidente, ou que não foi morto por outra pessoa. Poderia estar expressando o desespero que o levou a esse extremo. Poderia estar culpando a família e os amigos por não terem percebido que ele poderia se matar, por não terem impedido. Sem mais contexto, não há como saber. Quanto ao efeito perlocutório, acho que dependeria do resultado dessa tentativa de suicídio. Ou não? Você não precisa dizer ou escrever as palavras "Eu pretendo me dar um tiro" para obter o efeito de dar um tiro em si mesmo. Um suicídio não é *realizado* através de palavras, como um casamento, por exemplo. O nível perlocutório de um bilhete de suicida está atrelado ao nível ilocutório – o efeito pretendido. Mas esse efeito provavelmente depende do sucesso (ou não) do suicídio.

Na prática, bilhetes de suicidas, mesmo os curtos, nunca são tão simples quanto o meu exemplo. Andei lendo alguns na internet, e eles são feixes de atos de fala com diferentes tipos de força ilocutória. Por exemplo:

> *Por que ele fez isso comigo? Ele disse que me amava. Como ele pôde sair com ela sem dar a mínima para mim? Não posso aguentar mais isso além dos exames e do problema de Mamãe. Não consigo dar cópia de todos os trabalhos da escola. Eu vou rodar. Eu queria morrer, aí eu não seria mais um problema para ninguém.*
>
> *Mamãe está bebendo cada vez mais eu não aguento. Ela esconde as garrafas e fica furiosa se eu encontro e Gary é um inútil ele só fica do lado dela porque ele também bebe. Estou tão confusa a gente só briga. Sempre que eu estou em casa é briga o tempo inteiro. Quero fugir disso tudo. Por favor alguém faça com que pare. Leve embora toda essa confusão.*
>
> *Estou tão só zinha, ninguém se importa se eu vivo ou morro. Eu só sirvo para causar problemas para os outros. Como posso ter ele de volta para mim? Ele não sabe o quanto ele significa para mim e para a minha vida. Para mim não existe vida sem ele.*
>
> *Mamãe e Gary me deixaram aqui sozinha. Será que eles não veem que eu estou mal? Eles não se importam. Deus por favor faça alguma coisa e me leve agora. Não sou uma boa aluna e*

> *sou feia ninguém se importa comigo. Sou muito burra por achar que ele se importaria.*

O bilhete segue assim por outros dez parágrafos, em um tom que alterna entre reclamação, acusação, autocondenação, autocomiseração, súplica, raiva, medo e desespero, dirigido ora à família, ora indiretamente ao namorado que a traiu, ora a Deus e ora a si mesma, em frases declarativas, interrogativas e imperativas. Pensei sobre a hipótese de Alex Loom segundo a qual o desespero poderia elevar as habilidades expressivas normais dos suicidas, mas não encontrei nenhuma evidência neste bilhete. Porém, se você fizer uma leitura mais literária, o contexto confere ao estilo ingênuo uma eficácia pungente – até os erros adquirem uma certa eloquência. "*Estou tão só zinha*" poderia ser Gerard Manley Hopkins. A incapacidade de "*dar cópia*" dos trabalhos escolares é um deslize que revela uma tendência ao plágio. A pontuação irregular evoca a intensidade do desespero e da confusão mental com um efeito de fluxo de consciência, e à medida que a carta avança o uso do presente do indicativo cria um forte movimento narrativo: "*Eu não paro de pensar nos comprimidos no armário mas eu tenho medo.*" A carta termina assim:

> *Estou com tanto frio, por favor façam alguma coisa. Não aguento mais esse vazio dentro de mim. A minha cabeça está um lixo. Parem de me bater isso dói demais. Não tenho controle sobre nada na minha vida. Estou despedaçada.*
>
> *Alguém faça alguma coisa.*

Se fosse um conto, daria para dizer que o último parágrafo, de apenas quatro palavras, é de uma simplicidade magistral. Mas, claro, a carta não seria lida dessa forma por seus destinatários nem por outra pessoa que a tivesse encontrado; e tratá-la em termos puramente estéticos, analisá-la como um texto literário, parece uma reação insensível, indiferente a todo o sofrimento humano que contém. Foi com alívio que descobri, em uma nota de rodapé, que nesse caso a autora havia sobrevivido à overdose e "tocado a vida adiante". Na verdade, a carta estava postada em um site de prevenção ao suicídio.

12 de novembro. Liguei para Papai, como sempre faço aos domingos, pelas seis horas da tarde. Como já está esperando a ligação, ele atende quase que de imediato. Comprei um telefone novo para ele há pouco tempo, com teclas grandes como as dos brinquedos educacionais e um controle de volume que fica permanentemente no máximo. Mandei instalarem uma tomada de telefone nova na sala de jantar. Antes, quando o telefone ficava no corredor, às vezes ele tocava por cinco minutos até Papai se dar conta. Hoje ele deveria estar sentado ao lado do telefone, porque ele atendeu e mugiu um "Alô" depois do primeiro toque.

No início ele pareceu estar de bom humor. Papai conseguiu preparar um cordeiro para o almoço sem queimar nem pôr fogo em nada, e portanto está muito satisfeito consigo mesmo. "Acho que ensinei uma lição àquele fogão", disse ele. "E o cordeiro vai durar uns bons dias." Mas não demorou até que ele começasse a se queixar de que vem dormindo mal e precisa se levantar quatro ou cinco vezes por noite para ir ao banheiro. Mais uma vez começamos a falar sobre o colchão. "Você devia arranjar um colchão novo, Pai. Um colchão ortopédico." "Um colchão o quê?" "Um colchão mais duro." "Por que eu gastaria dinheiro com um colchão na minha idade?" "Pai, eu já disse que pago." "Eu não quero que você ponha dinheiro no lixo." O comentário a respeito de dinheiro tem o efeito colateral indesejável de lembrá-lo da recente correspondência com a Receita Federal. "Aquele sujeito escocês continua me escrevendo sobre o imposto de renda. O que a Escócia quer comigo?"

"A Receita deve ter aberto um escritório na Escócia", eu digo. "Para criar mais emprego, sabe."

"Emprego, ora! É um belo emprego esse de ficar mandando formulários para eu preencher."

"O que mandaram dizer, Pai?"

Até onde pude entender, Papai tem direito a receber de volta impostos retidos na fonte por conta de uns investimentos em sociedades de crédito imobiliário e a Receita Federal está enviando os formulários de restituição, mas ele acha que estão tramando um complô para fraudá-lo na costa oeste da Escócia. "Ponha toda a correspondência em um envelope e mande para mim", eu digo. "Vou ver o que eu posso fazer."

"Não, o correio pode perder o envelope. Você pode dar uma olhada na próxima vez que vier me ver. Os carteiros por aqui são um bando de ladrões. E tem mais uma coisa. Achei umas uns títulos de ações da British Leyland. O que eu faço com eles? Vendo?"

"Acho que é tarde demais, Pai. A British Leyland deixou de existir uns anos atrás."

"Puta merda! Que azar!"

"Quantas ações você tem?"

"Vinte e cinco. A cinco xelins cada."

"Ao menos não foi uma perda muito grande."

"Elas podem ter valorizado."

Assegurei-o de que não. Então Papai vem com mais preocupações financeiras e eu digo, como já havia dito, que se ele me der uma procuração eu cuidaria de tudo da melhor forma possível, mas na mesma hora ele fica desconfiado e hostil. "A próxima coisa que você vai pedir é que eu faça um testamento", diz ele, cheio de sarcasmo.

"Bom, eu acho mesmo que você deveria fazer um", respondo. Ele sabe, é claro: essa é outra conversa que temos de tempos em tempos.

"Não há a menor necessidade", diz ele, irritado. "Tudo o que eu tenho vai ficar para você. Você sabe. Você é o meu único... como é que se diz? Meu único herdeiro. Não há a menor necessidade de pagar um advogado para fazer um testamento extravagante."

"Está bem, Pai, então faça como você preferir", digo eu com um suspiro. Sei que eu vou me incomodar quando ele morrer intestado, mas seria rude pressioná-lo: Papai é supersticioso em relação a fazer um testamento, porque acha que seria como assinar a própria sentença de morte. Fico conversando um pouco sobre banalidades como o tempo e a programação da TV, até ele se acalmar o bastante para eu me despedir.

Então ligo para Anne. Ela está no sexto mês de gravidez e diz que está se sentindo ótima, só com uma leve dor nas costas, e toda empolgada porque eles terminaram a reforma do banheiro. Ela trabalha para a Derby Social Services e mora em um vilarejo na periferia da cidade com Jim, o namorado. Jim é um sujeito amistoso, embora um pouco excêntrico, que ganha a vida comprando casas, reformando-as ao mesmo tempo em que mora nelas e depois as vendendo com uma boa margem de lucro para então comprar outra e começar tudo outra vez – então os dois moram em um caos permanente, habitando só a metade da casa. "Espero que você não invente nenhuma mudança para o futuro próximo", eu disse.

"Não, Jim me prometeu que a gente vai ficar nessa por um tempo", ela disse. "Pelo menos uns dois anos."

"Que bom", eu disse. Pergunto se ela pretende vir passar o Natal conosco e dormir aqui em casa. "Fred vai dar uma grande festa no dia 26", eu digo.

"Mas e você não vai participar, Pai?", ela pergunta. Anne está sempre insinuando que Fred é quem manda por aqui.

"É, acho que vou", eu digo. "Mas nem preciso dizer que a ideia foi de Fred." "O Vovô também vai estar por aí no Natal?" "Claro." "E Rick?"

"Não sei se o seu irmão vai vir. Mas ele foi convidado." Meu filho Richard é um cientista da universidade de Cambridge e trabalha com física de baixa temperatura. Entendo muito pouco do que ele diz sobre o assunto, e entendo Richard ainda menos. A mim ele parece estar em um estado de baixa temperatura desde que perdeu a mãe. Ele é solteiro e até onde eu sei celibatário, mora na universidade e adora vinhos, música barroca e física de baixa temperatura – não muito mais do que isso. Às vezes penso que ele pode ser gay, mas eu acho que não. Será que eu me importaria se ele fosse? É provável. Tento ligar para ele, mas a secretária eletrônica atende. Imagino que ele esteja escutando uma ópera de Händel no equipamento de som de última geração e não queira ser interrompido. Admito que Richard parece muito satisfeito com a vida que leva, mesmo que aos outros pareça uma vida sem muitas alegrias.

9

16 DE NOVEMBRO. Alex Loom cumpriu a promessa de não me telefonar, porém dois dias mais tarde eu recebi um email dela perguntando: "Quando vamos nos encontrar para discutir a minha pesquisa?" Respondi: "Não sei. A propósito, como você conseguiu o meu email?" Ela respondeu: "Imaginei que o senhor provavelmente usasse a rede da universidade e teria um endereço no mesmo formato que os outros professores." Ela estava certa, é claro. Professores aposentados podem continuar usando a rede da universidade, que dá acesso ao catálogo da biblioteca e também os dispensa de pagar um provedor comercial de email. Alex acrescentou: "Mas e então, quando vamos nos encontrar?" Eu escrevi: "Só vejo sentido em nos encontrarmos se houver o que discutir. Você pode me enviar um capítulo?" Ela enviou uma cópia do projeto de pesquisa, escrito em termos um tanto genéricos e abstratos. Respondi: "Preciso de algo mais específico, como um capítulo." Ela respondeu: "Nada do que escrevi até agora está bom o suficiente para eu lhe mostrar." Respondi: "Então eu acho melhor esperar." Desde então, silêncio.

Percebo que estou conferindo os meus emails com frequência maior do que a habitual para ver se ela respondeu e fico um pouco decepcionado cada vez que abro a minha caixa postal e descubro que não. O tema inusitado de Alex parece ter despertado o meu apetite pela pesquisa. Hoje fui à biblioteca da universidade e revirei os arquivos dedicados à linguística, procurando quaisquer referências a bilhetes de suicidas. Não encontrei nada, mas retirei alguns livros sobre análise de documentos que poderiam ser relevantes. Fiquei chocado ao descobrir que um deles trazia diversas passagens grifadas com marca-texto turquesa, não apenas nas margens, mas também com sublinhados entre as linhas do texto, de um lado ao outro. Ainda na biblioteca, fiz uma queixa a respeito do vandalismo. "A mim parece inacreditável que alguém educado o suficiente para frequentar uma biblioteca universitária trate um livro assim", eu disse. O bibliotecário fez uma careta e deu de ombros. Ele me explicou que agora que os alunos podiam retirar os livros sozinhos em um computador e devolvê-los por uma espécie de escorregador no hall de entrada, não havia mais como controlar a maneira como os livros eram tratados. "Mas você deve ter um registro de todas as pessoas que retiraram o livro no computador", eu disse. "Você não pode chamá-los, um por um, e questioná-los? Os vândalos podem até não confessar, mas eles não fariam outra vez." Ele me olhou como se me achasse louco. Bem, talvez eu seja um pouco em relação a isso. Para mim, o cuidado com os livros é o melhor que o refinamento tem a oferecer. Admito que às vezes faço discretas marcas a lápis nas margens de um livro de biblioteca, mas eu as apago com todo o cuidado à medida que percorro as páginas fazendo as minhas anotações. Fico enfurecido ao encontrar passagens sublinhadas do início ao fim, muitas vezes com o auxílio de uma régua, por um consulente que parece acreditar que esse procedimento vai, de alguma forma, gravar a informação em seu córtex cerebral – e o crime se torna muito mais grave se o instrumento usado for uma caneta esferográfica em vez de um lápis. O emprego de canetas marca-texto é um abuso recente e de extremo mau gosto, pois elas desfiguram o texto com listras de cores horrendas sem a menor preocupação com o desagrado que isso pode causar aos leitores seguintes.

O ocorrido me levou a pensar nos rumos que o mundo está tomando, um estado de espírito ao qual ando cada vez suscetível graças a fenômenos como o *Big Brother*, as palavras de baixo calão no *Guardian*, os anéis penianos vibratórios à venda em farmácias, os bêbados que vomitam em pleno centro da cidade nas noites de sábado e a cromoterapia para cães e gatos. Por algum motivo é mais fácil concentrar a nossa raiva e o nosso desespero nessas ofensas cotidianas ao bom-senso e à decência do que em verdadeiras ameaças à civilização, como o terrorismo islâmico, a situação entre Israel e a Palestina, o Iraque, a AIDS, a crise energética e o aquecimento global, que parecem estar fora do nosso alcance. Acho que nunca, nem mesmo no auge da Guerra Fria, eu me senti tão cético em relação ao futuro da humanidade quanto agora – afinal, nós agora temos várias possibilidades de um fim catastrófico iminente para a civilização. Talvez eu já não esteja mais vivo, mas pode ser que o filho que Anne está esperando presencie essas coisas.

17 de novembro. Tive um encontro curioso com Colin Butterworth ontem à noite. Fui assistir a aula inaugural do novo professor de Teologia, mais por causa do vinho na recepção (o vice-chefe de departamento que escolhe os vinhos tem excelente paladar) do que por interesse legítimo no "Problema da Oração Peticionária", mas o auditório principal das Humanas tem um sistema de indução razoável, então se fosse interessante eu não teria dificuldade para ouvir. Fui sozinho, porque Fred tinha uma reunião no órgão de caridade em que ela atua, embora ela não fosse me acompanhar de qualquer jeito porque sabe "O antro de ateísmo que é aquele setor de teologia", segundo ela mesma disse. Um leve exagero, mas é verdade que os teólogos acadêmicos de hoje tendem a ser um pessoal bem mais cético e a professar os Estudos Religiosos em vez do Cristianismo ou de qualquer outra fé. O palestrante sem dúvida adotou uma postura de distanciamento irônico em relação ao tema escolhido. "Fazer uma oração peticionária é pedir a Deus que faça alguma coisa", ele explicou. "Quando pedimos alguma coisa para os outros, é uma oração intercessora. Os católicos romanos adotam um tipo especial de oração intercessora, que consiste em pedir à Virgem ou aos santos que intercedam em seu próprio favor, levando o pedido até Deus." A plateia deu umas risadas nervosas, como o palestrante esperava. Segundo ele, havia vários problemas com a ideia da oração peticionária. O primeiro era que em geral elas não surtiam efeito. Outro era que em muitas situações, se funcionasse para você, ela negaria uma outra oração peticionária – como no caso de duas nações em guerra ou de dois times rivais de rúgbi que rezam a Deus pedindo a vitória. Mas o maior problema de todos era a ideia de um ser supremo que intervinha na história humana para conceder o pedido de uns e negar o de outros igualmente merecedores. O mais surpreendente era que as pessoas religiosas dispunham de tantos recursos para racionalizar e aceitar essas decepções e contradições que continuavam fazendo orações peticionárias. Neste ponto eu me lembrei do bilhete da suicida na internet, "*Deus por favor faça alguma coisa e me leve agora*", e comecei a pensar se a autora, ao se recuperar da overdose, teria sentido alívio ou frustração por não ter tido a oração dela atendida, e assim, absorto em meus devaneios, perdi a maior parte da palestra e nunca descobri se havia uma solução para o problema da oração peticionária.

A recepção na sala dos professores foi o suplício de sempre, graças ao efeito Lombard. Havia vários outros incomodados entre os participantes mais idosos que esse tipo de evento costuma atrair, e eu tive algumas conversas familiares como "*Tem muito barulho aqui dentro*" – "*O quê?*" – "*Eu disse que tem muito barulho aqui dentro*" – "*Desculpe, mas eu não consigo entender, está um barulho infernal aqui dentro...*" Logo Sylvia Cooper, esposa do ex-diretor do setor de História, teve comigo uma daquelas conversas em que o seu interlocutor diz coisas que parecem citações de um poema dadaísta, ou uma das frases impossíveis de Chomsky, e você pergunta "O quê?" ou "Como?" e então eles repetem as palavras, que na segunda vez fazem um sentido banal.

"A última vez que estivemos na dança estava tão rente", Sylvia Cooper pareceu dizer, "que caçamos a maior parte do vento na banana, bem mordidos e com as bobinas meladas."

"O quê?", perguntei.

"A última vez que estivemos na França estava tão quente que passamos a maior parte do tempo na cabana, encolhidos e com as cortinas fechadas."

"Ah, estava quente, é?", disse eu. "Deve ter sido no verão de 2003."

"A lêndea estava em pé no megafone. Ulular é um ruído, mas traz gado pelo cubismo."

"Como?"

"A gente estava perto de Carcassone. O lugar é bonito, mas estragado pelo turismo."

"Ah, mas hoje em dia é assim em toda parte", comentei, cheio de sabedoria.

"Bateu remoendo um CD. Traque e apitaço piscaram por lá, sabia? Tem um belo museu de ar de moela."

"CD?" repeti, hesitante.

"Céret, é uma cidadezinha no pé dos Pireneus", disse a sra. Cooper com certa impaciência. Braque e Picasso pintaram por lá. Eu recomendo."

"Ah, claro, eu já estive lá", apressei-me em dizer. "Tem uma bela galeria de arte."

"O museu de ar de moela."

"Isso mesmo", eu disse. Olhei para o meu copo. "Acho que vou buscar mais uma bebida. Quer que eu pegue uma para a senhora?"

Para o meu grande alívio, ela recusou. Depois de encher o copo eu saí do meio da multidão e fui em direção a uma borda do aglomerado, onde conseguia ouvir as pessoas razoavelmente bem. Enxerguei Butterworth e a mulher dele do outro lado do recinto, conversando com o palestrante e sem dúvida fazendo todos os falsos elogios de praxe. Butterworth – alto, atlético, bronzeado, com um tufo de pelos escuros e crespos saindo para fora da gola de seu terno preto – parece ser o mais jovem e o mais bonito dos dois, embora eu ache que ambos têm quarenta e poucos anos. A sra. Butterworth é, ou foi, enfermeira, segundo me disseram, e estava usando um vestido formal e sem mangas que mais parecia um uniforme. Ela estava em uma postura ereta e estudava o teólogo atentamente, como se estivesse observando algum sintoma e a qualquer momento pudesse puxar um termômetro da blusa engomada e enfiá-lo na boca dele. O olhar de Butterworth, no entanto, oscilava o tempo inteiro em busca da próxima pessoa com quem seria interessante conversar. Por um instante nossos olhares se encontraram, mas ele não se deteve em mim: nunca fomos muito próximos, e na condição de ex-colega aposentado eu não teria nada a contribuir para a carreira dele. Então o vice-reitor, que havia apresentado o palestrante, como é costume nas aulas inaugurais, veio até mim e perguntou como estava a minha simpática esposa e o que tínhamos achado da nova peça em cartaz no Playhouse, já que tinha me visto com Fred na noite de estreia. Eu não tinha ouvido a maior parte da peça, mas consegui me virar bem na conversa. Com o canto do olho vi Butterworth acenando e abrindo caminho entre a multidão para chegar até nós o mais depressa que podia com um copo de vinho na mão. Ele me cumprimentou pelo primeiro nome, como se fôssemos velhos amigos, e então voltou todas as atenções para o vice-reitor, que no entanto foi requisitado quase que imediatamente pelo chefe do departamento para receber um outro convidado. "Como está a vida de aposentado?", perguntou Butterworth, olhando desolado para o vice-diretor que se afastava. As pessoas ainda me perguntam isso nas festas, como se eu tivesse me aposentado quatro meses e não quatro anos atrás. "Ótima", disse eu, relutante em lhe dar a satisfação de saber a verdade. "E com o senhor?" "Ando muito ocupado", disse ele." Você não tem ideia da quantidade de serviço burocrático hoje em dia. Você saiu na hora certa." Essa é mais uma coisa que os meus ex-colegas costumam me dizer nas festas, insinuando alguma equivalência sombria entre a aposentadoria precoce e generais sendo retirados de helicóptero de cidades sitiadas ou então ratos fugindo de um navio que afunda. Butterworth listou todas as avaliações em que estava envolvido, todos os comitês de que participava, todos os pedidos de bolsas que tinha a fazer, todos os artigos que tinha de avaliar e todos os alunos da pós-graduação que tinha de orientar. "Ah", disse eu, quando ele parou para tomar ar. "Eu conheci uma orientanda sua um dia desses." Ele fixou o olhar em mim pela primeira vez desde que o vice-reitor havia nos deixado. "É mesmo? Quem?" "Alex Loom", eu disse.

Ele me olhou com uma expressão que só posso descrever como desconfiada. "Onde você a conheceu?", ele perguntou. Eu respondi que tinha sido numa festa para convidados no Centro de Artes, sem mencionar nossos contatos posteriores. "Ela me contou sobre a pesquisa que está fazendo", eu disse (o que era verdade, mesmo que eu não tivesse ouvido uma palavra do que ela disse na ocasião). "O tema é intrigante." "É", disse ele. "Mas também meio mórbido", acrescentei. "É", disse ele. Eu nunca tinha visto Butterworth tão lacônico. "Ela está se saindo bem?", perguntei, fingindo inocência. "O projeto ainda está no começo", ele disse. "Ela ainda está juntando o *corpus*. Precisa de mais material aqui da Inglaterra para ter uma amostra equilibrada. A maior parte do material disponível é americano." Ao falar sobre os problemas metodológicos ele relaxou um pouco e recobrou um pouco da fluência normal. Fingi saber menos do que sei a respeito de Alex para induzi-lo a falar. Perguntei por que ela tinha vindo à Inglaterra para fazer essa pesquisa. "Ela queria trabalhar comigo", disse ele, como se a resposta fosse óbvia. "Eu também acho que estudar aqui é mais barato do que nos Estados Unidos", eu disse. "É", disse ele, mais uma vez adotando as respostas monossilábicas. "Onde ela se graduou?", perguntei. "Não me lembro", disse ele. "Foi em alguma universidade da Nova Inglaterra, e depois ela fez o mestrado na universidade de Cornell." "Ah, eu achei que tinha sido em Columbia", eu disse. Mais uma vez ele me olhou desconfiado. "Pode ser. Na verdade eu não sei muito a respeito dela. Ela não vem muito ao campus. Prefere trabalhar sozinha, é tímida e não se mistura com os outros graduandos." "Um enigma", disse eu, sorrindo. "Digamos que sim", disse ele, olhando para o outro lado. "A minha esposa está me chamando, acho que ela quer ir para casa. Com licença." Butterworth se afastou.

A relutância dele em dizer qualquer coisa que pudesse dar a entender que seu toque de Midas como orientador está fracassando foi tanta que cheguei a pensar que Alex poderia ter dado a entender que gostaria que eu assumisse o posto. Observei-o ir até a esposa e dizer algo que pareceu surpreendê-la, e logo depois os dois foram embora da festa.

Fiquei orgulhoso de mim mesmo por ter atingido a autoestima de Butterworth, e assim exagerei na quantidade de Beaujolais. Deixei o carro no estacionamento do campus e fui a pé para casa, onde cheguei em um estado de embriaguez que se transformou em um estado libidinoso assim que descobri Fred na banheira, onde ela parecia um dos nus de Bonnard, com os mamilos à flor d'água e os pelos pubianos agitando-se como algas marinhas mais embaixo. Tirei a roupa, me posicionei atrás dela e ensaboei seus belos seios novos enquanto ela recostava a cabeça no meu ombro; contei sobre a palestra e as pessoas que eu tinha encontrado (exceto Butterworth) e ela falou sobre a reunião. Depois fomos para a cama, os dois nus, e eu com uma ereção bastante promissora, mas acabei pegando no sono durante nosso primeiro abraço de maneira tão súbita que nem me lembro de ter sentido sono antes de apagar. Acordei de madrugada com frio, porque eu estava sem pijama; Fred continuou ferrada no sono ao meu lado, enrolada em uma camisola de inverno. Ela fez algum comentário irônico sobre eu ter bebido demais hoje cedo, enquanto tomávamos o café da manhã, mas não reclamou do meu sono repentino, o que demonstrou um certo espírito esportivo.

18 DE NOVEMBRO. Na minha caixa postal hoje de manhã: *Os orgasmos mais intensos e duradouros da sua vida – Ereções rígidas como rocha – Ereções de aço – Ejacule como um astro pornô – Orgasmos múltiplos – Goze sem parar – SPUR-M é o mais recente e o mais seguro produto no mercado – 100% natural e sem efeitos colaterais – Enviamos para o mundo inteiro em 24 horas.* Não entendo como esses spams chegam até mim, porque eles não trazem o sobrenome correto no campo do destinatário, só as iniciais corretas, como "D.S. Jones", "D.S. Ford", "D.S. Bellwether" e o meu favorito, "D.S. Human". O spam de hoje estava endereçado para "D.S. Limp".

19 DE NOVEMBRO. Ouvi um desabafo meio demente de Papai quando liguei para ele hoje, sobre não ter ganho nenhum prêmio de capitalização do National Savings nos últimos seis meses. Ele tem milhares de libras investidas. Tenho certeza de que ele conseguiria melhores rendimentos se abrisse uma conta em uma boa sociedade de crédito imobiliário, mas ele se diverte muito mais com os títulos do National Savings. Papai sempre adora quando recebe pelo correio uma ordem de pagamento de cinquenta libras, às vezes duas de uma vez só, mas parece que ele está passando por um período de seca. "Seis meses! Que absurdo!" Eu explico o que ele mesmo parece ter esquecido, que os prêmios são uma loteria e que não há garantia alguma em relação ao tempo máximo que você pode ficar sem ganhar, ou mesmo de que você vá ganhar um dia, apenas de que você nunca perde o dinheiro investido. "Os números são sorteados por um programa de computador." "Você está falando de Ernie?", ele pergunta. "Eu sei tudo a respeito disso. Mas você não acha que esses camaradas lá em... sei lá onde mais para o Norte, em Blackpool, você acha que eles não têm como fazer o computador pegar os números que eles quiserem?" "Por que eles fariam isso?", perguntei. "Eles não podem aplicar dinheiro neste fundo." "Eles não, mas e os parentes deles? E os amigos?" "Pai, se o sistema fosse fraudado eu acho que alguém já teria descoberto depois de tantos anos." "Mas eu não estou dizendo que eles escolhem os números das famílias deles, afinal eles não são bobos. Mas eles podem favorecer certas áreas." "Áreas?" Fiquei sem entender nada por um instante. "Isso mesmo, áreas", repetiu ele, impaciente. "Os lugares onde os títulos foram comprados. Eles sabem onde cada número foi comprado. E assim podem aumentar as chances das pessoas que eles conhecem. Aposto com você que saem mais prêmios para Blackpool do que para qualquer outro lugar do país." Essas especulações tinham uma certa lógica maluca, e eu fiquei impressionado pelo quanto ele tinha pensado a respeito do assunto. "Acho que não, Pai", eu disse. "Pois eu acho que sim, e vou escrever e reclamar", concluiu ele. "Tudo bem, Pai", eu disse. Acho que é algo com o que ele pode ocupar a cabeça.

Comecei a juntar brochuras de lares para idosos perto de onde moramos e a buscar endereços nas Páginas Amarelas e no Serviço Social. É uma tarefa deprimente. Vou precisar fazer uma pré-seleção e visitá-los eu mesmo antes que Papai venha para o Natal. Não tive coragem de tocar no assunto pelo telefone. Talvez eu tome coragem na próxima vez em que for a Londres – ainda pretendo visitá-lo mais uma vez antes do Natal. Sei que ele não só vai se opor com todas as forças a sair de casa – mas a ideia de se mudar para o que ele chama, com uma espécie de tremor entonativo, de "o Norte" vai deixar a situação ainda pior. A Inglaterra dele é Londres e o Sudeste: a metrópole, as cidadezinhas à beira-mar na costa Sul, com píeres e passeios, e um pouco de campo entre uma coisa e outra, mas nada muito mais selvagem do que os South Downs. O tempo que ele passou em East Anglia e nas Ilhas Shetland durante a Guerra foram para ele um exílio, quase como se estivesse em outro país. Quando vem nos visitar, ele acha tudo o que fica além da nossa rua arborizada estranho e ameaçador: as cores diferentes dos ônibus, a pronúncia diferente e as contrações do dialeto local, as fileiras de casas geminadas que cercam a carcaça de moinhos abandonados à espera de uma demolição ou de uma reforma. A natureza ao redor, muito admirada pelos morros, rios caudalosos e antigas abadias pitorescas, não tem nenhum atrativo para ele. Mostre a Papai uma paisagem de montanhas e vales e ele é capaz de dizer "Aposto que não tem onde tomar um chá por aqui".

20 DE NOVEMBRO. Hoje recebi um email de Alex Loom: "Ainda estou escrevendo o capítulo, mas achei uma coisa para você se distrair enquanto espera." Ela me deu o endereço de um site chamado *O bilhete de suicida: um guia para escritores.* Já li todo o conteúdo por diversas vezes, mas ainda não consegui me decidir. Será um documento sério ou uma piada doentia? Ou um estratagema engenhoso para desencorajar suicidas em potencial? O texto sem dúvida exerce um terrível fascínio.

> *A primeira coisa que você precisa fazer é decidir que método usar. Você pretende deixar um bilhete datilografado ou impresso? Ou prefere deixar um bilhete escrito à mão? Um bilhete manuscrito é mais pessoal e, portanto, terá um impacto emocional maior sobre os seus leitores. Mas se escrever o texto no computador, você poderá relê-lo e fazer correções. Afinal, o bilhete é a última coisa que você vai dizer, é a sua última mensagem à família, aos amigos e ao mundo. Talvez ele seja lido pela polícia e citado na mídia. O seu bilhete pode até acabar em uma antologia de bilhetes de suicidas! Assim, é de seu interesse escrevê-lo da maneira mais clara e direta possível. Você pode preferir escrever o bilhete no computador e depois copiar a versão final à mão para dar um toque mais pessoal. Mas não corrija* demais. *Desligue o corretor ortográfico e o corretor gramatical. Pequenos erros vão conferir um aspecto de angústia e autenticidade ao seu bilhete.*

Senti o toque frio do fantástico ao ler esta última frase: era como se o autor tivesse lido a entrada que escrevi no meu diário alguns dias atrás e roubado a minha observação sobre a eficácia da falta de jeito no bilhete da garota.

> *Não se apresse. Não deixe tudo para o último minuto, quando os comprimidos ou qualquer outra coisa já esteja fazendo efeito. Você pode entrar em pânico e esquecer tudo o que gostaria de dizer. Você pode perder a consciência antes de terminar. O ideal é começar a escrever o seu bilhete um ou dois dias antes de você se matar. Releia-o na manhã seguinte, como os escritores*

profissionais costumam fazer. Assim você verá muitas formas de melhorá-lo.

A essa altura comecei a pensar se o autor do site seria um sádico tentando provocar as pobres criaturas desesperadas que poderiam encontrá-lo ao procurar páginas sobre suicídio na internet em busca de apoio e alívio ou se, ao tratar do assunto de maneira tão fria, ele pretendia chocar e convencer os potenciais suicidas do caráter irreversível da morte na esperança de fazê-los rejeitar o suicídio como solução para os seus problemas. Ou será que tudo não passaria de uma paródia dos manuais para escritores?

> *É melhor escrever o seu bilhete na primeira pessoa. Referir-se a você na terceira pessoa parecerá afetado e artificial. Evite citações literárias pelo mesmo motivo. Escreva com a sua própria voz, usando o vocabulário que lhe ocorre naturalmente. Não use dicionários para encontrar palavras mais pomposas ou impressionantes. Ao mesmo tempo, evite clichês como* "Eu não aguento mais", "Minha vida não vale a pena", "Vou acabar com tudo" *etc. Essas frases foram usadas tantas vezes que acabaram perdendo o impacto, e assim seus leitores podem se aborrecer e perder o interesse.*

O autor do "guia" sem dúvida tinha estudado vários bilhetes de suicidas e conhecia muitas de suas armadilhas e estratégias típicas.

> *Você pode dizer que tipo de funeral gostaria, mas não peça nada muito extravagante (um concerto de gaitas de fole durante o enterro, p. ex.), pois você pode acarretar muitos incômodos e gastos*

desnecessários à sua família. Não deixe nenhum tipo de instruções nem lembretes ao seu parceiro, como "Lembre que o seu casaco está na lavanderia e fica pronto na quinta." Você pode achar que assim dá a impressão de ser uma pessoa sensata e desapegada, mas o seu parceiro não vai ver nada além de um complô para fazê-lo se sentir mal, enquanto os outros vão achar que você devia ser um idiota para ficar pensando nessas coisas em vez de se concentrar no que estava fazendo... Tome cuidado para que o seu bilhete fique em um lugar bem visível a fim de garantir que ele seja encontrado, porque de outra forma ele não servirá para nada; mas não o envie pelo correio, pois assim, caso você leve mais tempo para se matar do que o inicialmente planejado, seus planos podem ser frustrados.

Alex sem dúvida achava que aquilo era uma piada, algo para eu me "distrair", e admito que ri em algumas partes, mas com uma certa dose de culpa, horrorizado com a ideia de que fosse possível fazer piadas sobre suicídios. Mas quem estava fazendo as piadas?

22 de novembro. Ontem à noite fomos a um coquetel de abertura no Old Wool Mill, um dos vários prédios da cidade que mudou de função nos últimos dez anos. Armazéns viram clubes noturnos, bancos viram restaurantes e fábricas viram galerias de arte à medida que a indústria de aço e lã que ergueu a cidade cede espaço à economia pós-moderna de informação, recreação e consumo de marcas chiques. O público, atiçado pela mídia, tem um apetite voraz por novas tendências em moda, gastronomia, decoração, bugigangas eletrônicas, tudo. Os artistas, que estão comprometidos com a novidade desde o Modernismo, embora em um ritmo próprio, agora se veem ultrapassados pela rapidez das mudanças na cultura popular e tentam encontrar diferentes formas de deixar marcas no papel e nas telas, ou então construindo objetos tridimensionais que ninguém havia concebido antes. A exposição no Old Wool Mill se chamava "Mis-takes" e consiste em uma coleção de fotografias, fotocópias, faxes e outras imagens que por algum motivo foram afetadas por algum problema durante o processo reprográfico e acabaram produzindo resultados novos, inesperados e supostamente interessantes. Havia fotografias superexpostas obtidas em máquinas abertas antes que o filme fosse rebobinado, imagens fotográficas superpostas porque o filme não tinha sido passado, imagens irreconhecíveis produzidas em câmeras digitais graças a mudanças aleatórias nas configurações-padrão, palimpsestos produzidos por faxes de cinco páginas impressos em uma única folha e fotocópias de livros que haviam dado errado porque o papel trancou ou porque o livro foi movimentado enquanto a cópia era feita, o que produzia linhas onduladas de texto distorcido, sombreados contrastantes e espaços em branco. Um dos objetos expostos era uma página A4 em branco retirada de uma fotocopiadora cujo operador havia esquecido de pôr o documento a ser copiado. O título era *Oh* e estava à venda por 150 libras (ou 100 libras sem a moldura). Segundo o catálogo, o artista, ao adotar ou aceitar esse "erros" no processo reprográfico, estava questionando a oposição clássica entre "originais" e "reproduções" de obras de arte, bem como a necessidade de precisão, uniformidade e repetição na aplicação da tecnologia à criação artística – o que levava a discussão iniciada por Walter Benjamin no ensaio "A obra de arte na era de sua reprodutibilidade técnica" a um novo patamar. Nada poderia ilustrar melhor a minha teoria de que a maior parte da arte contemporânea é sustentada por uma estrutura discursiva, sem a qual simplesmente viria abaixo e seria indiferenciável de lixo. Eu estava apresentando minha teoria a Fred em meio a uma multidão de convidados falastrões e com copos de vinho na mão quando ela levou o indicador aos lábios, o que entendi como um sinal de que alguém que não apreciaria as minhas ideias estava por perto – talvez o próprio artista, como foi o caso. Quando você é surdo, além de não ouvir o que os outros estão dizendo, você não percebe a altura em que está falando.

Jakki, a sócia de Fred, estava na exposição com seu namorado novo. "Namorado" parece uma designação jovial demais para Lionel, um contador robusto e calvo de meia-idade, mas sem dúvida ele parece jovem o bastante ao meu lado, com um caminhar leve e ágil como um dançarino profissional, capaz de valsar por entre a multidão da festa com quatro taças de vinho na mão sem derramar uma gota. Jakki também é mais jovem do que Fred e acho que ela ainda está na casa dos quarenta; uma ruiva de rosto anguloso com uma bela silhueta e pernas bonitas, que ela realça usando minissaias. Jakki tem a boca larga, sempre em constante movimento, e lindos dentes, que ela exibe em sorrisos radiantes que vão da adulação à lascívia, dependendo de seu humor e das circunstâncias. Ela fala em um tom de voz alto e tem um sotaque de Lancashire que às vezes me lembra dos comediantes de rádio quando eu era menino, embora ela não tenha muito senso de humor. Em todos os aspectos, Jakki parece ser a antítese de Fred, mas elas se dão muito bem.

Nós quatro havíamos combinado de jantar juntos depois do coquetel em um novo restaurante italiano no centro, chamado Paradiso, sobre o qual Jakki tinha ouvido falar. Assim que passamos pela porta eu soube que "Inferno" seria um nome muito mais apropriado, pelo menos ao meu modo de ver. As paredes eram de mármore, o chão era coberto com azulejos de cerâmica, as mesas tinham tampos de vidro e as cadeiras eram feitas de madeira de lei: os sons ricocheteavam nas superfícies como rajadas de metralhadora. O lugar estava bem cheio e o ar vibrava com a algaravia das conversas, os gritos de pedidos repassados pelos garçons ao pessoal da cozinha, a bateção de panelas e o tilintar de talheres e louças quando os pratos eram servidos e retirados e vários outros barulhos que eu não consegui distinguir e só pude identificar mais tarde graças às minhas companhias, como o ruído do ar-condicionado e, o mais ridículo de todos, a música "de fundo". Até mesmo Fred, Jakki e Lionel acharam aquela cacofonia um verdadeiro desafio à comunicação e foram obrigados a se inclinar para frente, quase roçando os narizes, para conseguir se entender. Mas ao menos eles se entendiam, enquanto eu desisti após algumas tentativas, dando de ombros, e me concentrei na comida, que estava bem saborosa apesar de ter demorado, e no vinho, do qual abusei um pouco. Fiquei tentado a tirar o aparelho auditivo, já que ele não estava servindo para nada além de amplificar o barulho ambiente, mas lembrei que Evelyn Waugh costumava sinalizar o aborrecimento que sentia em relação às pessoas sentadas a seu lado largando a corneta acústica, e tirar as minúsculas próteses plásticas nos meus ouvidos poderia enviar a mesma mensagem.

Havíamos entrado no restaurante no período mais concorrido da noite, e quando terminamos a refeição o barulho já tinha diminuído a um nível que me permitiu participar da conversa, que graças a Lionel passou a girar em torno da minha deficiência. Esse não é um assunto que eu aprecie discutir, por mais simpático e bem-intencionado que seja o proponente. Já me cansei de explicar que nem os aparelhos auditivos mais modernos são capazes de devolver ao meu cérebro a habilidade de distinguir e filtrar os sons que quero ouvir daqueles que não quero ouvir e que a minha surdez não é do tipo que pode ser corrigido por meio de implantes, mas uma deficiência incurável que só tende a piorar, "Sendo que a única dúvida", concluí na ocasião, "é se vou estar totalmente surdo antes de estar totalmente morto ou vice-versa".

Lionel perguntou: "Você nunca experimentou aprender leitura labial?" Admito que a ideia jamais tinha me ocorrido – eu associo leitura labial às pessoas completamente surdas, em especial pessoas públicas, e imagino que seja uma habilidade quase sobrenatural que precisa ser desenvolvida ao longo de muitos anos, desde a infância. "Uma vez eu tive uma cliente, uma senhora que ficou surda quando envelheceu, que nem você, e ela costumava frequentar aulas de leitura labial", disse Lionel. "Ela disse que ajudava muito." "Querido, que ótima ideia!", exclamou Fred, apertando a minha mão e lançando um olhar agradecido a Lionel. "Acho que eu devo fazer um pouco de leitura labial inconscientemente", eu disse. "Eu sempre consigo escutar Fred muito melhor quando estou olhando para o rosto dela, por exemplo." "Mas não é a mesma coisa, Des", disse Jakki. (Eu nunca pedi para ser chamado de "Des", mas ela me chama mesmo assim. Ela também chama Lionel de "Lie", mas ele parece não se importar.) "Não é a mesma coisa que *aprender* a ler lábios." Ela espichou o lábio inferior para a frente ao falar, e passou pela minha cabeça que prestar atenção aos lábios de Jakki poderia ser mais uma distração do que uma ajuda. Fred perguntou onde eram as aulas, e Lionel disse que trataria de descobrir. Infelizmente a tal senhora havia falecido uns anos atrás, mas ele ainda tinha contato com o filho dela. Ele sabia que era em algum lugar das redondezas. "Que maravilha, eu não sei como a gente não pensou nisso antes", disse Fred. "Lie é um poço de informações", disse Jakki, satisfeita consigo mesma. "Sem dúvida é algo a se ver", disse eu, mais cauteloso. "Vou me informar melhor."

"Você poderia ter demonstrado um pouco mais de entusiasmo, não, querido?", perguntou-me Fred enquanto ela dirigia até em casa.

"Eu preciso saber um pouco mais sobre as aulas, como funciona, quem é o responsável", eu disse. "Mas a ideia não me atrai. Me parece um pouco tarde demais para voltar a uma carteira escolar."

"Você pode pagar um professor particular", disse Fred.

"É, talvez", eu disse. "Mas sairia caro."

"Caro? Meu Deus! Se funcionasse, cem libras a hora seria barato. Até mais."

Ela falou com tanta ênfase que chegou a omitir o habitual "querido". Fiquei um pouco ofendido e não respondi nada. "Você mal teria participado da conversa hoje, se não fosse Lionel a arrastá-lo", continuou Fred. "Eu sei que tinha muito barulho lá dentro, mas às vezes me parece que você desistiu de *querer* escutar o que os outros estão dizendo – a surdez parece ser um pretexto conveniente para você se desligar e ficar entregue aos seus pensamentos." "Quanta bobagem", disse eu. "Essa surdez é a pior coisa na minha vida." "Então porque você não experimenta ir às aulas de leitura labial?"

Fiquei encurralado. Não me agradava a ideia de voltar a ser estudante e eu tinha pouca confiança na minha capacidade de aprender leitura labial na minha idade, mas percebi que precisaria ao menos tentar para não ser taxado de egoísta e indiferente ao impacto que a minha deficiência tem em Fred e nos outros. Também fiquei um pouco incomodado com o que Fred disse. Será que existe uma Pulsão de Surdez, análoga à Pulsão de Morte descrita por Freud? Uma atração inconsciente pelo torpor, pelo silêncio e pela solidão, que mina e contradiz o desejo humano natural de companhia e convívio? Será que estou enamorado desta serena má audição?

Hoje à tarde Alex Loom me enviou o capítulo que estava escrevendo. É curto, mas promissor. Trata das quebras de parágrafo em bilhetes de suicidas. Ela faz uma distinção entre suicídios "depressivos" e suicídios "reativos", sendo os do primeiro tipo aqueles motivados por sentimentos de decepção, fracasso, frustração etc., e do segundo tipo aqueles motivados por circunstâncias objetivas, como doenças terminais, falência financeira, humilhação pública etc.; a teoria dela é que parágrafos curtos são mais comuns no primeiro tipo do que no segundo (embora essa afirmação precise de mais evidências estatísticas) porque os pensamentos da autora não seguem um fluxo tão coeso; os bilhetes depressivos são compostos por uma série do que ela chama de "extravasamentos emotivos", que não são necessariamente relacionados uns aos outros e podem inclusive se contradizer à medida que a autora repensa os motivos para suicídio e o impacto desse ato sobre as outras pessoas. (Alex sempre escreve como se o suposto suicida fosse uma mulher.) Os exemplos que ela dá confirmam minha primeira impressão relativa à alta frequência de parágrafos de uma única frase em bilhetes de suicidas. "*Alguém faça alguma coisa*", por exemplo.

Enviei por email alguns comentários positivos, mas modestos, e recebi de volta vários agradecimentos e o pedido de um novo encontro no apartamento dela para discutirmos o capítulo em maior detalhe. Não consigo achar nenhuma desculpa fácil para recusar nem pensar em um lugar melhor: se fôssemos vistos na universidade ou em algum lugar público como a galeria do Centro de Artes, o resultado seriam especulações e fofocas, e é óbvio que não posso trazê-la aqui para casa. O apartamento dela tem a vantagem da privacidade total. A questão é como contar para Fred sem revelar que faltou contar alguns detalhes sobre os meus contatos anteriores com Alex.

23 DE NOVEMBRO. Lionel conseguiu o email de Bethany Brooks, a professora de leitura labial, e passou-o a Jakki, que o passou a Fred, que o trouxe para casa e o passou a mim. Assim, precisei levar adiante a minha promessa de "me informar melhor" e troquei alguns emails com ela. Primeiro perguntei a Bethany Brooks se ela dava aulas particulares, e ela respondeu que não, porque ela tem turmas por toda a região e não tem tempo para dar aulas individuais, mas que de qualquer maneira era melhor aprender em grupo. Ela dá uma aula semanal em um centro educacional para adultos aqui perto de casa e disse que eu seria muito bem-vindo. "Na verdade seria bom ter mais homens nas aulas", ela escreveu – um comentário que não me deixou muito à vontade. Para minha surpresa, o curso é totalmente grátis, "exceto por uma pequena taxa para o chá e o café", uma vez que é sustentado por um órgão de caridade dedicado aos surdos e aos deficientes auditivos. A turma se encontra nas manhãs de quinta, das 10h30 às 12h30. Cheio de esperança, sugeri que, na condição de novato, eu aguardasse o início de um novo curso em vez de entrar em uma turma já iniciada, mas ela me explicou que não seria necessário, já que o curso não tem propriamente um início e um fim, e além do mais muitos dos participantes eram alunos há anos. "Não é como aprender uma língua estrangeira", escreveu ela. "O mais importante é desenvolver a sua capacidade de observação. Identificar o que é fácil e o que é difícil. Aprender a antecipar as dificuldades e a contorná-las. O quanto mais você praticar, melhor."

"Faz sentido", disse Fred, quando lhe contei sobre a mensagem. Apesar da minha contrariedade, não tive como discordar e não consegui pensar em nenhum pretexto para não comparecer à aula da semana seguinte.

10

24 *de novembro*. Acabo de voltar de uma visita muito perturbadora a Alex Loom. Ou ela é totalmente irresponsável ou tem algum desequilíbrio mental, ou talvez ainda as duas coisas, e eu me arrependo de ter me envolvido com ela.

Enquanto tomávamos o café da manhã, mencionei a Fred da forma mais casual possível que à tarde eu encontraria Alex Loom na universidade para lhe dar alguns conselhos sobre a pesquisa, embora na verdade eu tivesse me comprometido a ir ao apartamento dela outra vez. O meu plano era contar a Fred que Alex tinha me ligado mais tarde pela manhã e pedido que nos encontrássemos no apartamento dela em vez de na universidade porque ela estava à espera de uma encomenda. Fred poderia ficar meio desconfiada, mas eu daria um jeito de me explicar, dizendo por exemplo que eu sempre tinha sentido curiosidade de ver um daqueles prédios perto do canal por dentro. Assim eu poderia descrever o apartamento para Fred como se eu o tivesse visto hoje pela primeira vez, e daí em diante não haveria mais necessidade de esconder nada a respeito de Alex no futuro. Mas neste instante o que eu mais queria é que Alex não estivesse no meu futuro. Se eu não tivesse dado o azar de não escutar o que ela me disse quando nos encontramos pela primeira vez, sequer teríamos nos envolvido. A má sorte e a donzela, uma combinação perigosa.

Estacionei o carro como da outra vez e segui até o prédio dela sob a proteção e um guarda-chuva. O dia estava silencioso, cinzento, com um leve chuvisco caindo das nuvens baixas, afundando no canal e cobrindo a calçada com um brilho molhado. Eu trazia o guarda-chuva junto ao rosto para me esconder. Eu não conseguia afastar a sensação de que minha visita tinha algo de transgressor e assim não queria que ninguém me reconhecesse, por mais remota que fosse a possibilidade. A água pingava do remate plástico no beiral de Wharfside Court, e o canal parecia mais silencioso e deserto do que nunca. Havia um pouco mais de lixo flutuando do que na minha visita anterior. Depois de me certificar de que tudo estava certo com o meu aparelho auditivo, toquei o porteiro do apartamento 36 para anunciar a minha chegada, e a voz de Alex respondeu: "O senhor deu sorte. Arrumaram o elevador. Pode subir!"

Ela estava me esperando na porta quando as portas do elevador se abriram no corredor do quarto andar, vestindo calças pretas e uma blusa preta, como na outra vez. Percebi que a blusa tinha uma gola rolê alta, então dessa vez eu não teria nenhum vislumbre do colo de Alex, mas para compensar a roupa justa delineava o contorno dos seios dela. Ela sorriu com aqueles dentes americanos perfeitos. "Olá! Me dê o seu guarda-chuva que eu o ponho na banheira para secar. Que dia!" Enquanto ela se ocupava do guarda-chuva, pendurei a minha gabardine em um pequeno cabide no corredor de entrada e pensei se eu faria alguma piada sobre a esperança de não encontrar nenhum objeto estranho nos bolsos ao voltar para casa desta vez, mas achei que seria melhor fingir, como Alex havia pedido, que "as calcinhas não existiram".

Fui até a sala, levando comigo a minha valise, e me sentei na poltrona. Alex voltou em seguida e sentou-se no sofá. "*Muito* obrigada por ter vindo!", disse ela. "E por ler o que eu escrevi. Obrigada mesmo."

"Eu só tenho uns poucos comentários", disse eu, retirando o capítulo da minha valise. "Está claro para você que tudo o que estamos fazendo é totalmente em off?"

"Claro. O que o senhor achou do *Guia para escritores*, aliás?"

"Achei bem interessante." Ela abriu um sorriso de satisfação. "Mas eu não consegui entender o que o autor pretendia com aquilo", acrescentei.

"Ah, só se divertir um pouco", disse ela.

Levei um instante para entender a insinuação. "*Você* escreveu aquilo?"

"Claro", respondeu ela. "Achei que seria fácil adivinhar. Ou o senhor achou que eu não era esperta o suficiente?"

"Não, não é nada disso, mas... por quê?"

Ela afastou uma cortina de cabelos loiros. "Ah, depois de dias e mais dias inteiros lendo bilhetes de suicidas é impossível não perder a paciência com os autores, com tanta autopiedade, com os erros de gramática, enfim, com a estupidez deles. Acho que eu estava desopilando um pouco."

Perguntei o que ela achava que poderia acontecer se o site fosse lido por alguém que estivesse realmente pensando em se suicidar.

"Acho que poderia ter um efeito benéfico", disse ela. "Acho que a pessoa se perguntaria 'Quem é esse imbecil que está tirando sarro da minha desgraça?' E talvez ela ficasse tão brava comigo que no fim poderia desistir de se matar. Sabe, que nem nos filmes, quando o policial diz ao cara que está sentado no parapeito do arranha-céu 'Vamos logo, se você quer pular, pule, mas não demore, porque o meu horário acaba daqui a quinze minutos', e o cara fica tão furioso que tenta dar um soco no policial e acaba sendo arrastado para longe da janela."

"Isso se eles não forem leitores sofisticados", eu disse. "Já imaginou se alguém levar tudo a sério?"

"Alguém assim merece morrer", disse ela em um tom leviano. "Não, ou melhor, eu não acredito que alguém fosse levar o guia a sério... o senhor acha?"

"Não sei", eu disse. "A história da literatura é cheia de exemplos de ironias mal-entendidas."

Ela franziu um pouco a testa. "Parece que o senhor não aprovou."

"Para ser bem sincero", eu disse, "não acho que o suicídio seja um tema que se preste a paródias."

"Ah..." Ela ficou sem jeito.

"Mas eu sou o velho com ideias ultrapassadas, afinal de contas", disse eu para aliviar a tensão.

"Eu não acho o senhor tão velho assim", disse ela, com um quê de coqueteria. "Maduro, sim, mas não velho. Aceita um chá?"

Sugeri que antes discutíssemos o capítulo. Ela pegou uma cópia no arquivo branco, empurrou o sofá para ficar de frente para mim e sentou-se de lápis na mão. Parecia uma situação de sala de aula, e acho que era isso mesmo o que ela queria – estabelecer nossos papéis de professor e aluno para criar a ilusão de que havia algum contrato entre nós. Pensei para mim mesmo que eu deveria tomar muito cuidado ao examinar o capítulo e explicar as anotações que eu tinha rabiscado nas margens das páginas enquanto Alex escutava atenta, tomando algumas notas, acenando a cabeça e murmurando "Aham, certo, o senhor tem razão, ótimo", etc. Eu sabia que ela estava me adulando, mas nem por isso a lisonja teve um efeito menor. Percebi que eu havia passado os últimos anos sem a satisfação de dar ideias a mentes menos bem-fornidas do que a minha, e o meu prazer foi ainda maior porque eu estava falando a maior parte do tempo enquanto Alex apenas escutava, de modo que por quase vinte minutos esqueci do meu problema auditivo. O silêncio no apartamento, tão quieto quanto um estúdio de gravação, também ajudou.

"Nossa, as suas sugestões foram excelentes, nem sei como agradecer", disse ela quando eu terminei. "O que eu devo fazer agora?"

Eu ri diante de uma manobra tão óbvia. "Não faço a menor ideia! Eu não sou o seu orientador."

Ela fez uma careta. "É, é uma pena. Mas Desmond – posso chamar o senhor de Desmond? 'Professor Bates' parece tão formal." "Se você prefere, tudo bem", disse eu, hesitante.

"Bem, Desmond, essa discussão que acabamos de ter foi mais útil do que todos os encontros que tive com Colin somados."

"Fico lisonjeado", eu disse, percebendo o tom familiar com que ela se referia a "Colin".

"Mas eu só posso orientar você até um certo ponto."

"E que ponto é esse?", perguntou ela, sorrindo.

"Para começar, eu não posso continuar vindo aqui no seu apartamento."

"Por quê?"

"A minha esposa pode ficar desconfiada", disse eu em tom de brincadeira.

"Ela sabe que você está aqui?", Alex perguntou.

"Ah, sabe, claro", eu disse, mas não consegui olhá-la nos olhos e acho que ela percebeu a minha mentira. "Mas se virar um hábito ela poderia se perguntar, não sem motivo, por que eu estou tendo tantos encontros não remunerados com uma aluna bonita da pós-graduação."

Alex ficou transtornada. "Agora as coisas estão meio difíceis e eu não tenho como pagar, mas –"

"Não, não foi isso o que eu quis dizer", protestei.

"Mas se eu conseguir dar aulas no Departamento –" ela prosseguiu.

"Pelo amor de Deus, eu não quero que você me pague", eu disse, também perturbado. "Não. Eu não quis dizer nada disso. É só que Fred..." Não terminei a frase. Alex tinha o dom de me pegar no contrapé durante as nossas conversas, e nesse ponto eu esqueci o que afinal eu *queria* dizer.

"Fred?"

"A minha esposa. O nome dela é Winifred."

Alex deixou a cabeça cair para trás e deu uma risada. Ela mal conseguiu esconder. "Você a chama de Fred? Ela não se importa?"

"Acho que não", disse eu, sem soar muito convincente.

"E o que Fred faz?", ela perguntou.

"Ela não se importa que eu a chame de Fred, mas não gosta que os outros a chamem assim", eu disse.

"Desculpe. Mas o que Winifred – a sra. Bates – faz? Ou ela é apenas dona de casa?"

"Nada disso. Ela e uma amiga têm uma loja-galeria de arte no centro." Contei a ela um pouco sobre a *Décor*.

"Que legal, preciso ir lá conhecer! Eu quero pôr umas cortinas nessas janelas." Ela apontou para as janelas, que tinham venezianas, mas não cortinas.

"Não recomendo", eu disse. "Os preços lá são muito altos."

"Não se preocupe", ela disse. "Eu não seria indiscreta."

Não consegui pensar em nada para dizer que não fosse comprometedor.

"Vou preparar um chá", disse ela, pondo-se de pé. "Assam, né?"

Enquanto ela estava na kitchenette eu me levantei para esticar as pernas e fui conferir os livros nas estantes. Quando passei pela mesa que servia de escrivaninha, vi uma caneta marca-texto turquesa em uma bandejinha, junto com outros lápis e canetas.

Enquanto escrevo meu relato em casa, à luz da minha luminária, ainda sinto o choque despertado por aquela descoberta e pela confusão mental que veio logo a seguir. Fingi estar examinando os livros na estante, mas não prestei atenção aos títulos nas lombadas. Tentei dizer para mim mesmo que era apenas uma coincidência, que havia canetas marca-texto turquesa por toda a parte e eu não deveria tirar conclusões precipitadas, mas algum instinto me disse que aquela era a arma do crime, coberta de impressões digitais e pingando sangue. Então meu olhar foi atraído por um livro em brochura bastante familiar na estante, *Analysing Discourse: An Introduction*, de Desmond Bates. Tirei o livro da estante e abri-o na primeira página. O nome de Alex estava escrito na folha de rosto em uma caligrafia miúda e regular: "*Alex Loom.*" Folheei o livro. Várias passagens estavam grifadas em turquesa. Assim que escutei o tilintar da louça sendo posta em uma bandeja, recoloquei o livro na estante e sentei na poltrona.

Embora eu tenha tentado manter a calma, Alex sem dúvida percebeu alguma mudança no meu comportamento quando voltou à sala. "Você está tão sério", disse ela ao servir o chá. "Não tem mais nada sobre o meu capítulo que você queira dizer?"

"Não sobre o capítulo, não", eu disse. "Você conhece um livro chamado *Document Analysis*, escrito por um sujeito chamado Liverwright?"

"Eu li!", disse ela, triunfante.

"Você tem o livro aqui?"

"Não, eu peguei o exemplar da biblioteca. O livro é muito caro e no fim nem foi tão útil assim."

"A biblioteca da universidade?", perguntei.

Nesse ponto, ela percebeu o tom de interrogatório e se deteve por um instante antes de responder. "É. Por quê?"

"Bem, por acaso eu retirei o livro um dia desses e descobri que ele tinha sido estragado por um outro leitor. As páginas estavam cheias de grifos em turquesa."

"É mesmo?" Ela não corou e não demonstrou nenhum indício de culpa. Seus olhos azuis olharam nos meus sem hesitar. "Quando eu peguei o livro ele não tinha marca nenhuma."

"Então talvez você o tenha marcado", eu disse.

Ela riu, mas foi um riso forçado. "Por que você acha?"

"Eu vi um marca-texto turquesa na sua escrivaninha."

Ela riu mais uma vez. "Mas essas canetas são bem comuns, Sherlock Holmes", disse ela.

"E acabei de espiar o seu exemplar do meu livro sobre análise do discurso e ele tem as mesmas marcas." Ela baixou os olhos e não disse nada. "Claro que você pode grifar os seus livros como bem entender", prossegui. "Mas fazer isso com um livro da biblioteca é vandalismo."

"Eu esqueci que o livro era da biblioteca", disse ela. "Já era tarde, eu estava cansada, pulando de um livro para o outro, alguns meus, outros da biblioteca..."

"Você sabe que eu não vou engolir essa desculpa", eu disse.

"É verdade. Eu não fiz de propósito. Mas será que é tão grave assim? Do jeito que você está falando parece até que eu arranquei as páginas do livro. Mas ele está inteirinho."

"É uma questão de princípios", disse eu, enquanto me levantava.

"Ah, não vá embora!", disse ela de repente, também se levantando, com ares de quem poderia se atirar de joelhos aos meus pés a qualquer instante. "Não vá embora brigado comigo."

"Eu não estou brigado com você", eu disse. "Estou com vergonha."

"Me diga o que você quer. Eu faço qualquer coisa. Posso comprar um exemplar novo para a biblioteca."

"É uma excelente ideia. Mas quantos outros livros você vandalizou?"

"Nenhum!", exclamou ela. "Nenhum, eu juro."

"Não tenho como confiar em alguém que faz marcas indeléveis em um livro de biblioteca", eu disse.

"Ah, Desmond, pare com isso!", disse ela, sorrindo e fazendo biquinho, em uma tentativa de mudar o rumo da conversa. "Veja se isso é jeito de falar! '*Marcas indeléveis em um livro de biblioteca...*' Relaxe!"

Mas eu não estava disposto a relaxar. "E depois daquela infantilidade com a sua roupa de baixo naquele outro dia... para mim já chega", eu disse. "Estou indo embora e não pretendo voltar. Nem dar mais nenhum conselho a respeito da sua pesquisa." Peguei e fechei a minha valise, deixando a minha cópia do capítulo sobre a mesa de centro.

"Ah, não!", ela gritou.

"Ah, sim", disse eu, e saí da sala. Às minhas costas eu a escutava dizer "Idiota! Idiota! *Idiota!*" Acho que ela estava falando consigo mesma. Peguei o meu casaco no cabide do corredor e saí do apartamento. Quanto fechei a porta atrás de mim ouvi um estrondo, como se Alex tivesse atirado a bandeja de chá, com xícaras e tudo mais, para o outro lado da sala. Preferi descer as escadas em vez de esperar pelo elevador. Na rua estava caindo uma garoa, e percebi que eu tinha deixado o meu guarda-chuva para trás, mas achei melhor não voltar.

25 DE NOVEMBRO. Não imaginei que Alex fosse aceitar o rompimento de nossas relações sem tentar uma reconciliação. Achei que ela usaria a devolução do meu guarda-chuva como pretexto para mais um encontro. Em vez disso, hoje de manhã recebi dela o seguinte email:

> Caro Desmond,
> Você tem o direito de estar zangado; o que eu fiz foi uma coisa desprezível, estúpida, egoísta

e cretina, e eu mereço um castigo. Quero que você me castigue. Venha até o meu apartamento no mesmo dia e na mesma hora da semana que vem. Se você não puder, me diga em que tardes você está livre e eu vou escolher uma. Chegue a Wharfside Court às três horas em ponto e toque o interfone três vezes. Eu não pretendo atender, mas vou abrir o portão – você vai escutar o barulho. A porta do meu apartamento vai estar destrancada: simplesmente empurre. Feche-a atrás de você e tranque-a. Não me chame. Não diga nada. Pendure a sua gabardine no cabide do corredor. Vá até a sala. As venezianas estarão abaixadas e tudo estará na penumbra. Não acenda as luzes. Um abajur com uma lâmpada vermelha já estará aceso. Eu estarei inclinada por cima da mesa, com a cabeça em uma almofada. Não vou estar usando nada da cintura para baixo. Não diga nada. Apenas fique atrás de mim e se prepare para dar uma surra na minha bunda. Se você preferir, tire o paletó e arregace as mangas. Só não tente trepar comigo. Isto NÃO É um convite para você trepar comigo, mas para você me castigar. Bata em mim apenas com a palma da mão, sem nenhuma vara ou outra coisa parecida, mas pode bater com toda a força e quantas vezes você quiser. Mesmo se eu gritar, se eu começar a chorar na almofada, não pare. Desconte toda a sua raiva em mim. Quando você achar que chega, que você descarregou tudo, vá embora em silêncio, da mesma forma como você chegou. Feche a porta do apartamento e saia do prédio.

Depois disso, não falaremos mais nada sobre o que aconteceu, nem sobre o livro da biblioteca. Isso será um assunto encerrado. Poderemos continuar como se nada tivesse acontecido. Vai ser bom.

Alex

Devo ter lido o email uma meia dúzia de vezes e tive uma ereção em todas elas. Não pretendo comparecer ao encontro, mas eu não consigo tirar esse cenário digno de Sade da minha cabeça. Era fácil me imaginar chegando ao prédio, como em um filme, olhando para o meu relógio, apertando o interfone do apartamento 36 três vezes exatamente às três horas, escutando o barulho eletrônico na fechadura, entrando, subindo até o quatro andar, discretamente entrando no apartamento, fechando a porta atrás de mim, tirando a minha gabardine no corredor quase às escuras, iluminado apenas por um brilho vermelho vindo da sala. Quando entro, a sala está exatamente como Alex descreveu: as venezianas abaixadas, o ambiente iluminado por um abajur vermelho em um canto, e lá está ela, inclinada por cima da mesa, com a cabeça de lado em uma almofada, virada para o outro lado, para que eu não possa ver seu rosto, usando uma blusa preta, mas sem nada da cintura para baixo, exceto por um brilhante par de sapatos pretos de salto alto (um detalhe acrescentado pela minha imaginação), com as nádegas rosadas a nu. Tiro o meu paletó, arregaço a manga direita, ajusto o ângulo de seu quadril com as duas mãos e a seguir acaricio de leve a curva das nádegas, como alguém que tenta acalmar um cão de pedigree antes de uma exposição. Levo o braço para trás e depois trago-o de volta para frente, com a palma aberta, e acerto em cheio a bunda de Alex. O som e a sensação de sentir a minha pele na dela explodem na minha cabeça. Ouço o gemido dela. Deixo a minha mão descansar por um instante no lugar onde pousou antes de bater nela mais uma vez, e depois outra, e outra, e outra, sempre parando entre os golpes, ora dedicando as minhas atenções a uma nádega, logo mais à outra, uma de cada vez, mas sempre deixando a mão descansar um pouco no lugar onde pousa...

Eu nunca tive uma fantasia dessas. Como foi que essa mulher descobriu a fantasia escondida na minha cabeça, apenas à espera de alguém que a descobrisse?

26 DE NOVEMBRO. Ontem à noite Fred voltou da loja um pouco tarde, mas de excelente humor depois de fazer um happy hour com Jakki para comemorar a venda de uma pintura bem cara que tinha saído pela manhã. Enquanto comíamos a caçarola que eu tinha preparado para a janta e tomávamos mais vinho ela me contou, toda risonha, o relato confidencial que Jakki havia feito sobre sua vida sexual com Lionel. Parece que de tempos em tempos os dois promovem noites eróticas temáticas, segundo as fantasias dele. Uma noite indiana, por exemplo, com incenso no quarto, um raga no toca-fitas e um exemplar do *Kama Sutra* aberto na mesa de cabeceira para consulta. Ou então uma noite japonesa: sexo em um tatame, com almofadas, e o casal vestindo quimonos, com pequenas taças de saquê para matarem a sede. Ou ainda sexo à italiana, doces em forma de cupido para beliscar, Asti Spumante para beber e árias de Puccini como música de fundo. Nós dois nos divertimos pensando em outros temas que seriam um desafio à imaginação ou à energia deles: noite esquimó, noite da orgia romana, noite de D. H. Lawrence... Embora tenhamos achado graça, admito que senti uma ponta de inveja, e Fred, até onde pude perceber, também. "Ah, enfim, tudo de bom para eles", disse ela, servindo mais uma taça de vinho. Afinal, se eles gostam, qual é o problema?" "Você gostaria de experimentar algo parecido?", arrisquei. "Nós somos velhos demais para essas coisas, querido", disse ela, tendo a delicadeza de incluir nós dois na mesma faixa etária. "Além do mais, para aproveitar esse tipo de coisa você tem que levar tudo muito a sério, e acho que eu cairia na gargalhada, de tão absurdo". "Verdade, o riso é inimigo do erotismo", disse eu com uma certa tristeza. "Mas ainda podemos fazer à moda antiga agora à noite, se você estiver com vontade", disse ela. "Pode ser", respondi, pondo a rolha no vinho.

Mais tarde, no quarto, quando saímos nus cada um do seu banheiro e nos abraçamos, ela disse: "Se fizéssemos uma noite temática, que tema você escolheria?" Eu respondi: "Noite das palmadas." Ela afastou o rosto e olhou nos meus olhos. "*Querido!* Mas que ideia! Quem ia bater em quem?" "Eu ia bater em você", expliquei, "mas também poderíamos trocar de lugar, se você quisesse." Ela deu uma risada quase histérica. "Você quer que eu me deite no seu colo? Acho que eu já estou meio pesadinha, não?" Olhei ao redor do quarto. "Você poderia tirar as coisas de cima da penteadeira e se inclinar ali em cima." Ela me deu uma palmada na bunda e eu gritei "*Au!*". "Está vendo?", perguntou ela. "Você não ia gostar." "Você me pegou desprevenido", eu disse, "mas o efeito até que é estimulante. Veja só!" Rindo, ela me deu outra palmada, ainda mais forte. Eu revidei. Enquanto ríamos engalfinhados, caímos por cima da cama. Mais tarde, sério, fiz com Fred o que Alex tinha me proibido de fazer com ela, fechando os olhos e me imaginando naquela sala com iluminação vermelha. Foi a melhor noite de sexo que tivemos em muito tempo.

11

28 DE NOVEMBRO. Ontem fui a Londres visitar Papai. Essas duas últimas palavras são até desnecessárias. Para que mais eu vou a Londres hoje em dia? Já se foi o tempo em que eu viajava a negócios, com todas as despesas pagas, para comparecer a uma reunião de comitê, participar de uma banca de doutorado ou encontrar algum editor, quando eu pagava a minha viagem mas em troca ganhava um almoço fabuloso e depois ficava com o resto do dia livre para assistir a um filme no cinema, ver uma exposição de arte ou conferir os sebos de Charing Cross antes de tomar o trem de volta para casa. Agora, quando me arrasto pelo subsolo de King's Cross, avanço pelos túneis escuros do metrô e depois volto à superfície sob o arco da London Bridge Station, eu nem ao menos *vejo* o West End. A última vez em que estive por lá foi no dia 7 de julho do ano passado, quando cheguei a Londres pela manhã e encontrei o terminal fervilhando de viajantes confusos e a cidade inteira paralisada pelo que no início foi noticiado como uma falha elétrica de grandes proporções, e depois como quatro atentados simultâneos a bomba. Todo o transporte público foi suspenso. Não havia como atravessar toda Londres até a casa de Papai nem como voltar para Brickley. Fiquei meia hora na fila de um orelhão – pela primeira vez na vida tive vontade de ter um celular, embora as pessoas estivessem reclamando umas para as outras que as linhas estavam congestionadas e que era impossível completar uma ligação – e, depois de ligar para Papai e Fred para dizer que eu estava bem, fiz uma longa caminhada pelo centro de cidade, que estava estranhamente calmo.

Havia vários pedestres por toda a parte, em especial durante a tarde, quando os escritórios e lojas fecharam e os empregados começaram suas longas caminhadas a pé até os subúrbios longínquos, mas as ruas estavam vazias, salvo por algumas viaturas ou ambulâncias que passavam correndo com as luzes piscando e a sirene aberta. Àquela altura ninguém sabia direito qual era a extensão ou a natureza das explosões, mas havia uma crença generalizada de que eram obra da Al-Qaeda ou de algum outro grupo terrorista e de que a continuação do 11 de setembro havia enfim chegado a Londres. Não havia pânico; pelas ruas predominava um sentimento estoico e fleumático, como em um bombardeio aéreo. Um bêbado com o rosto vermelho e uma capa de chuva imunda ficou gritando "Árabes filhos da puta!" no Leicester Square, mas ninguém prestou muita atenção a ele. Na John Lewis, a única loja de departamentos a permanecer aberta na Oxford Street, comprei uma caneta esferográfica de prata para dar de aniversário a Fred no térreo deserto, a não ser por três funcionários. Um deles, uma garota, comentou que havia subido até o andar de esportes para comprar um par de tênis novos, já que teria de caminhar até Chiswick. Aquilo me pareceu uma reação extremamente sensata e pragmática diante da emergência.

Todos os teatros e cinemas fecharam ao longo do dia, mas o Curzon Soho estava aberto e eu passei algumas horas agradáveis lá dentro assistindo um filme argentino chamado *O cachorro*, uma comédia artística que se passa na Patagônia – o escape perfeito para a ocasião, ainda mais porque o filme era legendado. Descobri uma trattoria italiana aberta na Dean Street, onde jantei um prato saboroso um pouco mais cedo do que o habitual, e depois segui pela Tottenham Court Road e ao longo da Euston Road até King's Cross, onde o serviço para as estações mais importantes havia se restabelecido. Eu estava cansado, mas contente, por estranho que possa parecer. O dia acabou sendo uma espécie de feriado inesperado, um alívio das visitas tediosas a Papai, mas acima de tudo eu tinha apreciado o silêncio urbano. Paradoxalmente, ser surdo não faz o silêncio parecer menos atraente – muito pelo contrário.

A experiência auditiva consiste em silêncios, sons e barulhos. O silêncio é o estado neutro. Os sons são importantes, pois trazem informações e nos proporcionam prazer estético. Os barulhos não significam nada e são desagradáveis. A surdez transforma tantos sons em barulho que você sente falta do silêncio – daí o prazer de caminhar por aquelas ruas sem carros. Por um tempo, o terror havia transformado o centro de Londres em uma área exclusiva para pedestres.

Mais tarde, quando todo o horror dos atentados veio à tona – a terrível força das explosões nos metrôs lotados durante a hora do rush, a escuridão, a fumaça, os gritos, o pânico, os braços e pernas arrancados –, minha reação pareceu frívola e egoísta em retrospecto. Durante alguns meses, como muita gente, evitei o metrô de Londres, preferindo pagar mais caro por um táxi; mas passado algum tempo, mais uma vez como muita gente, voltei a usá-lo. É irracional, na verdade: quanto mais tempo passa sem nenhum acidente grave, maior a probabilidade de acontecer alguma coisa, já que as causas do atentado – o fanatismo islâmico, muçulmanos ingleses alienados, as provocações entre Palestina e Israel etc. – continuam vivas. Como é possível garantir a segurança no metrô? Os homens-bomba sempre vão dar um jeito. Tudo o que você pode fazer é torcer para não estar no vagão errado na hora errada. Há pouco tempo li uma reportagem sobre uma das vítimas do atentado contra o metrô da Piccadilly Line, no dia 7 de julho, que estava lendo em uma revista o seu próprio relato sobre como havia sido estuprada e quase assassinada em julho de 2002, exatamente três anos antes, quando German Lindsay, conhecido como Abdullah Shaheed Jamal, se explodiu no mesmo vagão onde ela estava e a deixou com cicatrizes pelo resto da vida. Quais são as chances de algo assim acontecer?

Demoro para chegar até a Lime Avenue, o que não é um grande problema, já que Papai esqueceu do combinado. Preciso bater na aldraba por uns cinco minutos até ele abrir, sem tirar a corrente da tranca. Ele me espia pelo vão da porta.

“O que você está fazendo aqui?”

“Vim ver você, Pai. Combinamos no domingo passado pelo telefone.”

“Ah, é verdade”, diz ele, tentando esconder o lapso de memória. Ele fecha a porta para soltar a corrente e então a escancara. “Pode entrar”, diz ele, irritado, como se eu o tivesse feito esperar. Ele parece mais empobrecido do que nunca com as calças encardidas de tweed caindo no lado onde o botão de prender os suspensórios se soltou, e além disso não fez a barba. Ele me acompanha até a sala de estar. Vejo uma ameaçadora pilha de papéis na secretária. “Andei procurando aqueles títulos, mas não encontrei.”

“Não me espanta”, eu digo. “Por que você não usa o arquivo que eu dei para você?” Faz mais de um ano que dei a ele uma caixa de papelão com compartimentos separados e identificados por títulos como “Contas”, “Banco”, “Títulos de capitalização” etc., mas ela permanece em um canto da sala, vazia a não ser por alguns panfletos oferecendo descontos em vidraçarias e móveis para jardim.

“Eu não consegui me adaptar”, diz ele, fechando o tampo da secretária e provocando uma pequena avalanche de papéis no interior do móvel – o sistema de arquivamento preferido por Papai. “Você quer tomar um café?”

“Pode deixar que eu mesmo preparo.”

“É, prepare você, eu não sei o quanto pôr.” Papai estava se referindo à quantidade de café solúvel, uma marca econômica chamada “Café Solúvel”, um café que prefiro tomar preto, só com um pouquinho de açúcar. Ele vai comigo até a cozinha, que está em um estado desanimador de sujeira e desordem. “Você também quer uma xícara?”, pergunto, enquanto procuro por uma que não esteja rachada, lascada ou engordurada.

“Não, obrigado, café me deixa frouxo da bexiga.”

“Vamos almoçar no lugar de sempre?”

Ele faz uma cara de preocupação. “Ainda tem uma sobra daquele cordeiro do fim de semana, mas não dá para nós dois.”

“Não, eu perguntei se você não quer almoçar no Sainsbury’s”, eu disse, elevando o tom da voz. O semblante de Papai se abre, aliviado, e ele revela os dentes postiços em um sorriso. "Parece uma boa ideia."

"Então vá trocar de roupa a fazer a barba." Enquanto ele está no andar de cima, visto um avental sujo com estampa floral que está pendurado atrás da porta e ponho um par de luvas amarelas de limpeza para tentar limpar um pouco a cozinha, a começar pela pilha de pratos sujos na pia que, só depois eu percebo, já haviam sido lavados, embora não desse para perceber. Depois eu limpo as superfícies com uma escova e um produto de limpeza que descubro debaixo da pia. Percebo mais uma marca de chamuscado ao lado do fogão. Não escuto quando Papai desce as escadas.

"Você não viu os meus sapatos de camurça, querida?", pergunta ele da porta da cozinha, às minhas costas. Eu me viro, surpreso com aquele modo de falar, e percebo que a expressão dele muda de interrogação para surpresa e logo a seguir decepção. Ele está barbeado e bem-vestido, exceto pelos pés, que ainda estão em grossas meias de lã. "Achei que você fosse Norma", disse ele. "Por causa do avental. E das luvas."

"Desculpe, Pai", eu disse. "Eu não quis..."

"Você não a viu por aí?"

"Mamãe?" Ele acena a cabeça. "Mamãe morreu, Pai", digo eu, do jeito mais delicado possível. "Ela morreu faz treze anos."

"É mesmo? Ah, claro, é verdade. Claro, ela morreu... Mas eu escuto os barulhos dela andando no andar de cima quando estou por aqui. Escuto os estalos no piso. E quando estou lá em cima eu a escuto aqui embaixo, lavando a louça." Papai não parece sentir-se estranho ou perturbado por essas impressões – pelo contrário, elas parecem ter amenizado sua solidão. Fico comovido e ao mesmo tempo preocupado com a história.

Pegamos um táxi até o Sainsbury's. Nós dois comemos peixe com batata frita e ervilha no refeitório e, quando Papai termina a sobremesa – torta de maçã com sorvete – e parece estar de bom humor, sugiro que ele se mude para um lar de idosos perto da nossa casa. No mesmo instante os cantos de sua boca viram-se para baixo e ele balança a cabeça, taxativo. "Não, filho. Obrigado, mas não."

Tiro do bolso e mostro para ele o folheto de um dos lares mais convidativos que contatei por volta da semana passada, apontando para as fotos dos quartos bem-mobiliados com suíte, a sala de estar confortável e a sala de jantar com mesas separadas. "O almoço e a janta são preparados pelos funcionários, mas se você quiser fazer um lanche ou tomar café da manhã, o quarto também tem uma chapa e um bule."

"Quanto vai custar tudo isso?"

"Não se preocupe", eu digo. "Você tem como pagar e, se for preciso, eu pago o que faltar."

Ele olha para o folheto como se tentasse, mas não conseguisse imaginar-se morando naquele lugar. "Não, filho, não ia dar certo. Eu gosto da minha casa. Lá eu sei o lugar de tudo..."

"Pai, você não sabe", digo eu de maneira nada delicada. "Você não sabe onde estão os seus títulos de capitalização nem os seus sapatos de camurça. Você não encontra nada quando precisa."

"É porque eu tenho muita coisa. O que eu faria com tudo aquilo num quartinho desses?" Ele aponta para a foto de um dos quartos no folheto.

"Bem, você teria que se desfazer de muita coisa, isso é certo."

"Como assim – botar no lixo?", retruca ele, indignado.

"Vender, dar para algum órgão de caridade, enfim, como você preferir. E você pode levar os seus móveis favoritos."

"Ah, muito obrigado!"

Detenho-me por um instante, pois vejo que estou conduzindo mal a conversa, atendo-me a detalhes insignificantes e ao mesmo tempo contrariando Papai. "Eu só estou preocupado com você, Pai", explico. "Um dia desses você pode sofrer um acidente."

"Que tipo de acidente?", ele pergunta.

"Você já andou tendo uns pequenos acidentes na cozinha, não? Com fogo." O silêncio mal-humorado que se segue faz as vezes de confissão. "Você já não é mais o mesmo. Você também pode cair na escada."

"Como você sabia?", ele pergunta.

Não deixo a oportunidade passar: "Então *já caiu* na escada? Quando foi?"

Ele desvia o olhar. "Um dia desses. Estava escuro. Achei que eu já tinha descido, mas ainda faltava um degrau."

"Claro, porque você não deixa a luz do corredor acesa", eu digo. "É uma economia que não vale a pena."

"Eu nem me machuquei, só bati o quadril."

"Mas podia ter sido grave. Imagine se você tivesse fraturado o quadril – você não conseguiria sequer chegar até o telefone."

"Você está tentando me assustar?", pergunta ele, resmungando. "Do jeito que você fala parece até que a vida é um episódio de *Casualty*." Papai tem horror a seriados médicos. Lembro de ouvi-lo dizer "As pessoas que assistem essas coisas devem gostar de sentir calafrios."

"Eu só estou sendo realista, Pai", digo. "Você já não consegue mais cuidar de si mesmo com segurança. Está na hora de se mudar para um lugar onde cuidem de você antes que seja tarde demais. Eu só estou pedindo que você vá comigo conhecer o lugar quando for passar o Natal conosco."

Mais uma vez ele balançou a cabeça. "Tudo bem então, filho, mas é só para agradar você. Não vou me mudar para lugar nenhum. Eu não saberia o que fazer da vida lá no Norte."

"Não é assim tão ao norte, Pai."

"Dá na mesma. Eu não consigo entender os vendedores nas lojas. Não sei o itinerário dos ônibus. Também não poderia ir para Greenwich no verão ver os navios na maré alta. E ela não iria até lá." Então ele empurra o folheto na minha direção. Não precisei perguntar a quem ele se referia.

"Está bem, Pai", digo eu em um suspiro. "Dessa vez vamos parar por aqui. Mas pense a respeito."

Quando nos levantamos, uma mulher de meia-idade em uma mesa próxima sorri para mim e, quando passamos, ela diz "Eles ficam teimosos nessa idade, hein?" Percebo que as pessoas nas outras mesas estão olhando para nós com um ar de curiosidade e diversão, e percebo que eu e Papai vínhamos falando a todo volume. A saída do refeitório é quase como a saída de um palco.

30 de novembro. Hoje foi a minha primeira aula de leitura labial. A experiência evocou lembranças difusas dos meus primeiros dias na escola, onde apareci pela primeira vez no meio do ano por causa de uma doença: tive a mesma sensação de ser um menino, inseguro e estranho, em um grupo onde todos já se conheciam e estavam familiarizados com a rotina. Conforme Bethany Brooks havia me dito, muitos dos participantes – uns quinze no total – já frequentam as aulas há anos. A maioria são mulheres de meia-idade ou mais idosas. A própria Bethany, conhecida com "Beth", é uma senhora de ares maternais e busto grande, com uns cinquenta e poucos anos, cabelos brancos diáfanos e um rosto redondo e rosado, que mais parece a esposa de um fazendeiro nas ilustrações de um livro infantil. Ela me apresentou ao grupo com "Desmond", e todos sorriram e acenaram com a cabeça. Todo mundo se chama pelo primeiro nome. "Desmond é professor aposentado", disse ela. Foi assim que eu me apresentei por email; preferi não dizer que eu era professor de Linguística em uma universidade. Foi uma decisão acertada.

A turma se senta com as cadeiras em semicírculo ao redor de Beth, que fica de frente para nós com um quadro branco ao lado dela e um sistema de indução portátil (o fio passa por baixo das cadeiras, então precisamos tomar cuidado para não tropeçar). Todos os participantes – por alguma razão parece estranho chamá-los de alunos – usam aparelhos auditivos dos mais diversos tipos, e alguns têm um grau muito elevado de surdez. Quando mudei o meu aparelho para o modo bobina achei o volume alto demais, mas consegui me virar muito bem no modo normal. O método de Beth consiste em dizer alguma coisa sem usar a voz, apenas mexendo os lábios, e se alguém tem alguma dificuldade para entender ela escreve as palavras difíceis no quadro branco. Então ela repete a frase usando a voz. A articulação dela é muito clara, a não ser por uma ou outra vogal distorcida, um sintoma comum entre pessoas com alto grau de surdez. No intervalo para o chá ela me contou que perdeu totalmente a audição aos nove anos por causa de uma infecção viral. Também me disse que trinta por cento das palavras em inglês não se prestam à leitura labial, um dado que me fez admirar ainda mais o sucesso com que pessoas como ela lidavam com a deficiência, mas acabou com as minhas ilusões de encontrar uma solução definitiva para os meus problemas. Não era só a sensação de ser um menino outra vez que me lembrava da escola. Beth sem dúvida faz o possível para tornar as aulas mais agradáveis trazendo informações interessantes e testando o raciocínio dos participantes ao mesmo tempo em que os faz praticar a leitura labial. Então ela nos conta histórias ou comenta algum assunto interessante, tirado (imagino) de jornais, revistas ou enciclopédias, alternando fala normal com simples movimentos dos lábios, frase por frase, e no fim nos passa uma folha de exercícios, que completamos em dupla, falando uns com os outros sem usar a voz. Esta semana começamos com uma breve história do Dia de Ação de Graças nos Estados Unidos, que foi celebrado na semana passada. Ler os lábios de Beth, como eu já esperava, é relativamente fácil. Ela articula as palavras com muito cuidado, usando os lábios, os dentes e a língua, mas sem parecer artificial; e se você não entende na primeira vez, ainda tem mais uma ou duas chances, porque ela repete cada parte três vezes olhando para diferentes grupos de alunos. Reconheço que aprendi algumas coisas sobre os peregrinos do *Mayflower* que eu ainda não sabia, ou então tinha esquecido – como por exemplo que eles eram apenas 102 e que 46 morreram no primeiro inverno, o que não chega a ser surpreendente, já que chegaram ao nordeste dos Estados Unidos em 26 de dezembro de 1620. Tive de me segurar para não levantar a mão e perguntar por que eles não tinham esperado até o verão para estabelecer a colônia, mas imaginei que Beth pudesse ficar irritada ao ser interrompida por uma pergunta irrelevante ou ainda sem graça por não saber a resposta. No primeiro ano, os índios ajudaram os peregrinos a cultivar a terra e a caçar, e 91 deles estiveram na celebração da colheita em 1621, ano que marcou o surgimento do Dia de Ação de Graças. Eu não sabia, ou não lembrava, nada a respeito da ajuda dos índios. Depois Beth distribuiu uma folha datilografada de exercícios sobre os peregrinos, que tivemos de completar em duplas, falando sem usar a voz com a pessoa ao lado. *Em que século foi o primeiro Dia de Ação de Graças? Em que ano os peregrinos foram aos Estados Unidos? De onde o navio zarpou? Qual era o nome do navio?* E assim por diante. Minha dupla era Marjorie, uma senhora de meia-idade simpática e tímida, que preferiu deixar para mim a tarefa de sugerir todas as respostas e se limitou a acenar com a cabeça e a escrevê-las no papel. Mesmo assim, ela conseguia ler os meus lábios. Então Beth pediu que cada dupla lesse, apenas mexendo os lábios, as respostas que tinham dado a cada pergunta. Uns se saem melhor do que os outros. Há quem, talvez por timidez, mal consiga movimentar os lábios. Mas não era difícil fazer a leitura labial, afinal você já sabia o que eles iam dizer. Aconteceu a mesma coisa durante o jogo de perguntas e respostas que jogamos a seguir. Cada pessoa recebia um cartão com o nome de alguma coisa redonda, "laranja", por exemplo, e uma lista de perguntas que deveriam ser feitas aos outros participantes: *É grande? É pequeno? É macio? É pesado? É de tocar? É de comer?* etc. Criei um certo alvoroço ao fazer uma pergunta que não estava na lista: *É de menta?* Todos riram muito quando a confusão foi esclarecida. A turma é muito bem-humorada e unida. Damos muitas risadas juntos, de coisas bobas. No início de outra conversa, Beth escreveu no quadro, "*Um p____ enorme*", e ninguém riu ou sequer sorriu. Logo descobrimos que se tratava de um pepino gigante que alguém tinha cultivado. Depois Beth distribuiu fotos do pepino, recortadas de uma revista, e nós as passamos de mão em mão. A analogia com uma sala de aula cheia de crianças ficou completa quando cada um precisou pensar em uma cantiga e cantá-la para o grupo apenas mexendo os lábios, sem usar a voz. Comecei a cantar "*Ride a cock horse to Banbury Cross / To see a fine lady upon a fine horse*", mas tive um branco e não consegui me lembrar de como continuava. Mais risadas enquanto os outros participantes competiam para me lembrar do resto: "*With rings on her fingers and bells on her toes / She shall have music wherever she goes.*" Claro! Que burro. Esse exercício teve dois aspectos interessantes: o primeiro foi que o ritmo poético facilitava a leitura labial, e o segundo que, se você não entendesse os primeiros versos, mais cedo ou mais tarde reconheceria a música, porque afinal era uma cantiga popular. O primeiro aspecto não tem muita utilidade em conversas reais, e o segundo apenas demonstra que, quanto mais previsível for uma mensagem, mais fácil é compreendê-la, mesmo que sem entendê-la por inteiro.

Fred estava curiosa sobre a aula quando chegou em casa. Ela riu com as minhas descrições, em especial na parte em que eu disse ter esquecido a letra da minha cantiga, mas ficou chateada quando eu disse que os exercícios teriam pouca utilidade prática por sempre favorecerem o receptor. "Mas você vai continuar frequentando as aulas, não vai?", perguntou ela. "Ah, por mais um tempo", respondi. "Vou insistir mais um pouco." "Ótimo", disse ela. "Esse é o espírito da coisa, querido." A verdade é que por algum motivo eu gostei de voltar à primeira série.

Primeiro de dezembro. Hoje foi o dia escolhido por Alex para o "castigo" dela. Fui ficando nervoso à medida que o ponteiro do relógio se aproximava das três horas. Eu estava sozinho em casa e fiquei andando de um cômodo ao outro, olhando para os relógios em cada um deles. Eu havia decidido que a melhor coisa a fazer em relação àquela proposta bizarra seria ignorá-la, mas naquele instante isso pareceu um engano. Alex tinha pedido que eu respondesse apenas se quisesse mudar o dia, então ela podia muito bem ter interpretado o meu silêncio como uma confirmação. Imaginei-a preparando o apartamento, baixando as venezianas da sala, pondo o abajur vermelho no canto, tirando as calcinhas e se inclinando por cima da mesa com o rosto apoiado em uma almofada, esperando que eu tocasse o interfone – ou melhor, ela não se inclinaria por cima da mesa até que eu tivesse tocado o interfone e aberto o portão para mim, mas já estaria nua da cintura para baixo, pronta para assumir o posto dela na mesa em dois toques. Ela também poderia estar de um lado para o outro, angustiada como eu, mas seminua, ou então sentada no sofá com os joelhos encostados, como a adolescente nua no quadro de Munch, esperando, imaginando se eu apareceria. Talvez ela tivesse ido até a janela abrir uma fresta na veneziana para ver se me enxergava no caminho de sirga. Quanto tempo depois das três horas ele deve ter percebido que eu não apareceria e se vestido outra vez? Será que ela tinha se sentido muito idiota? Ou ficado muito brava? O que ela teria feito depois?

Às quatro e meia o telefone da minha escrivaninha tocou. Dei um sobressalto e atendi sem pôr o meu aparelho auditivo. Era Alex, claro.

"Você não veio", ela disse.

"Não", eu repeti.

"Que pena. Teria sido bom para nós dois." Ela parecia estar ligando de algum lugar público: escutei vários barulhos e música no fundo.

"Você tinha prometido que não ia mais ligar para a minha casa", eu disse.

"Desde que você me ajudasse com a minha tese", completou ela. "Mas, enfim, a sua esposa não está em casa agora."

"Como você sabe?", perguntei.

"Porque eu estou olhando para ela."

A surpresa e o medo me dominaram. "Como assim?"

Ela deu uma risada. "Eu a estou vendo do outro lado da..." A voz dela ficou mais baixa e eu não consegui entender o resto.

"Como? O quê?", perguntei, enquanto abria correndo o estojo dos meus aparelhos auditivos. "Eu não consigo escutar você." Enfiei um dos aparelhos no meu ouvido direito e a voz dela ficou mal e mal audível.

"Acho que o sinal é fraco por aqui", disse ela.

"Onde você está?", perguntei. Mas eu já tinha adivinhado.

"Estou no shopping center Rialto, na frente da *Décor*", disse ela. "A loja é legal. Estou vendo a sua esposa lá dentro, mostrando umas almofadas lindas. Ela é a mulher alta com um terno de veludo, né? Não a morena de vestido curto."

"O que você quer, afinal?", perguntei, curto e grosso.

"Ah, é o seu guarda-chuva", disse ela. "Você o deixou lá em casa na semana passada."

"Eu sei", respondi. "É um guarda-chuva velho, não foi nada grave."

"É que eu estou com ele aqui. Achei que eu podia aproveitar a oportunidade para devolver." Fiquei em silêncio por um instante. "Alô?", disse Alex. "Você me escutou? Eu pensei em entrar na loja, me apresentar para a sua esposa e dizer 'O seu marido esqueceu este guarda-chuva na minha casa semana passada, a senhora poderia devolver para ele?'"

"Alex, não faça isso, por favor", eu disse.

"Por que não? Ela sabe que você estava lá comigo, não?"

"Não, não sabe", eu disse.

"Ah, então você está em meu poder!", disse ela com uma risadinha.

"O que você quer?", voltei a perguntar.

"Quero que a gente continue com as discussões. Elas são muito proveitosas para mim."

Pensei por um instante. "Tudo bem – mas não no seu apartamento", eu disse. Para o meu alívio ela aceitou a condição, e eu combinei de encontrá-la em um café do outro lado da cidade. "E leve o guarda-chuva", eu disse antes de desligar.

2 DE DEZEMBRO. Fred se habituou a me pegar desprevenido com uma palmada na bunda de vez em quando, mas se tinha a intenção de reacender a paixão da outra noite ela deve ter se decepcionado. Estou tão ocupado imaginando como posso me livrar de Alex que nem sinto vontade de fazer sexo. Na verdade eu tenho de me segurar para não soltar um impropério quando sou agraciado com um desses mimos, já que Fred realmente enche a mão na brincadeira. Penso se não seria um jeito de ela aliviar a própria frustração. Desde que Alex me ligou do shopping Rialto, ando ainda mais pensativo e ainda menos atento ao que Fred me diz, o que a tira do sério, não sem razão. "Você está usando o aparelho, querido?", ela me pergunta a toda a hora, e quando eu respondo que sim ela ergue os olhos em direção ao céu, como se fizesse um apelo silencioso.

Volta e meia eu me decido a contar-lhe tudo sobre o meu envolvimento com Alex, mas sempre me falta coragem. Por quê? Eu não traí Fred – não cheguei nem a encostar em Alex, ou sequer a flertar com ela. Deve ser porque estou com medo de parecer idiota. É isso. Eu fui um idiota. Deixei uma jovem inescrupulosa fazer gato e sapato de mim em troca de migalhas de adulação. Confessar algo assim me faria pequeno aos olhos de Fred, enfraqueceria ainda mais a posição que ocupo no nosso casamento. Mas não para por aí. Sei que, se eu confessar, preciso confessar tudo, ou não vou conseguir ficar com a consciência tranquila, esse estado de graça que Fred diz ter alcançado quando voltou a ser uma católica praticante e foi se confessar depois de vinte e poucos anos, uma sensação que ela descreveu como "Uma lavagem espiritual, como ter a sua alma lavada, enxaguada, seca, engomada e passada. Ou não – é mais como ter a alma lavada em uma cachoeira e estendida em arbustos perfumados para secar ao sol." Mas para chegar a essa condição invejável eu teria de confessar tudo, inclusive o convite de Alex para que eu a "castigasse". "E você a castigou?" Fred iria perguntar. "Claro que não", eu responderia. Mas então ela me perguntaria se eu senti vontade. No meu coração eu era culpado de ter dado umas palmadas em Alex. Isso tudo é bastante idiota, mas também vergonhoso. E o pior de tudo é que Fred ia perceber que eu tentei realizar a minha fantasia com ela.

12

4 DE DEZEMBRO. Como odeio o Natal! Não só o Natal, mas a ideia de Natal, que nos é empurrada cada vez mais cedo, ano após ano. Já faz semanas que um corredor inteiro do Sainsbury's é dedicado aos enfeites de Natal, papéis de presente com motivos de Natal, bombinhas de Natal, guardanapos de Natal, papais noéis de gesso, renas de plástico e presentes com design horrendo e utilidade duvidosa, a maioria deles feito na China, um país que sequer é cristão. Os jornais e os encartes em papel brilhoso vêm tão cheios de ideias para presentes, festas, ponches e conselhos para homens lascivos sobre como escolher uma lingerie para uma mulher que não se encontra quase nada de bom para ler. Os viciados em iluminação de Natal competem decorando as fachadas e os jardins das casas do subúrbio com luzes coloridas dispostas da forma mais elaborada possível, o que provoca acidentes entre os motoristas curiosos. Os restaurantes oferecem pratos de Natal durante todo o mês de dezembro, como se um prato de peru com toda aquela parafernália por ano não fosse o bastante. Até os emails oferecendo produtos para a vida sexual fazem alusões à data: o de hoje de manhã veio com o desenho de uma loira usando apenas meias longas e botas de salto alto, abraçando um boneco de neve com braços e pernas e o dizer: "*Com Cialis ele estava em chamas em quinze minutos!*" Sem dúvida, sexo inseguro para um boneco de neve.

Como se explica essa maldição do Natal? Quando eu era garoto, o dia de Natal e o dia seguinte eram feriados, e depois a vida voltava ao normal, mas agora o Natal emenda com o Ano Novo, um feriado que tem ainda menos razão de ser, e então o país inteiro para durante pelo menos dez dias, zonzo com tanta bebida, dispéptico com tanta comida, quebrado por causa das despesas com presentes inúteis, irritado e aborrecido por ter ficado tanto tempo trancado em casa na companhia de parentes entediantes e crianças mimadas e com os olhos quadrados de tanto assistir reprises de filmes antigos na televisão. É a pior época do ano para fazer um feriado prolongado, porque o tempo é sempre terrível e os dias têm poucas horas de sol. Scrooge é o meu herói – o Scrooge que aparece na Parte Um de *Um conto de Natal*, de Dickens. "Que bobagem!" Scrooge sabia das coisas. Pena que ele mudou de ideia.

Sinto-me um pouco melhor por ter feito esse desabafo. Fred entra mesmo no espírito de Natal e fica chateada se eu reclamo. Claro que a data tem um significado religioso para ela, mas também é um período bom para os negócios, então ela tem mais um motivo para se alegrar. Além do mais ela gosta de reunir a família, ou antes as famílias, e nem a irritação que começamos a sentir depois de algumas horas juntos parece incomodá-la – ou melhor, ela fica incomodada, mas Fred sempre teve o dom de apagar da memória as partes desagradáveis bem antes de o próximo Natal chegar.

7 DE DEZEMBRO. Não consegui escapar do Natal nem mesmo na aula de leitura labial. Hoje à tarde Beth distribuiu listas de perguntas que tínhamos de fazer uns aos outros e responder sem usar a voz: *Você já começou a fazer as compras de Natal? Você costuma levantar cedo na manhã de Natal? Você costuma visitar a família e os amigos no Natal? O que você gostaria de ganhar de presente de Natal? A sua família costuma comer peru no Natal?* etc. Depois ela leu, apenas mexendo os lábios, um artigo de revista sobre o maior pudim de Natal do mundo e mostrou-nos fotos desse objeto nauseante e repulsivo. Durante o intervalo para o chá, Marjorie nos lembrou de que deveríamos pôr nossos nomes em uma lista se quiséssemos participar do almoço de Natal no fim do semestre. Ela deixou a lista em cima da mesa e eu tomei muito cuidado para não chegar nem perto.

Por sorte, nem tudo se resumiu ao Natal. Fizemos um exercício em grupo sobre homofemas, que para os surdos são como os homófonos: palavras que se formam de maneira idêntica nos lábios, mas têm significados diferentes, como *mar*, *par* e *bar* ou *feio* e *veio* e *bote* e *bode*. Tínhamos de criar frases usando uma dessas palavras e dizê-las sem usar a voz para a turma. Criei uma frase usando todas palavras de todos os três conjuntos: "Um par de bodes feios veio num bote pelo mar". Ninguém conseguiu decifrá-la, é claro, e houve muitos protestos e risadas quando todos desistiram e eu repeti a frase em voz alta. Recebi um castigo merecido por esse atrevimento durante o exercício a seguir, que consistia em uma lista de palavras com letras faltando, sendo que as letras faltantes formavam o nome de um bicho. Assim, a solução de *Conc_ _ _ _* era *Concurso*, *Re_ _ _ _* era *Regato* e a *G_ _va_ _* era *Gravata*... Eu me lembrei dos quebra-cabeças nos gibis que eu lia quando era pequeno, mas achei o exercício muito difícil, enquanto Gladys, a senhora que estava resolvendo o exercício comigo, era craque na brincadeira e adivinhou quase todas as respostas antes de mim. Ela me disse que tinha 86 anos.

Ainda é muito cedo para determinar o quanto essas aulas vão melhorar a minha capacidade de ler os lábios das pessoas em conversas reais, e mesmo assim eu duvido que a técnica adiante muita coisa em situações de baixa redundância e baixa previsibilidade. Mesmo assim, as aulas são um interlúdio agradável durante a semana, uma alívio muito bem-vindo da introspecção sombria proporcionada pela aposentadoria e uma distração de todas as ansiedades da minha vida pessoal nesse momento. Acima de tudo, é incrivelmente relaxante estar em um ambiente social onde você não precisa se sentir idiota, preocupado ou constrangido por ser surdo.

8 de dezembro. Encontrei Alex conforme havíamos combinado, no Pam's Pantry, um café perto do campus principal da nossa segunda universidade, a antiga Politécnica. Eu costumava frequentar o sebo ao lado antes que ele fechasse por causa da concorrência na internet. O café tem móveis em madeira bruta, serve bolo de cenoura caseiro e lota no horário do almoço, mas fica bem mais tranquilo durante a tarde e não tem música ambiente. Fazia tempo que eu não aparecia por lá, e não reconheci a mulher com cara de aborrecida atrás do balcão. Cheguei cedo, pedi uma xícara de chá e me sentei nos fundos, de modo que eu pudesse enxergar a porta. Não havia muitos outros clientes: um casal de mãos dadas conversando aos sussurros e alguns jovens solitários que pareciam estudantes lendo mensagens nos celulares ou escutando iPods. Quando Alex entrou ela não olhou ao redor e não me viu, mas foi direto ao balcão e pediu um café – um *latte*, pelo que pude ver dos movimentos da funcionária na máquina de café. O preparo demorou alguns instantes, e o tempo todo Alex ficou de costas para mim. Ela estava vestida de preto, como sempre, com uma japona brilhante de nylon matelassê, calças e botas pretas e um longo cachecol de lã vermelha em volta do pescoço, prendendo seus cabelos loiros. Então, com a xícara e o pires em uma mão e a pesada bolsa na outra, ela começou uma pantomima elaborada, fingindo olhar ao redor, hesitante em relação ao melhor lugar para sentar, quando enfim me viu e abriu um sorriso, antes de se aproximar e dizer, em voz alta, "Oi! Posso sentar aqui com você?" Os outros frequentadores do café, que até então não tinham prestado a menor atenção a nós, olharam em nossa direção. Percebi que ela estava me provocando com essa encenação desnecessária e contraproducente, segundo a qual havíamos nos encontrado por acaso. Ela desenrolou o cachecol, tirou o casaco e sentou-se à minha frente. Então tirou o meu guarda-chuva dobrável da bolsa e deixou-o no assento de uma cadeira desocupada ao lado da nossa mesa. "Ainda não", disse ela, em um tom de voz mais baixo, quando fiz menção de pegá-lo. "Depois que a gente terminar, eu vou embora e deixo o guarda-chuva aí. Você fica mais alguns minutos e depois o pega como quem não quer nada ao sair."

"Você tem lido muitos livros de detetive", eu disse.

Ela riu, reconhecendo o meu acerto, e mexeu o café. "E então, você me perdoou, Desmond? Pelo livro da biblioteca e tal?"

"Isso não depende de mim", disse eu. "Pergunte ao bibliotecário."

"Você quer que eu vá me confessar para o bibliotecário? Mas eles vão me expulsar da biblioteca! E talvez da universidade também. Posso até ser deportada! Repatriada à força, como um asilado flagrado roubando." Havia um brilho matreiro nos olhos azuis dela.

"O que você quer de mim, Alex?", perguntei. Eu estava cansando de todo aquele falatório.

"Nesse instante, um bilhete de suicida."

Perguntei o que ela queria dizer com isso. Ela disse que haviam feito uma pesquisa alguns anos atrás, nos Estados Unidos, em que bilhetes de suicidas legítimos foram misturados a bilhetes de "pseudicidas", escritos por amigos e familiares dos pesquisadores e entregues a uma turma de universitários que foi incumbida de separar os bilhetes verdadeiros dos falsos. "A margem de acerto foi surpreendentemente alta. O experimento acabou se transformando em uma maneira útil de identificar as características estilísticas dos bilhetes de suicidas reais. Eu quero repetir o experimento, então estou pedindo um bilhete para todo mundo que eu conheço, o que não é muita gente aqui na Inglaterra."

"Você quer que eu escreva um bilhete de suicida –"

"É, do jeito mais real que você conseguir."

"Nem sonhando", eu disse.

"Por que não?"

Fiquei hesitante. Enquanto ela falava, lembrei de um assassinato alguns anos atrás, em que um homem convenceu a esposa a escrever um bilhete de suicida e depois a matou. Mas eu não poderia me recusar a ajudar com essa desculpa e, embora não acreditasse que Alex tivesse planos para me matar, sabia que seria uma insensatez deixar um documento tão comprometedor nas mãos irresponsáveis dela. Logo encontrei outro motivo para recusar: "Pelo mesmo motivo que eu não usaria aquele site em que você informa os seus dados pessoais e um programa calcula o dia em que você vai morrer."

Ela pareceu surpresa. “Você tem medo que possa acontecer de verdade?”

“É, algo assim.”

“Então você já pensou em se suicidar? Por quê?” Ela havia deixado de lado o tom leviano. Seus olhos azuis estavam fixos em mim, aguardando uma resposta.

“Eu sofro de uma surdez progressiva”, respondi. “É um problema incurável. Vou acabar surdo que nem uma porta. É muito deprimente.”

“Nossa, eu imagino, mas...”

“Mas o quê?”

“Eu nunca soube de nenhum caso em que alguém tenha se matado por ser surdo”, ela comentou.

“Beethoven quase se matou”, eu disse.

“Quase, mas não se matou.”

“Não. Ele ainda tinha toda aquela música maravilhosa dentro dele para colocar na partitura. Mas eu não tenho nenhuma música maravilhosa dentro de mim. Não tenho nada de maravilhoso.” Eu estava quase me convencendo com a minha própria história, comovido pelo *páthos* das minhas agruras imaginárias. Seja como for, Alex ficou convencida.

“Ei”, disse ela, pegando a minha mão em cima da mesa. “É claro que você tem.” Os dedos dela eram frios e macios, como os de Papai. Fiquei surpreso, mas não afastei a mão. No dedo médio, Alex usava um anel de safira que parecia refletir os olhos dela. “Você sabe muita coisa, Desmond, e pode compartilhar os seus conhecimentos com pessoas como eu”, disse ela em um tom mais leve, enquanto soltava a minha mão.

Falamos um pouco sobre as minhas antigas pesquisas – ou melhor, eu falei. Alex foi muito receptiva e simpática, e admito que gostei da companhia dela e esqueci de todo o constrangimento e de toda a preocupação que ela me causou nas últimas semanas. Pedi mais um café para ela e mais um chá para mim, e duas fatias de bolo de cenoura. Mas, quando eu olhei para o relógio e disse que estava na minha hora, ela retomou a encenação que havia começado ao chegar e disse com um risinho conspiratório: "Eu vou embora primeiro. Não esqueça do seu guarda-chuva", o que bastou para me fazer lembrar do email sobre o "castigo" e as consequências dele. Nenhum de nós dois havia tocado no assunto, e fiquei com a impressão de que, por não ter feito nenhuma crítica ao acontecido, eu havia de alguma forma me tornado cúmplice dela. Dei um sorriso amarelo e permaneci sentado enquanto ela pegava a bolsa e o cachecol e fechava o casaco. "Obrigada pelo café e pelo bolo", disse ela. "E se você mudar de ideia em relação ao bilhete –"

"Não vou", eu disse.

"Bem... Vamos nos falando."

Sobre o quê?, pensei. Eu fui ao café determinado a encerrar nosso relacionamento de uma vez por todas, e mais uma vez fracassei. Observei-a enquanto ela passava por entre as mesas em direção à porta e, para o meu desagrado, ela fez uma breve pausa para cumprimentar um jovem sentado com um laptop aberto em cima da mesa. Distraído com a nossa conversa, eu não o vi entrar no café. Quando Alex saiu o rapaz olhou em minha direção, e eu o encarei até que ele desviasse o olhar. Pensei se ele teria ficado nos observando e se teria entrado no café ainda a tempo de ver Alex pegar na minha mão. Agora à noite, depois de escrever um relato do nosso encontro, comecei a escrever um bilhete de pseudocida – não porque eu tenha a intenção de entregá-lo a Alex, mas como simples exercício de estilo. O bilhete é endereçado para Fred, como não poderia deixar de ser, mas foi difícil escolher como me dirigir a ela. Fred ou Winifred? Amada ou querida? No fim me decidi por "Winifred, minha amada" – a intimidade do epíteto compensando a formalidade do primeiro nome completo, que me pareceu mais propício à ocasião do que "Fred". Imaginar o que poderia ter me levado a preferir o desaparecimento à continuação da vida foi mais fácil, porque eu já tinha imaginado um motivo durante a conversa com Alex: uma perda auditiva súbita, que me levasse à surdez quase total. Tudo com o que eu sofro agora – frustração, humilhação, isolamento – aumentado de maneira exponencial. Incapaz de ouvir praticamente *qualquer coisa*. Perdido em todas as conversas.

Em casa, um companheiro silencioso, introvertido e indiferente, na melhor das hipóteses; na pior, um desgraçado mal-humorado e autopiedoso. Um estraga-prazeres em todas as festas, um fracasso à mesa de jantar. Um homem incapaz de se comunicar com os netos, que precisam se segurar para não rir dos olhares atônitos e dos mal-entendidos ridículos do avô. É uma vida que não vale a pena ser vivida, eu diria a Winifred – *Minha surdez é um fardo para você e para toda a família, e uma tristeza inescapável e irremediável para mim. Assim, resolvi pôr um fim a essa situação. Por favor, não se sinta mal, querida; não é culpa sua e você sabe disso; ninguém teria sido tão gentil e compreensiva quanto você. Mas a paciência de todo mundo tem limite, a minha chegou ao fim.* Enquanto fazia o rascunho do bilhete eu percebi a falta de sinceridade em cada palavra e até mesmo na pontuação (será que alguém já usou ponto e vírgula em um bilhete de suicida?). Eu não achava que Fred fosse demonstrar tanta abnegação, e nem esperava que ela fosse reagir assim. Minha condição imaginária, por mais deprimente que pudesse ser, também não seria insuportável. Ainda me restariam alguns prazeres, e eu não sentiria nenhuma dor. Eu poderia ter escrito um bilhete mais convincente imaginando uma doença terminal, mas só de pensar a respeito eu sofria com as lembranças dolorosas de Maisie. Desisti do exercício.

Talvez seja verdade que ninguém cometeu suicídio por conta de uma surdez. Beethoven chegou perto, mas, como Alex disse, não foi até o fim. Talvez fosse correto dizer que o Testamento de Heiligenstadt foi escrito *em vez de* um bilhete de suicida, para ser encontrado depois que Beethoven morresse de causas naturais, mas cumprindo a mesma função de um bilhete de suicida: revelar a profundidade de seu desespero para a família e para os amigos, explicar por que ele parecia tão antissocial e antipático e fazê-los se sentir mal por não terem percebido o quão miserável ele se sentia. Talvez tenham sido esses os motivos que me levaram a começar este diário; talvez ele seja um testamento. O Testamento de Rectory Road.

9 DE DEZEMBRO. Papai me telefonou, enlouquecido porque tinha ganhado três prêmios de cinquenta libras com os títulos de capitalização, recebidos hoje pela manhã, apenas duas semanas depois de enviar uma carta reclamando que não havia ganhado nada por seis meses. "Você viu? Eu disse!", ele se vangloriava.

"Pai", disse eu, "você não acha mesmo que a carta fez com que eles lhe dessem um prêmio?"

"*Três* prêmios! Claro que sim! Eu peguei eles de jeito. Eles devem ter pensado 'Esse Harry Bates não está para brincadeira. Vamos acabar nos incomodando se não tomarmos cuidado. Vamos mandar uns trocados para ele ficar quieto."

Eu estava prestes a perguntar se tudo não seria uma simples coincidência, mas então pensei: para que privá-lo desse momento de triunfo? "Parabéns, Pai! Você fez bem."

"Fiz, não é mesmo? E não foi graças a você – você não queria que eu escrevesse, lembra?"

"É, eu não achei que o efeito fosse ser tão imediato", eu disse. "Mas não sei se vai funcionar uma segunda vez."

"É o que vamos descobrir. Talvez alguém lá em Blackpool resolva cuidar dos meus prêmios de agora em diante, e assim eu não vou precisar mandar mais cartas."

"Tomara, Pai, tomara", disse eu. "Com o que você pretende gastar o dinheiro?"

"Quê?" Repeti a pergunta. "Ah, eu ainda não sei", disse ele, e aquele tom de euforia de repente sumiu. "Eu nem sei se quero gastar em alguma coisa. Acho que vou guardar o dinheiro para as épocas de vacas magras."

"Nem vou sugerir que você compre um colchão novo –"

"Ótimo."

O meu motivo era que, se Papai se mudasse para um lar de idosos no futuro próximo, provavelmente a cama estaria incluída, ou então poderíamos aproveitar a oportunidade e comprar um colchão novo, mas achei que não seria conveniente me estender sobre o assunto. Para mudar o rumo da conversa, contei a ele que eu havia começado a frequentar as aulas de leitura labial.

"Aulas de quê?"

À força de várias explicações e repetições, consegui fazer com que ele entendesse.

"Ah. Que bom. Acho que deve fazer bem para alguém com o seu tipo de problema, filho", disse ele.

12 de dezembro. Hoje tive um encontro perturbador com Colin Butterworth na universidade. Eu havia passado na sala de periódicos da biblioteca e, ao sair, encontrei-o subindo as escadas do prédio. Para dizer a verdade ele estava saltando os degraus – Butterworth sempre dá a impressão de estar apressado –, mas se deteve quando me viu e esperou até que eu descesse. Um vento forte estava soprando, desgrenhando os cachos escuros de seu cabelo, que à luz do dia exibe algumas manchas grisalhas. Butterworth estava usando uma jaqueta de camurça e uma camisa com a gola aberta. "Olá, Desmond", disse ele. "Como você está?

"Bem", respondi, perguntando-me o que ele poderia querer. Em geral nós dois nos cumprimentamos com um simples aceno de cabeça.

"Você tem um minuto?"

Eu respondi que sim e Butterworth sugeriu que fôssemos à sua sala, deixando de lado sua incursão à biblioteca. "É um assunto urgente", ele disse. No caminho ele começou a falar sobre a posição da universidade em uma tabela recém-publicada sobre o número de candidatos por vaga, na qual o departamento de Inglês havia se saído muito bem, mas era evidente que o assunto que ele queria discutir não era esse. Tive um pressentimento de que a conversa seria a respeito de Alex, e eu estava certo. Depois de fechar a porta atrás de nós, Butterworth indicou-me uma poltrona e sentou-se atrás de sua escrivaninha em uma cadeira giratória de última geração que sem dúvida não pertencia à universidade.

"Você conhece Alex Loom", disse ele.

"Nós já nos encontramos", eu disse. "Como eu lhe disse naquele outro dia."

"Mais de uma vez, imagino", disse ele.

"É, mais de uma vez", disse eu, imaginando se ele saberia de nosso encontro no Pam's Pantry, já que eu não conseguia imaginar que Alex fosse contar a Butterworth qualquer coisa sobre os encontros no apartamento dela. "Por quê?"

Embora Butterworth estivesse na cadeira do inquisidor, ele pareceu pouco à vontade, hesitante, e virou a cadeira para outro lado, de modo que pudesse olhar para a rua, para as nuvens cinzentas que deslizavam depressa pelo céu. "Você pode achar que não é da minha conta. Eu não quero parecer intrometido, mas..."

Ele começou a falar mais baixo e eu não consegui entender as palavras. "Desculpe, mas eu sou duro de ouvido", disse eu. "Eu não –"

Butterworth virou a cadeira na minha direção. "Desculpe! Eu disse... bem, em suma, eu sugiro que você não se envolva com ela."

"Nós só nos encontramos umas poucas vezes", disse eu, "para discutir o projeto de pesquisa dela. Deixei claro desde o início que eu só poderia oferecer ajuda informal e que não tinha a menor intenção de interferir nas suas orientações."

"E você não pensou em me consultar antes de aceitar?", perguntou ele, dessa vez em tom queixoso.

Era uma reclamação legítima, e por algum tempo tentei encontrar uma resposta plausível. "Para dizer a verdade, eu não achei – eu não *acho* – que seja uma cooperação duradoura. Achei que teríamos um único encontro. Mas ela é bem persistente."

"Ela é uma ameaça", disse ele. "Ela disse alguma coisa a meu respeito?"

"Não", respondi eu, sem hesitar.

"Se ela disser, não acredite. Alex é uma pessoa muito perturbada, um caso clássico de esquizofrenia."

"Por que o senhor acha?", perguntei.

"Você não percebeu nada de estranho, para não dizer bizarro, na forma como ela se comporta?"

Ao lembrar das calcinhas no bolso da minha gabardine, dos estragos no livro da biblioteca e do convite para castigá-la, respondi "Não exatamente" sem muita convicção.

"Então você ainda não a conheceu bem o suficiente", disse Butterworth. "Ela sofre com oscilações de humor muito bruscas. Faz uma coisa completamente absurda e depois volta implorando perdão."

"Que tipo de coisa?", perguntei.

"Ah... coisas idiotas..." Ficou óbvio que Butterworth não queria dar mais detalhes. "Mas que podem ser muito constrangedoras."

"Talvez ela devesse buscar ajuda", sugeri. "A universidade tem um setor de aconselhamento..."

"Eu já disse a mesma coisa, mas ela nega que possa haver qualquer problema. Depois ela diz que não aguenta mais a terapia e você acaba descobrindo que ela se tratou por anos nos Estados Unidos..."

"Ela parece uma aluna muito inteligente", disse eu.

"Ela é esperta, mas não tanto quanto gostaria de ser, ou então que os outros achassem. Alex tem sérios problemas para apresentar material que não esteja à altura de sua própria autocrítica."

Achei que não seria sensato revelar que ela já tinha me mostrado um capítulo perfeitamente aceitável de sua tese, então eu respondi: "Ela escreveu umas coisas na internet que mostram uma boa dose de sagacidade e inteligência, embora sejam de ética questionável."

"Você está se referindo ao guia para escritores de bilhetes de suicida? É, eu vi, ela me mostrou. Duvido que ela tenha escrito."

Fiquei surpreso com esse último comentário, mas logo percebi como era plausível. Tive um sentimento indefinido de decepção. "Por que o senhor acha?", perguntei.

"Aquilo é um documento anônimo – qualquer um pode se dizer autor do texto."

"Mas por que ela faria uma coisa dessas?"

"Para impressionar. Você ficou impressionado, isso está claro."

Não pude negar. Também lembrei de como Alex havia franzido a testa quando expus minha dúvida sobre os possíveis efeitos do texto e dito "*Parece que você não aprovou*". Talvez ela estivesse imaginando se iria subir ou descer no meu conceito se confessasse que não era a autora. "Talvez o senhor tenha razão", respondi. "Mas não há como saber."

"Há evidências internas", disse ele. "O léxico do texto é mais inglês do que americano". Butterworth se permitiu um instante de autoadmiração. "Fico surpreso ao ver que você não percebeu."

"Ela frequentou aulas na Inglaterra por bastante tempo", disse eu, constrangido a me defender. "Isso pode ter efeitos permanentes na forma como alguém escreve."

"É verdade", ele concordou. "Mas, seja como for, ela não é nada confiável. O único texto que ela me apresentou era em boa parte uma cópia."

"Sobre o que era?", perguntei, sentindo como se eu estivesse afundando.

"Ah, quebras de parágrafo em bilhetes de suicidas. Classificados em duas categorias, dependendo da motivação para o suicídio. Ela incluiu uma breve nota de rodapé com os créditos de um artigo em um periódico de psicologia, mas quando fui atrás dele e o li, descobri que quase tudo o que ela tinha escrito era uma adaptação do que estava lá. No fim descobri que o autor era um ex-namorado dela. Alex disse que ele não iria se importar – e na cabeça dela isso parecia ser uma defesa suficiente contra qualquer suspeita de plágio."

"Sei", disse eu. Me senti um idiota, e Butterworth deve ter percebido.

Alguém bateu na porta. Butterworth olhou para o relógio. "Tenho uma reunião com um orientando", disse ele. "Desmond, escute..." Ele se inclinou para frente na cadeira e falou em um tom muito sério. "Essa garota só vai lhe trazer problemas e eu me arrependo até hoje de tê-la aceito como orientanda. Você sabe a pressão que sofremos para aceitar pós-graduandos estrangeiros por causa das taxas extras que eles pagam e, como você pode imaginar, Alex se saiu muito bem quando eu a entrevistei e as referências dela pareciam boas. Mas eu acho que ela não vai conseguir completar o doutorado, tanto por razões psicológicas quanto intelectuais. O meu conselho é que você a evite, senão você vai acabar escrevendo toda a tese dela. E não acredite em nada do que ela diz."

Agradeci o conselho e me despedi. Esperando do lado de fora, no corredor, estava o jovem com o laptop que eu tinha visto no café.

Preciso encontrar algum jeito de cortar relações com Alex sem dar abertura a nenhuma retaliação. Mas como?

13 de dezembro. Ontem à noite aconteceu algo que por um lado fez de Alex um problema mais administrável, mas por outro lado menos. Eu e Fred fomos à estreia de *Peter Pan* no Playhouse. O espetáculo tinha uma cenografia belíssima, cheia de detalhes de época, mas Peter Pan era negro. O jovem que fez o papel de Peter Pan na verdade era muito bom, mas aquela presença exótica, que sem dúvida teria motivado comentários entre as crianças Darling – embora elas não pudessem fazê-los porque não constavam no texto original –, foi para mim um motivo constante de distração. Eu até aceitaria os argumentos sociopolíticos para se escolherem bons atores sem levar em conta a cor da pele caso os defensores da prática admitissem que ela tem um certo preço estético, mas eles se negam. Eu estava discutindo o assunto com Fred no saguão durante o intervalo – ela faz parte do comitê de amigos do teatro – quando, para meu desgosto, percebi Alex se aproximando com um sorriso no rosto ao me reconhecer. Ela estava usando a mesma blusa de seda vermelha de quando nos conhecemos, mas com um movimento rápido, quase imperceptível, abotoou o primeiro dos dois botões na gola ao se aproximar.

"Olá, professor Bates", disse ela.

Acho que me saí muito bem no papel de professor idoso e distraído que se compraz ao ver uma conhecida bem-apessoada em uma ocasião social e tenta apresentá-la para a esposa, embora não consiga se lembrar de seu nome. "Ah, olá!", eu disse. "Fred, essa é... ahn..."

"Alex", disse ela, interpretando o papel que lhe cabia e apertando a mão de Fred.

"Alex Loom, claro! Ela está fazendo um doutorado no setor de inglês da universidade, e acho que já lhe falei sobre o projeto dela –"

"Eu a conheço de algum lugar", disse Fred a Alex. "Já sei – foi no Centro de Artes – você estava falando com Desmond na festa da última vernissage."

"Isso mesmo", eu comentei. "Depois você me perguntou quem ela era e eu respondi que não fazia a menor ideia porque eu não tinha entendido uma palavra do que ela tinha dito." Dei um sorriso arrependido para deixar claro que essa era uma piada às minhas próprias custas. "Mas depois nós nos encontramos em um ambiente mais silencioso."

"Desmond é duro de ouvido", Fred explicou.

"Ah, não diga!", disse Alex, consternada. "Como é que o senhor faz para assistir ao teatro? Deve ser complicado."

"E é. Mas eu uso isso aqui", disse eu, tirando o fone do bolso do casaco e brandindo-o no ar. "Descobri o melhor lugar do auditório para escutar. E eu também conheço o texto razoavelmente bem."

"Eu também adoro esta peça", disse Alex.

"O que você achou do Peter Pan?", Fred perguntou a Alex.

"Achei genial. O diretor precisa ter muita coragem. Mas o resultado é que o caráter estrangeiro do personagem fica ainda mais realçado."

Como Alex sabia que essa era a resposta certa para impressionar Fred? Ou será que ela estava sendo sincera? Como saber? A essa altura o barulho da conversa no saguão tinha atingido um nível de decibéis alto o bastante para me excluir da conversa, mas pude perceber que as duas estavam se acertando muito bem. Quando o sinal tocou para que voltássemos aos nossos lugares, Fred apertou a mão de Alex e eu a escutei dizendo: "Apareça por lá quando puder; ficamos abertas das nove e meia às seis, ou às sete nas quintas."

"Apareço sim, obrigada pelo convite", respondeu Alex com seu sorriso mais inocente.

"Que moça mais agradável", disse Fred, enquanto nos dirigíamos aos nossos assentos na plateia baixa. "Falei para ela sobre a *Décor* e ela pareceu muito interessada. Disse que está procurando umas cortinas para o apartamento."

"Ela não teria dinheiro para comprar nada na *Décor*", disse eu, irritado.

"Como você sabe?", perguntou Fred, sem o menor indício de suspeita na voz. "Ela pode ter pais ricos."

Eu quase retruquei que Alex pagava ela mesma os estudos, mas achei melhor não demonstrar tanta intimidade com a situação dela.

"Você tinha comentado comigo o assunto do doutorado dela, mas eu esqueci o que era", disse Fred enquanto nos sentávamos. "Lembro que era uma coisa estranha..."

"Um estudo estilístico dos bilhetes de suicidas."

"Ah, isso mesmo. Que assunto mais deprimente. Olhando para ela, ninguém diria. Você acha que ela tem algum interesse pessoal nessa história?"

"Não sei", disse eu, enquanto as luzes se apagavam para a segunda parte. "Não sei muita coisa a respeito dela."

Prestei pouca atenção ao restante da peça porque fiquei refletindo sobre as implicações desse encontro. Senti um grande alívio por ter passado a Fred a ideia de um relacionamento inocente entre mim e Alex. Por outro lado, a chance de as duas se encontrarem outra vez, longe de mim, traz várias possibilidades alarmantes.

Papai tem me ligado bastante nos últimos dias, com dúvidas sobre que presentes de Natal deve comprar para os outros familiares. Tento convencê-lo de que não é necessário dar presentes para ninguém, mas ele insiste e diz que ficaria muito sem jeito se ganhasse algum presente e não tivesse nada para dar em troca. É um argumento razoável, mas que enfatiza a irracionalidade da troca de presentes. Sugiro umas lembrancinhas simples e baratas, mas ele esquece a sugestão e me liga outra vez para perguntar de novo. No fim eu acabo perguntando por que ele não dá a mesma coisa para todo mundo, como uma caixinha de chocolate After Eight, por exemplo. "Não se faça de besta", diz ele. "Imagine as pessoas abrirem os meus presentes e descobrir que ganharam todas a mesma coisa. Eu ia ficar com a maior de tacho." "Então compre chocolates diferentes." Para o meu alívio ele aceita a sugestão. "Mas não compre chocolate para Daniel e Lena", lembro-me de acrescentar. "Marcia não gosta que eles comam doces." "Quem são esses?", ele me pergunta. "Marcia é a filha de Fred. Daniel e Lena são filhos dela." "Nossa", exclama Papai, "eu não tinha contado com eles. É melhor anotar os nomes." "Não, não, não se preocupe! Você não precisa dar nada para eles", eu digo, mas já é tarde demais. "E você, filho? Eu não posso dar uma caixa de After Eight para você." "Claro que pode", eu respondo. "Eu adoro esse chocolate. Não consigo parar de comer. E quando temos uma caixa aqui em casa, Fred acaba com ela rapidinho." Lógico que tudo isso não passa de invenção, mas o plano dá certo. Começamos a tratar da parte logística da visita. Eu vou ir de carro até Londres na antevéspera do Natal para buscar Papai e depois vou levá-lo de volta três dias depois do Natal. "Seria bom você já me esperar pronto e com as malas feitas", eu digo. "Eu vou esvaziar os canos da calefação nesse dia", diz ele. "Leva um bom tempo." "Mas para quê?" Pergunto. "Ora, se o tempo esfriar os canos podem congelar", diz ele. "É só você deixar a calefação ligada", respondo. "*Quê?*", pergunta ele. "Deixar a calefação ligada enquanto eu não estou em casa?" Temos uma longa discussão que só termina quando eu ameaço não ir buscar Papai para o Natal se ele não deixar a calefação ligada enquanto passa uns dias aqui em casa. Muito a contragosto, ele concorda. Já se ele pretende cumprir o combinado são outros quinhentos.

Fui ver dois lares para idosos aqui pelas redondezas. Os preços variam de acordo com o nível de conforto oferecido, como os das passagens aéreas. No extremo mais baixo, você tem direito a cheiro de fritura na sala de jantar, aromatizador de ambientes na sala de estar e móveis de carvalho e papel de parede desbotado com motivos florais nos quartos; no mais alto, ar-condicionado, móveis modulados e decoração de bom gosto. Mas todos os lares têm a mesma atmosfera melancólica de velhinhos solitários aguardando a morte, cheios de estoicismo, uma atmosfera que fica ainda mais pesada com as decorações coloridas de Natal nos ambientes de convívio. É fácil imaginá-los mastigando a ceia de Natal daqui a algumas semanas, usando chapeuzinhos de papel nas cabeças grisalhas ou calvas e abrindo bombinhas de Natal, se ainda tiverem forças para tanto. Bem, ao menos Papai vai poder passar o Natal conosco se eu conseguir convencê-lo a se mudar para um desses lares. O mais promissor é o do folheto que mostrei a ele na última vez que estive em Londres, chamado Blydale House, que foi projetado desde o início para ser um lar de idosos – então o ambiente é moderno e confortável. Fica distante alguns quilômetros da nossa casa, mas um ônibus que vai até lá passa aqui na Rectory Road. O preço é alto, mas não chega a ser impraticável. Agendei uma visita com ele no dia 27.

14 de dezembro. Hoje foi a última aula de leitura labial do ano. Tivemos mais exercícios e conversas sobre o Natal. Pedidos para um jantar de Natal em um restaurante. A origem do Papai Noel. A história do visco. A maior bombinha de Natal do mundo. Ao término da aula todos saíram juntos para comer peru e outros acompanhamentos em um restaurante local. Eu não tinha posto o meu nome na lista do almoço com a desculpa de que tinha outro compromisso, mas me senti um pouco culpado por essa mentirinha quando nos separamos, desejando feliz Natal uns aos outros. Beth nos informou as datas do semestre seguinte e anunciou que teríamos um convidado. Parece que existe mesmo um equivalente de cão-guia para os surdos. Não são papagaios treinados; são os cães-ouvintes, e teremos uma conversa sobre eles em janeiro.

Beth leva revistas publicadas pela RNID e outras instituições dedicadas aos surdos para as aulas e deixa-as em cima da mesa para que as pessoas peguem-nas emprestadas ou então as leiam no intervalo para o café. Um artigo chamado "Em busca da cura para a surdez", sobre o uso de células-tronco para estimular o crescimento das células capilares, chamou-me a atenção. Infelizmente o programa não espera obter nenhum resultado concreto em menos de uma década e depois disso ainda vai precisar de outros cinco anos de testes clínicos, então é bastante improvável que eu vá me beneficiar dele. Mas o artigo era interessante e começava dizendo que existem nove milhões de surdos ou duros de ouvido na Inglaterra. Eu não sabia que a surdez tinha arruinado tanta gente. E o autor usou uma frase terrível para descrever a perda traumática de células capilares: "*A exposição a drogas ou a ruídos prejudiciais faz com que as células capilares morram vítimas de uma espécie de programa de suicídio coletivo. Basicamente, as células se suicidam no interior do ouvido.*" Seria possível, então, que aquela banda de rock no Fillmore West tivesse desencadeado um suicídio em massa no meu ouvido interno? Se eu lembrasse do nome da banda eu poderia processá-los, mas sem dúvida o prazo já teria prescrito. Além do mais, todos os integrantes devem estar surdos hoje. Espero que estejam. A boa notícia é que os antioxidantes presentes no vinho tinto podem ajudar a prevenir a perda de células capilares.

15 de dezembro. Ontem à noite Fred chegou em casa e disse que Alex tinha passado na loja e encomendado umas cortinas. "Eu dei um desconto para ela – achei que seria justo, já que vamos fazer uma liquidação em janeiro – embora o tecido que ela escolheu não vá baixar de preço. Ela tem muito bom gosto. Os comentários que ela fez sobre as obras de arte expostas na loja também foram muito inteligentes." Era evidente que Fred estava encantada com essa nova conhecida. "Acho que vou convidá-la para a nossa festa no dia 26", disse ela, para meu grande desgosto. "Você acha que é uma boa ideia?", perguntei. "Por que não seria, querido?" Não consegui pensar em nenhum motivo plausível para me opor. "A coitadinha vai passar o feriado sozinha, a milhares de quilômetros de casa", ela prosseguiu. "Vou mandar um convite para ela. Peguei o endereço no pedido das cortinas. Ela tem um apartamento num daqueles prédios perto do canal." "É mesmo?", comentei, em um tom tão desinteressado quanto me era possível fingir. A ideia de que Alex possa entrar nesta casa, se misturar aos convidados da nossa festa, ganhar a simpatia dos nossos familiares e conhecer Papai, que sem dúvida ficaria impressionado com os cabelos loiros e a beleza dela e lhe contaria histórias de guerra sobre tocar em bailes nas bases aéreas americanas, é muito perturbadora.

18 DE DEZEMBRO. Acordei hoje de manhã com uma coceira no fundo da boca que anunciava a chegada de uma gripe com dor de garganta. Como não poderia deixar de ser, na hora do almoço eu já sentia dores para engolir: tudo o que eu precisava durante os preparativos para o Natal. E no correio de hoje de manhã chegou uma carta para Fred com o nome e o endereço de Alex, que podia muito bem ser uma aceitação do convite. Deixei o envelope em cima de uma pilha com outras correspondências para Fred na mesinha do corredor e fiquei olhando preocupado para ele cada vez que eu subia ou descia a escada. Quando Fred chegou em casa, ela levou as cartas para a cozinha, como costuma fazer, para abri-las enquanto toma uma xícara de café, chá ou outra coisa, dependendo da hora e da vontade, e lá estava eu esperando por ela. "Chá ou outra bebida?" Ela pediu uma taça de vinho branco, feliz porque o tecido italiano com defeito, que algumas semanas atrás havia causado uma pequena crise, tinha chegado ainda a tempo de preparar as cortinas da cliente para o Natal e Ron já estava encarregado de pendurá-las amanhã. Virei de costas para pegar uma garrafa de Aligote na geladeira e ela disse alguma coisa que eu não consegui captar. Quando me virei outra vez, Fred estava segurando um cartão.

"O quê?", perguntei.

"Alex Loom está indo para os Estados Unidos."

"Ela vai voltar a morar lá?", quis saber. Uma vã esperança correu da minha imaginação aos meus lábios – no instante seguinte eu senti a alegria de ver Alex desaparecer depressa da minha vida, como em um milagre.

"Não, é claro que não, querido", respondeu Fred. "Ela só está indo passar o Natal. Para que ela iria encomendar cortinas se estivesse pensando em se mudar de volta?"

"Ah, eu tinha esquecido", respondi, desconcertado.

"E além do mais ela não acabou o doutorado, não é mesmo?"

"Não. Mas eu achei que talvez ela tivesse desistido. Ela não está muito satisfeita com a supervisão que vem recebendo de Butterworth."

"Mais um motivo para você ajudá-la tanto quanto puder, querido", disse Fred. "Você tem todo o tempo do mundo."

"Obrigado pela parte que me toca", respondi. Minha resposta foi mais irônica do que Fred pôde perceber. Agora eu tenho a permissão dela para encontrar Alex quando eu quiser – mas é a última coisa que eu quero.

"Ela diz que está muito chateada por não poder comparecer à festa", continuou Fred, passando os olhos pelo cartão, "mas o pai dela mandou dinheiro para ela comprar passagens aéreas e passar o Natal em casa, então é claro que ela tem que ir."

"Deus sabe que já tem gente demais vindo para essa festa", eu disse, disfarçando os meus sentimentos por trás da habitual máscara de rabugice. Mesmo que não seja a solução milagrosa com a qual por um instante eu sonhei, é um alívio saber que Alex não vai estar por perto para aumentar ainda mais as tensões do Natal.

13

22 DE DEZEMBRO. Passei os dois últimos dias de cama, tentando me recuperar da gripe antes de ir até Londres buscar Papai – na cama do quarto de hóspedes, para não contagiar Fred nem incomodá-la durante a noite com os meus espirros e catarros. Também foi uma maneira de me esconder, de evitar contato com Alex e com qualquer outra pessoa. Aconcheguei-me debaixo do edredom com os fones sintonizados na Radio Four e um romance de Trollope.

Hoje já estou melhor e me sinto pronto para voltar à rotina. Conferi o meu email hoje de manhã esperando várias mensagens de Alex, mas encontrei apenas uma, em que ela pedia desculpas por não comparecer à festa e dizia estar ansiosa para me rever no Ano-Novo. Também havia vários anúncios temáticos de Viagra – "*Dê a ela um presente que realmente aprecie!*" "*Recarregue as baterias para o feriado de Natal!*" Fiquei imaginando o que eles inventariam para o próximo feriado – "*Ressuscite dos mortos nesta Páscoa*"? Por fim, uma mensagem automática da biblioteca da universidade, pedindo que eu devolvesse o livro de Liverwright sobre análise de documentos. Fiquei imaginando se Alex iria retirá-lo mais uma vez e tentar apagar os grifos da caneta turquesa com algum produto químico.

23 DE DEZEMBRO. A jornada épica chegou ao fim. A Missão Buscar Papai foi cumprida – mas não sem alguns percalços. Várias vezes pensei que poderia ter sido muito mais sensato fazer a viagem de trem, mas todas as vezes em que considerei essa opção nos anos recentes ela me pareceu tão propícia a dar errado que achei melhor não arriscar. Os trens na época de Natal estão sempre lotados, então eu teria de reservar assentos e agendar um táxi de Brickley em um horário que, descontados os possíveis engarrafamentos em Londres, precisaria nos deixar em King's Cross ainda a tempo de pegar o trem, mas não cedo demais, para evitar que ficássemos lá parados por horas sem nada para fazer. E mesmo que tudo corresse conforme o planejado, sempre haveria a possibilidade de o trem não estar pronto para o embarque quando chegássemos a King's Cross porque havia se atrasado, ou ainda sido cancelado, sendo que nesse caso nossas reservas perderiam a validade e nós acabaríamos nos juntando à multidão ensandecida atrás de assentos sem reserva no trem seguinte. No fim, pareceu melhor pegar a estrada. Eu sabia que a viagem seria demorada e que haveria engarrafamentos, mas depois que Papai estivesse no carro com a bagagem no porta-malas eu não teria preocupação nenhuma com horários e poderia estar certo de que mais cedo ou mais tarde chegaríamos à Rectory Road.

Saí de casa no escuro do inverno, às seis e meia da manhã, com apenas uma xícara de chá na barriga, atravessei o centro da cidade e logo estava na M1 com um tráfego leve e a Radio Four sintonizada em um volume que ninguém com audição normal teria suportado. Os boletins de trânsito começaram a fazer alertas preocupantes sobre a neblina no Sul, atrasos nos aeroportos etc., mas eu segui adiante sem nenhum problema até um paradouro perto de Leicester, onde estacionei para tomar o café da manhã. Quando voltei à estrada, o tráfego e a atmosfera começaram a ficar mais densos e quando eu cheguei ao fim da M1 já eram quase dez horas. De lá o caminho até a neblina de Londres foi devagar, por culpa das pessoas que faziam suas compras de Natal como quem estoca comida e água para um cerco iminente, e já eram mais de onze horas quando cheguei à Lime Avenue. Papai estava me esperando às escuras dentro de casa, com todas as cortinas fechadas, vestindo um sobretudo e um chapéu, com as malas arrumadas e de bengala na mão. A impressão que tive foi que ele estava pronto havia horas. Gritamos um com o outro por alguns minutos. "Onde você andava?", ele perguntou. "Eu avisei que ia chegar pelas dez e meia", disse eu. "Achei que você tinha dito nove e meia", disse ele. "Como é que eu ia chegar aqui às nove e meia sem sair de casa de madrugada?", perguntei, irritado. "A viagem é longa." "Longa demais, até", disse ele. "Afinal por que você resolveu se mudar para o Norte?" "Por causa do meu trabalho, Pai", disse eu, como já tinha dito tantas outras vezes.

Confiro a lista com ele: "Você cancelou a entrega de leite?" "Cancelei." "Cancelou a entrega do jornal?" "Cancelei." "Deixou a calefação ligada?" Um "Deixei" mal-humorado. Na verdade ele desligou a maioria das estufas, mas acho que a água quente circulando pelos canos vai ser o suficiente. "E você avisou os Barker?" "Avisei o quê?", pergunta ele. "Os Barker, os vizinhos", repito, achando que ele não tinha me entendido. "Mas avisei o quê?", ele insiste. "Que você vai passar uns dias fora." "Para quê? Não é assunto deles", responde Papai. "Mas você não deixa uma cópia da chave com eles quando sai de casa por uns dias?", pergunto. Eu sei que não, mas finjo não saber para aliviar a tensão. "Claro que não!", retruca ele, indignado. "Nem quero que eles venham xeretar a minha casa enquanto eu estou fora." "Acho que eles devem ter coisa melhor para fazer no Natal", digo em tom de deboche. É um mau começo.

Antes de partirmos eu bato na porta da casa vizinha. Os Barker estão longe de ser as pessoas mais carismáticas do mundo, mas eu confio na boa vontade deles para ficar de olho em Papai e me telefonar no caso de uma eventualidade qualquer. A sra. Barker abre a porta. "Olá!", diz ela, com um resmungo agudo, e dá uma risadinha. É uma risadinha nervosa que pontua todas as frases dela. "Como vai o seu pai?" A silhueta avantajada do sr. Barker, em mangas de camisa e suspensório, assoma atrás dela com uma furadeira sem fio em riste na mão. Explico que vou levar Papai para passar o Natal conosco ("Ah, vai ser bom para ele, não?" – risadinha) e que eu ficaria muito grato se eles pudessem dar uma olhada na casa. "Tem uma calha no lado do telhado que precisa de conserto", diz o sr. Barker. "Ah é? Obrigado por me avisar", digo eu. "Vou cuidar disso depois que ele voltar." Como cuidar da casa é uma das ocupações principais do sr. Barker depois da aposentadoria; a casa deles é um brinco, e sei que o aspecto bagunçado da casa de Papai é motivo de desagrado para eles. "Bem, acho que está na nossa hora", digo. "Um bom Natal para vocês." "Para vocês também!", diz a sra. Barker com uma risada. O marido dela volta à operação com que estava entretido, mas a vida da sra. Barker é tão vazia de acontecimentos que ela fica na porta abraçando a si mesma para espantar o frio enquanto me observa acompanhar Papai da porta de casa até o banco do carona. Ela abre um sorriso amarelo e abana enquanto nos afastamos de carro.

O tráfego no centro de Londres estava ainda pior na volta, e precisamos descer no primeiro paradouro da M1 para almoçar, em um horário avançado e sem ter chegado sequer à metade do caminho. A neblina dificultava ainda mais o trânsito, que volta e meia parava, e logo vi que já seria noite quando chegássemos em casa. Papai estava bem conversador no início, dando-me conselhos sobre as ruas de Londres ("*Não passe por Camberwell nem Victoria de jeito nenhum, lá é a terra dos mil semáforos*"), criticando os outros motoristas ("*Você viu aquele imbecil? Ele nem deu sinal! Que desgraçado!*"), pedindo que eu convertesse o preço da gasolina de litros para galões ("*O quê, quatro libras um galão? Você deve estar brincando!*") e relembrando jornadas épicas aos bailes de caça em lugares rurais: "*Montanhas? Você nunca viu nada parecido com o que eles têm no País de Gales. Todo o país é uma serra. Uma vez Archie Silver – o nosso contrabaixista – que morreu uns anos atrás – ele pôs cinco de nós em um velho Wolsey – todos os instrumentos no trailer – e na hora de descer a montanha os freios pifaram...*" Fiquei surpreso ao ver que ele não estava incomodado pela neblina. Deve ter pensado que era efeito da catarata no olho esquerdo. Depois do almoço Papai adormeceu e eu continuei dirigindo no mais absoluto silêncio. Mas quando acordou ele queria fazer xixi. Eu tinha acabado de passar por um paradouro, e até o próximo levaríamos pelo menos meia hora. "Onde você pôs aquela garrafa?", perguntou ele, apalpando embaixo do assento. "Que garrafa?", eu disse, já pressentindo o pior. Eu tinha esquecido completamente a minha sugestão de algumas semanas atrás de ter uma garrafa no carro para o caso de uma emergência. "A garrafa de leite em um saco de papel que estava no corredor, ao lado da porta. Eu disse para você colocá-la embaixo do meu banco quando você pegou as minhas coisas." "Eu não escutei, Pai", respondi. Eu tinha dirigido até Londres sem os aparelhos auditivos e só os coloquei vários minutos depois de chegar, e foi nesse intervalo que Papai mencionou a garrafa. Ou talvez ele a tenha mencionado mais tarde, quando eu estava usando o aparelho auditivo, mas em voz baixa, por estar envergonhado, ou quando eu estava de costas, ou ainda pensando em alguma outra coisa em vez de prestar atenção a ele. "Ah, ótimo, filho!", disse ele, com um tom amargurado. Me senti mal.

"Eu posso parar no acostamento", disse eu. "Não é o certo, mas, enfim, se é uma emergência..." "Mas o que eu faria?", perguntou ele. "Você espera que eu trepe em uma cerca de arame farpado e encontre um gramado no escuro?" "Não, claro que não. Você pode fazer xixi na roda de trás do carro, como os taxistas fazem – e eles têm permissão legal, sabia?" Papai ignorou a minha tentativa de dar um tom mais leve à conversa. "Ah, sim, com todos os carros lançando os fachos dos faróis em cima de mim? Muito obrigado, mas não." Na verdade eu achei bom que ele tenha preferido não parar, porque seria perigoso: já estava escuro e a visibilidade era ruim. "Mas então o que você vai fazer?" "Vou me segurar até o próximo paradouro", disse ele, emburrado. Papai fez o melhor que pôde. Foi só quando estávamos atravessando o estacionamento em direção aos letreiros luminosos das lojas que ele perdeu o controle da bexiga. "Ah, meu Deus!", disse ele, curvando-se e segurando a virilha. "Eu estou encharcado." "Tudo bem, Pai. Não se preocupe", eu disse. "Não se preocupe!", exclamou ele. "O que eu vou fazer agora? Ficar sentado no carro com um par de calças fedidas e molhadas até o fim da viagem?" Logo eu elaborei um plano. "Vamos até o banheiro. Você entra em uma das cabines, tira as calças, passa-as para mim por baixo da porta e fica lá dentro enquanto eu vou até o carro pegar calças limpas na sua mala – você trouxe outro par, não? Ótimo. Depois eu passo as calças limpas para você por baixo da porta e você pode se trocar. Tudo bem?"

Foi o que fizemos. Deu certo, embora eu tenha esquecido de levar roupas de baixo limpas junto com as calças. Perguntei se ele queria que eu fosse buscar. "Você não acha que eu vou ficar no carro por sei lá quantas horas sem cuecas, acha?", bradou ele do outro lado da porta. "Essas calças são de lã pura, sabia? Elas vão me deixar todo assado se eu não estiver usando nada por baixo." Essa conversa, levada a efeito em alto e bom som e com inúmeras repetições através da porta da cabine, proporcionou um bocado de diversão para os outros frequentadores do banheiro masculino. Então voltei ao carro para remexer a valise de Papai atrás das cuecas samba-canção e voltei ao banheiro com elas. Enquanto ele se trocava eu enxaguei as calças úmidas em uma pia e sequei-as no ar quente do secador elétrico de mãos. Fui alvo de alguns olhares curiosos enquanto eu desempenhava a minha tarefa, mas eu já estava além da vergonha ou do constrangimento àquela altura, ou talvez fosse mais correto dizer que eu aceitei a situação como um castigo por ter esquecido a garrafa. Foi um dia longo e cansativo, e o meu único consolo foi que a Missão Papai me livrou de alguns outros compromissos natalinos. Marcia ajudou Fred a fazer as compras de Natal no Sainsbury's pela manhã, uma tarefa que eu sempre detestei: o engarrafamento de carrinhos atulhados nos corredores, as longas e lentas filas nos caixas, as pessoas se comportando como se fossem saqueadores, revirando tudo em busca dos melhores produtos (no Natal passado eu flagrei uma mulher surrupiando a última caixa de cogumelos orgânicos de um outro carrinho quando a pessoa estava de costas). Fiquei muito feliz de não me envolver em nada disso. E também não precisei ver a mãe de Fred, que veio do apartamento em Cheltenham de trem, na estação – Fred mesma se encarregou da recepção enquanto Jakki, que não tem família para quem cozinhar, ficou tomando conta da loja.

Quando eu e Papai chegamos em casa pelas sete horas, Fred estava decorando a grande árvore de Natal na sala, sob o olhar atento da mãe dela, que dava conselhos sentada em uma poltrona ao pé da lareira em sua pose favorita: as costas eretas, a cabeça erguida e os joelhos levemente separados por debaixo da saia longa, com o *Daily Telegraph* que ela havia trazido na mão, como um escudo. Já havia uma pequena pilha de presentes debaixo da árvore. O bercinho com um presépio entalhado em madeira de oliveira que os pais de Fred haviam trazido de Belém e nos dado de presente alguns anos atrás estava na estante. Músicas natalinas soavam nos discretos alto-falantes. Era uma cena agradável, que parecia quase orquestrada para causar uma boa impressão. Admito que Fred sabe cuidar muito bem desses preparativos de Natal. Mas quase na mesma hora houve um atrito entre nós: ela me perguntou se eu poderia ajudar a enrolar as luzinhas coloridas no pinheiro e eu disse que estava cansado demais e perguntei se não poderia ficar para amanhã quando então, com um suspiro impaciente, ela resolveu fazer tudo sozinha enquanto eu servia uma bebida para mim e para Papai, e Fred ficou irritada, e no fim tive que estender as luzes no chão e conferir uma por uma para descobrir qual delas estava interrompendo o circuito por não estar bem fixada na soquete. Espero que não tenha sido uma prévia dos contratempos que me esperam. O problema é que assim que eu e Fred temos um desentendimento qualquer, por menor que seja, nossos pais instintivamente tomam o partido das crias, e assim o fator da tensão é elevado ao quadrado. Papai pediu que eu terminasse a bebida antes de conferir as luzes, e a mãe de Fred comentou que o falecido marido dela sempre fazia questão de se encarregar pessoalmente das lâmpadas de Natal. Faz cinco anos que o sr. Fairfax morreu. A sra. Cecilia Magdalene Fairfax, para chamá-la pelo nome completo, é uma viúva alta e forte de 77 anos com um busto enorme que me dá uma prévia de como Fred poderia acabar nessa idade se não tivesse feito a cirurgia de redução dos seios (ela nunca comentou o assunto com a mãe dela – disse apenas que tinha "feito uma dieta"). Cecilia não tem nada em comum com Papai e às vezes olha para ele com um desgosto horrorizado, como a dama da casa senhorial ao descobrir que o assistente do jardineiro foi inexplicavelmente convidado a entrar na sala de estar por um membro da família e portanto não pode ser expurgado. Papai, por outro lado, vê Cecilia como uma "senhora ranzinza" e entende que é dever dele alegrá-la com comentários humorísticos e anedotas. Ele a chama de "Celia". Uma vez, quando ela o corrigiu, ele respondeu que "Cecilia" era um nome longo demais para um velho de dentadura. "Então eu a chamo de 'Celia' para encurtar. Você não se importa, não é?" Ela respondeu em um tom glacial, "Se não tem outro jeito... Mas é claro que são dois nomes bem diferentes. Cecilia foi uma mártir da Igreja. Celia foi um nome romano comum, um nome pagão." Acho que ela gostaria mais se ele a chamasse de "sra. Fairfax". Ela invariavelmente se dirige a ele como "Sr. Bates", apesar dos inúmeros pedidos para que ela o chame de "Harry".

24 de dezembro. A casa está ficando cheia. Giles, o segundo filho de Fred, e Nicola, a esposa dele, chegaram hoje à tarde com o filho Basil, de nove meses, depois de virem de Hertfordshire em uma caminhonete BMW 4x4, um veículo enorme, recém-adquirido em uma troca pelo antigo Porsche a fim de oferecer a máxima proteção ao precioso rebento do casal. As janelas são quase opacas, para despistar potenciais sequestradores, e um aviso de "*Bebê a bordo*" no vidro traseiro faz um apelo à consciência dos motoristas que possam estar decididos a bater na traseira do carro. Dos três filhos de Fred, Giles é o mais bem-sucedido. Andrew pagou os estudos dele em Downside, e depois da universidade ele seguiu a carreira do pai, mudou-se para a cidade e foi trabalhar em um banco. Hoje ele tem a expressão de um homem que acaba de receber um polpudo bônus de Natal e mal consegue conter a vontade de dizer a você quanto foi. Nicola trabalha como advogada comercial, mas decidiu parar por quatro anos para ter dois filhos – os números são especificados à precisão, como em uma planilha de balanço. Você tem a impressão de que as crianças também serão bem-calculadas:

um menino e uma menina. Ela é bonita sem ter grandes atrativos, veste-se bem e fala com desenvoltura, mas é um tanto apagada.

Ben, o filho mais novo de Fred, chegou à noite com Maxine, a namorada, um pouco mais tarde do que o esperado, nem tanto por conta da neblina, mas mais por causa de uma festa nas dependências da produtora de TV onde ele trabalha, "e depois tivemos que espairecer um pouco, para caso a gente ficasse preso na estrada". Eu sempre achei que Ben é o mais simpático dentre os filhos de Fred: um jovem alegre, tranquilo e extrovertido que não quis estudar em Downside como o irmão, mas preferiu frequentar uma escola pública local. Ele trabalha em um desses programas de televisão sobre comprar, vender, trocar, reformar e redecorar casas nos quais os britânicos parecem ser viciados, a dizer pela quantidade de programas iguais em diferentes canais. Com um certo desdém, ele chama o estilo de "pornografia imobiliária", mas diz que é uma boa maneira de se aprender a mecânica dos documentários. Maxine, a namorada dos dois últimos anos, é maquiadora de televisão, bonita, pernuda e amigável, com um sotaque do Sudeste e poucas ideias na cabeça que não tenham a ver com TV, moda e cosméticos. Ela insiste em que Ben a leve para assistir filmes B de terror porque gosta de ver as maquiagens. O consenso tácito na família de Fred é de que Maxine é um tanto ordinária, e Cecilia se vê entre a cruz e a espada por medo de que Ben case com ela ao mesmo tempo em que desaprova o fato de morarem juntos sem casar. Mas Maxine se dá bem com Papai, que morre de amores por ela e assim lhe trouxe a maior caixa de chocolate.

Fred, a mãe dela, Giles, Ben e Maxine foram à missa de Natal, que começa às dez e meia com uma apresentação do coral. Ben não é católico praticante, Giles é minimamente religioso e Maxine não é nada além de maquiadora, mas todos eles acompanham Fred e Cecilia por conta do espírito natalino. Antes eu ia junto com eles, já que a missa de Natal é a única ocasião religiosa que eu aprecio (ao menos as músicas de Natal), mas eu não quis deixar Nicola, que já estava na cama com o bebê, cuidando também de Papai. Na verdade ele também já tinha ido para a cama, mas na noite passada eu o encontrei perambulando pela casa de pijama, procurando o banheiro em um estado de absoluta confusão, com o jarro esmaltado que eu tinha lhe dado para urinar caso fosse pego de surpresa na mão, convencido, sabe-se lá por quê, de que era preciso esvaziá-lo imediatamente – sem dúvida um efeito colateral dos anti-histamínicos que o médico lhe receita como comprimidos para dormir: o remédio é seguro, mas confunde a velha cabeça de Papai. Acho que Nicola não saberia o que fazer caso ela o encontrasse perdido em circunstâncias parecidas.

Amanhã de manhã Anne e Jim chegam de Derbyshire, e Richard de Cambridge, ainda a tempo de pegar a ceia de Natal, que na verdade é um almoço tardio. Marcia e Peter e os dois filhos deles também devem aparecer, então a festa vai ser grande. A vinda de Richard foi uma surpresa de última hora. Ele ligou hoje de manhã para dizer que gostaria de aparecer, mas teria de voltar a Cambridge ainda à noite. Vou tentar convencê-lo a passar a noite aqui. A neblina na estrada está muito cerrada – e tudo indica que o problema é ainda maior no Vale do Tâmisa. O Heathrow está parado, com voos cancelados e viajantes dormindo pelos terminais. Os trens, portanto, estão superlotados, e as estradas, engarrafadas. Essa migração multidirecional em pleno inverno é uma loucura. Todos os nossos quartos estão ocupados, mas posso arrumar uma cama para Richard no meu escritório. Faz meses que não nos vemos.

25 DE DEZEMBRO. Mais um dia de Natal se aproxima do fim. Já passa das dez horas. Richard agradeceu o convite, mas não quis dormir no meu escritório e pegou o carro para voltar a Cambridge, então ainda tenho tempo para fazer um breve relato do dia antes de me deitar. Muitos já foram para a cama, exaustos por horas de companhia e festejos compulsórios: Fred (que sem dúvida merece um belo descanso) foi a primeira a se recolher, às dez horas, junto com a mãe; em seguida foi a vez de Giles e Nicola (que acordaram na noite passada por causa de Basil e seus dentinhos, que estão nascendo) e de Anne, que não precisa dar explicação alguma com aquela barriga enorme – é difícil acreditar que ainda faltam dois meses para o bebê nascer. Marcia e Peter foram para casa com os filhos há algumas horas. Às dez e meia Ben, Maxine e Jim se sentaram para assistir a um filme noir clássico na televisão. Papai, que dormiu – e roncou – na sala por um tempo depois do almoço, com um jornal em cima da cabeça, estava tão animado que chegou a incomodar um pouco. O filme não o agradou e, após alguns comentários críticos sobre o efeito deprimente da fotografia em preto e branco e a atuação melodramática, feita para convencer o espectador a mudar para outro canal em que estivesse passando algo mais leve e divertido, embora não conseguisse, voltou a atenção a mim e logo começou uma série interminável de causos sobre a vida dele como músico. A enorme quantidade de cigarros fumados durante o filme o fez lembrar do vício de Arthur Lane, do modo como ele apagava as bitucas com o chipô e da vez em que ele tocou fogo na bateria enquanto a banda tocava "Smoke Gets in Your Eyes". "E eu já lhe contei da peruca de Sammy Black? Um grande trombonista, Sammy, mas ele tinha peruca horrível..." Se Maxine não estivesse ocupada, talvez quisesse ouvir, mas eu já tinha escutado todas as histórias diversas vezes. Senti uma vontade desesperada de ter paz e tranquilidade, um desejo irrefreável de tirar os aparelhos auditivos, que eu vinha usando desde de manhã, dos meus ouvidos quentes e suados para desfrutar um pouco de silêncio. Então depois de uns quinze minutos eu fingi que estava indo para a cama, o que Papai interpretou como um sinal de que era hora também de ele se deitar e, depois de acompanhá-lo até o quarto e dar-lhe boa-noite, desci a escada e voltei para o escritório. Se o dia correu bem? Acho que podia ter sido pior, mas não deixou de ter alguns percalços, conflitos e reclamações. Papai acordou cedo, resolveu descer até a cozinha para fazer uma xícara de chá e disparou o alarme contra ladrões. Eu já estava na cama dormindo quando os outros voltaram da missa, e Fred ligou o alarme achando que eu tinha lembrado Papai a respeito, enquanto eu achava que tínhamos combinado de não ligar o alarme com a casa cheia de visitas, mas apenas chavear e trancar as portas externas – um mal-entendido causado sem dúvida pela minha audição deficiente.

Por algum motivo eu não ouvi o alarme e acordei do meu cochilo matinal com Fred cutucando as minhas costelas e pedindo que eu fizesse alguma coisa. Encontrei Papai ao pé da escada, de pijama e pantufas, com a mão em concha junto ao ouvido e uma expressão intrigada. "Bom dia, filho!", disse ele. "Você não está ouvindo um barulho estranho?"

Desativei o alarme e liguei para a empresa de segurança para avisar que tinha sido um alarme falso. "Tenha um bom dia", disse o funcionário que atendeu o meu telefonema e anotou todos os detalhes. "O começo não foi muito auspicioso", respondi. Ele riu, sem saber direito o que fazer. Acho que ele não sabia o que "auspicioso" significa. Acho que ele devia estar chateado por ter de trabalhar no dia de Natal, mas imaginei-o sentado sozinho em um escritório quentinho e silencioso, com um livro e um radinho portátil, interrompido apenas por telefonemas eventuais, e senti inveja.

Fui até a cozinha preparar chá para Papai e aproveitei para lhe oferecer um biscoito digestivo. "Você não vai tomar café?", perguntou ele, examinando o biscoito com uma expressão decepcionada. "É cedo demais", eu disse. Ele olhou para o relógio na parede. "Minha nossa! Quinze para as seis! É tão cedo assim?" Como ainda não tinha posto a dentadura, Papai molhou o biscoito no chá antes de amassá-lo com as gengivas. "Eu vou voltar para a cama", disse ele. "E você?" "Acho que eu posso tomar mais meio comprimido", disse ele. "Cochilar mais uma horinhas." Expressei o meu apoio ao plano e fui com ele até o andar de cima. Depois entrei no quarto de casal e me enfiei debaixo das cobertas. Fred balbuciou alguma coisa que eu não entendi, mas imaginei ser alguma acusação relativa a Papai e ao alarme. "Vamos deixar o assunto para depois", disse eu, me aconchegando junto a ela, não por ternura ou por impulsos eróticos, mas pelo simples calor animal. Para mim é o melhor jeito de voltar a dormir quando eu acordo cedo. Funcionou, mas não demorou muito até que Fred se levantasse e descesse a escada para preparar o peru e colocá-lo para assar no forno. O peru é enorme, e Fred acredita em cozimento lento.

Enquanto a manhã passava o cheiro de peru assado enchia a cozinha e vazava para a sala de jantar e o corredor, e se fazia sentir até no meu escritório. "Mmm! Que cheiro delicioso!", exclamavam os recém-chegados membros da família ao tirar o casaco e largar o fardo de presentes, embora eu pessoalmente achasse que aquele odor beirava o nível nauseante da escala olfativa. Mesmo assim, no geral a manhã transcorreu sem grandes problemas. Papai dormiu até às nove, e assim pude ler o jornal de ontem enquanto eu tomava café antes de preparar o dele e fazer-lhe companhia à mesa enquanto ele comia, ainda de pijama, e depois levá-lo até o andar de cima para que tomasse um banho e se vestisse antes que as visitas chegassem. Anne e Jim foram os primeiros. Fiquei feliz de ver que ela parecia ótima. Jim estava com a cara de sempre, genial mas distraído, como que ausente, embora uma vez ele tenha me garantido que nunca fuma baseados antes do almoço. Embora ainda fosse um garoto na década de 60, Jim tem toda a aparência e os modos de uma relíquia fóssil daquela época, com os cabelos batendo nos ombros, as eternas roupas de brim e um daqueles longos bigodes desgrenhados em moda na Costa Oeste durante o Verão do Amor. Cecilia mal consegue olhar para ele sem ter calafrios. Jim e Anne estão juntos há oito anos. Reconheço que ele não corresponde à ideia que eu tinha do partido ideal para a minha filha e que às vezes tenho a impressão de que ele vive às custas dela em vez de ajudá-la, mas ela parece muito feliz com o relacionamento, então eu guardo as minhas dúvidas para mim.

Levei Anne até o escritório e perguntei como ela estava. "Bem, só um pouco de dor nas costas", disse ela.

"E o bebê?"

"Chutando. Ele está ótimo."

"Como você sabe que é um menino?"

"Fiz um ultrassom. Eu sabia que você ia ficar feliz." Dava para ver no meu rosto.

"Ah, você sabe... É o meu primeiro neto. Talvez o único. Richard ainda não deu nenhum sinal de que vá produzir descendentes... e eu não acho que você vá ter outro na sua idade, ou vai?"

"A gente vai ver como se sai com esse aqui primeiro", respondeu ela.

Anne me fez lembrar ainda mais da mãe dela naquele instante, de quando Maisie a carregava na barriga, com a única diferença de que Maisie usava vestidos que mais pareciam tendas, enquanto Anne segue a nova tendência de deixar os contornos da barriga à mostra com uma blusa agarrada e calças da mesma cor. Os volumosos cabelos ruivos, o rosto redondo, o sorriso hesitante e as duas marcas de expressão verticais no meio da testa são iguais. Sempre diziam que Anne tinha puxado à mãe, enquanto Richard era mais parecido comigo.

"E você, Pai, como tem andado?", perguntou ela.

"Até que bem. Cada dia mais surdo."

"Mas você parece estar se virando bem."

"Está silencioso aqui dentro."

"E Rick? Ele vai aparecer hoje?"

"Vai, vai sim." A campainha tocou. "Deve ser ele", eu disse.

Mas era Marcia com Peter e as crianças. Pode ser um clichê dizer que as crianças são uma parte essencial das comemorações natalinas, mas, como a maioria dos clichês, é verdade. Os adultos, mesmo os mais azedos e céticos como eu, conseguem ver o Natal pelo olhar inocentes das crianças e redescobrir um pouco do encanto e da alegria que nós mesmos sentimos em épocas passadas. Lena entrou com um sorriso celestial que brilhava como um raio de sol em tudo e em todos que estavam em seu caminho, enquanto Daniel pareceu ainda mais sublime e solene do que em qualquer outra ocasião, embora o olhar dele tivesse um brilho visionário. "O que o Papai Noel trouxe para você, Daniel Delfim?", perguntei, agachando-me para estar mais perto dele. "O Papai Noel trazeu um pente para Daniel", disse ele. "Um pente? Que estranho", disse eu. "Um *presente*, Desmond", disse Marcia, e todos deram risada. Uma coisa que nós surdos podemos fazer é proporcionar boas risadas aos outros com os nossos mal-entendidos, e dessa vez eu não me importei. Daniel, no entanto, não achou a menor graça e olhou para os rostos adultos que sorriam com um ar confuso e reprobatório. "E é 'trouxe', não 'trazeu', Daniel", acrescentou a mãe dele. "O Papai Noel *trouxe* um presente para você. Um triciclo." Como professora (embora de matemática), Marcia acha que tem o dever de corrigir os filhos dela em todas as ocasiões. Claro que o erro de Daniel foi muito lógico e mostra apenas que ele já sabe como conjugar os verbos regulares. Afinal, é preciso aprender as regras antes de aprender as exceções.

Houve uma deliberação, que quase evoluiu para uma discussão, para decidir se os presentes seriam trocados antes ou depois do almoço, e no fim chegou-se a um consenso segundo o qual cada um deveria abrir um presente na hora (em especial para acalmar a impaciência da pequena Lena) e deixar os outros para depois do almoço, quando Fred e todo mundo que estava ajudando na cozinha estaria mais livre. Então chegou a hora das bebidas – champanhe e Buck's fizz, sendo que Giles trouxe uma caixa de Bollinger de presente para a casa (um termômetro do bônus de Natal) –, que levantou o astral de todos, como sempre acontece depois da primeira dose.

Richard chegou bem nessa hora e deu um jeito de entrar sem tocar a campainha, esgueirando-se até a sala com tanta furtividade que eu só o percebi quando Fred apontou em sua direção. Ele estava ao lado da porta, examinando uma pintura como um convidado em uma festa onde não conhece ninguém. Fiz um gesto chamando-o até o aparador onde eu estava servindo as bebidas. "Richard! Feliz Natal!", exclamei, oferecendo-lhe um copo de champanhe. "Para você também, Pai", disse ele. Então segurou o copo contra a luz, cheirou as borbulhas, bebericou um gole e fez um gesto afirmativo com a cabeça. "A temperatura está ótima", comentou ele. "Eu trouxe umas garrafas de Savigny-les-Beaune, *premier cru*", prosseguiu. "Estão no corredor. Preferi não abri-las no almoço – elas não seriam muito apreciadas." Ele estava vestido da mesma forma que eu me vestia quarenta anos atrás, com um blazer de tweed, calças de flanela, uma discreta camisa xadrez e uma gravata escura. Richard era o único homem de gravata no recinto – até eu estava usando uma camisa polo e um elegante colete de camurça que Fred tinha me dado no Natal passado por conta da ocasião. Percebi que o cabelo dele estava ficando ralo – deve ter sido herança do pai de Maisie, que já estava um tanto careca quando nos casamos. "Como andam as coisas?", perguntei. "Bem, bem." "E como vai a física de baixa temperatura?" Ele sorriu. "Interessante", disse ele. Uma vez ele tentou me explicar. Ao que tudo indica, o objetivo é baixar a temperatura das substâncias para o mais próximo possível do zero absoluto, porque assim as partículas se comportam de maneira estranha e interessante. Lembro que ele disse: "*Você identifica a energia presente em uma dada substância e depois pensa em como removê-la.*" A mim pareceu uma busca estranha a obcecada, uma espécie de alquimia ao contrário. Conversamos um pouco sobre a viagem dele. A pequena Lena puxou a minha manga. "A vovó disse para você conferir a mesa", disse ela. Fui até a sala de jantar onde eu e Fred tínhamos montado uma superfície irregular ao redor da qual treze adultos e duas crianças poderiam sentar-se, juntando a nossa mesa de jantar com uma mesa de jogar cartas e cobrindo-as com toalhas de mesa superpostas. Pus os copos e os talheres e abri algumas garrafas de vinho, para que respirassem um pouco.

Havia mulheres demais tentando ajudar Fred na cozinha, com as mais diversas opiniões sobre como os ingredientes da refeição deveriam ser cozidos e servidos, e muitas delas já estavam alegres por causa da champanhe, de modo que alguns dos pratos já estavam passados e outros ainda estavam crus e eu acabei recebendo ordens para cortar o peru antes que os legumes estivessem cozidos, e além disso Fred esqueceu, ou eu esqueci (não houve consenso em relação ao culpado) de esquentar os pratos. Quando todos estavam sentados, o prato principal corria o risco de estar morno em vez de quente, então eu sugeri que todos deveriam começar a comer assim que fossem servidos, mas Cecilia perguntou, choramingando, se não pretendíamos fazer uma oração antes, então todos tiveram que parar de se servir e adotar a expressão e a postura adequadas enquanto Cecilia, de olhos fechados e mãos postas, rezava – todos, menos Papai, que não percebeu o que estava acontecendo e continuou cortando as porções dele. É algo que se repete todo ano: esquecemos que Cecilia gosta de rezar antes do almoço de Natal e ela só nos lembra no último segundo, para fazer todo mundo se sentir castigado, edificado ou de outra forma posto em seu devido lugar.

"Acho lamentável que o hábito de fazer uma oração antes das refeições esteja desaparecendo até mesmo entre os católicos praticantes", declarou Cecilia, enquanto desdobrava o guardanapo e se preparava para comer. "O meu finado marido costumava rezar antes de cada refeição, mesmo que fôssemos apenas nós dois à mesa." Olhei para Jim e pisquei o olho. No Natal passado tínhamos feito uma aposta sobre quantas vezes Cecilia diria "meu finado marido" ao longo do dia (foram nove vezes, e eu ganhei). Com a oração a comida teve ainda mais tempo para esfriar, um fato ao qual Papai desastradamente chamou atenção ao perguntar se poderia esquentar a porção dele na frigideira. As maneiras de Papai à mesa são uma fonte inesgotável de diversão, irritação e constrangimento, dependendo do ponto de vista. Para ele, nenhum prato está completo sem um generoso borrão de mostarda e um pequeno montinho de sal na borda, independente do que se está comendo; e não adianta dizer que mostarda não combina com peru ou que sal em excesso faz mal (mas é o que fazemos todo ano). Dar a ele um moedor de sal também não resolve – ou ele o torce para o lado errado, desmontando o moedor e espalhando cristais de sal marinho por toda a mesa, ou então fica moendo, impaciente, até conseguir grãos suficientes para fazer um volume perceptível na borda do prato. Uma vez Fred ficou tão irritada com essa mania que, na refeição seguinte, pôs um saco de meio quilo de sal ao lado do prato de Papai – que, longe de entender a deixa ou se sentir ofendido, simplesmente agradeceu a gentileza. Hoje eu lembrei de pôr na mesa, ao alcance dele, uma galheteira à moda antiga, com um saleiro e um pote de mostarda, mas esqueci do naco de pão branco que Papai também iria pedir, sob a alegação de que o ciabatta quentinho era crocante demais para alguém com dentadura e também vinha contaminado por azeitonas que atrapalhavam a digestão, então fui obrigado a buscar uma fatia na cozinha, apesar do apelo feito por Fred para que eu parasse de inventar moda e me sentasse. E assim o dia seguiu o rumo previsto, com o pudim de Natal e as tortas, as bombinhas de Natal, os chapeuzinhos de papel, a leitura de charadas pavorosas (que ficavam ainda mais pavorosas quando tinham de ser repetidas em voz mais alta por minha causa) e a troca de presentes, que fez a sala transbordar de papéis coloridos. "A história se repete, a primeira vez como tragédia, a segunda como farsa, mas o Natal se repete como exagero", comentei, ao me ver cercado por pessoas em diferentes estados de torpor, embriaguez, indigestão e tédio, agarradas a livros novos que nunca iriam ler, bugigangas que nunca iriam usar e roupas que jamais iriam vestir. "Fale por si, querido", disse Fred, curta e grossa. "Ao menos *nós* estamos aproveitando. Não é mesmo, Lena?" Ela abraçou a netinha, que estava em seu colo. "É, vovó", disse Lena, muito obediente. "O vovô é igual ao Bisonho", disse Fred. "O vovô é o Bisonho!", gritou Lena, encantada. Fred vem lendo as histórias do Ursinho Puff para ela. Talvez eu seja mesmo. Afinal, o Bisonho também era surdo. Aparece naquela história sobre a festa de aniversário dele. Quando o Leitão diz "Que essa data se repita muitas vezes", o Bisonho pede para ele repetir.

> *Equilibrando-se em apenas três patas, Bisonho levou a quarta pata com todo o cuidado até a orelha. "Eu fiz isso ontem", explicou ele ao cair pela terceira vez. "É bem fácil. É para eu ouvir melhor... Pronto, assim. O que era mesmo que você estava dizendo?" Ele empurrou a orelha para a frente com a pata.*

A surdez é sempre cômica.

Tive uma conversa surpreendente com Richard antes que ele fosse embora. Durante o dia inteiro ele foi polido e inescrutável como sempre, evitando quaisquer perguntas, por mais sutis e oblíquas que fossem, sobre a sua vida pessoal. E então, na hora em que ele estava indo embora – já fora da casa, enquanto eu o acompanhava até o carro, que estava estacionado na rua –, tivemos a nossa conversa mais pessoal nos últimos dez anos, mesmo que ela tenha durado poucos instantes. Estávamos falando sobre a gravidez de Anne e eu disse, "Ela parece a sua mãe, quando estava grávida de você".

A resposta dele pareceu um *non sequitur*: "Acho que é por isso que você detesta o Natal, não?"

"Como assim?", eu perguntei

"Você se lembra de quando Mamãe morreu."

"Pode ser", eu disse. "Mas eu nunca fui fã do Natal."

Maisie morreu uma semana depois do Natal. As crianças me ajudaram a preparar a ceia e nós comemos todos juntos ao redor da cama. Maisie conseguiu comer um pouquinho também. Todo mundo fez o melhor que pôde para criar um clima alegre, mas não era uma refeição muito festiva. "É uma das minha últimas lembranças dela", disse Richard. "Nós todos sentados em volta da cama, com os pratos no colo. Depois eu e Anne saímos de casa para passar o feriado esquiando."

"É, você lembra", eu disse. Achando que as crianças mereciam um descanso da atmosfera de doença em casa, planejei a viagem deles com um casal de amigos, os Ryder, que estavam levando os filhos adolescentes para passar uns dias na Áustria.

"Eu não queria ir", disse Richard. "Eu achava que Mamãe ia morrer muito em breve."

"Mas você não disse nada", respondi, surpreso com a revelação.

"Não, eu achei melhor não falar. Eu não queria dizer essas palavras."

Chegamos ao carro dele. Richard apertou o botão do alarme, os faróis do carro piscaram e a porta do motorista fez um clique ao ser destravada. "Ninguém imaginou que seria tão rápido", eu disse. "Nós só achamos que você e Anne mereciam um descanso."

"Eu sei", disse ele. "Mas eu sempre me arrependo de não ter estado lá quando Mamãe morreu. Quando voltamos ao chalé depois de esquiar e a sra. Ryder nos contou do seu telefonema,

Anne começou a chorar desesperada e a gritar, e eu pensei: 'Eu não posso fazer isso. Anne, tudo bem, mas eu não posso chorar, não agora, não na frente dos outros.' No fim eu nunca chorei a morte de Mamãe. Mais tarde eu tentei, mas não consegui. E aí eu me senti mal."

"Desculpe, filho", eu disse.

"Não foi culpa sua, Pai. Você teve a melhor das intenções."

Ele abriu um sorriso triste e me estendeu a mão. Eu a apertei. Deveríamos ter nos abraçado naquele instante, mas abraços não constam no nosso repertório de linguagem corporal. O máximo que pudemos fazer foi dar um aperto de mão mais forte e demorado do que o normal.

"Tchau, Pai", disse ele, entrando no carro.

"Tchau, filho, e obrigado por ter vindo."

Ele fechou a porta e baixou o vidro. "Desculpe eu não poder ficar para a festa de amanhã."

"Ah, você nem imagina do que está escapando!", eu disse.

Nosso momento emotivo havia passado. Ele riu e saiu dirigindo com um aceno.

14

O HOMEM ALTO, grisalho e de óculos trajando um elegante colete amarelo-mostarda em camurça e conversando distraído com uma mulher de meia-idade que está de pé ao lado da árvore de Natal em meio à sala de estar apinhada percebe que já bebeu um bocado a essa altura da festa, mas não consegue se furtar a dar goles eventuais na taça de vinho tinto – rápidos o suficiente para evitar que a mulher fale mais do que meia dúzia de palavras antes que ele continue o monólogo. O nome dela é sra. Norfolk, segundo ele descobriu alguns minutos ao pedir que ela o escrevesse, e ele está explicando para ela por que a famosa tirada do *Vidas privadas* de Noel Coward, "*Muito chato, Norfolk*", é engraçada.

"A senhora lembra que Elyot conta para Amanda, a ex-esposa dele, que conheceu Sybil, a nova esposa, em uma festa em Norfolk, e Amanda responde '*Muito chato, Norfolk*' e todo o auditório ri. Não falha nunca. Mas se ela dissesse '*Norfolk é muito chato*', o que seria bem mais lógico, a frase não teria a menor graça. Amanda usa um artifício retórico para enfeitar essa frase banal: ela inverte a ordem normal de sujeito-predicado e omite o verbo finito, transformando '*Norfolk é muito chato*' em '*Muito chato, Norfolk*'. Assim, a palavra '*chato*' fica destacada em termos de posição e de entonação. A entonação de '*Norfolk é muito chato*' é quase constante, mas se eu digo '*Muito chato, Norfolk*', a minha voz sobe e desce, e atinge um pico em '*chato*'. E existe uma breve pausa, uma espécie de cesura depois de '*Muito chato*', que cria um breve suspense entre os espectadores. Todos se perguntam: a que essa frase adjetival tão pomposa, '*Muito chato*', pode estar se referindo? A resposta é um *páthos*: '*Norfolk*'. E esse é um dos motivos que fazem a linha ser engraçada – como se, apesar dos esforços de Amanda para fazer o comentário parecer interessante e original, ela fosse derrotada pelo conteúdo semântico. O conteúdo continua sendo irremediavelmente 'chato'. Como Norfolk."

Ele dá um gole. A sra. Norfolk abre a boca, como se quisesse falar. Depressa, ele a impede. "Mas logo percebemos que a frase tem um outro sentido, também engraçado – '*Muito chato, Norfolk*' pode ser uma metonímia para as festas nas casas de campo onde as pessoas conhecem mulheres como Sybil. Quando, algumas linhas mais adiante, Amanda reclama dos comentários desrespeitosos de Elyot sobre o novo marido dela e diz, '*Ao menos eu tenho bom gosto suficiente para não ficar fazendo piadas baratas às custas de Sybil*', ele retruca em tom de acusação, '*Você disse que Norfolk era chato*', ela responde, '*Isso não dizia respeito a ela, a não ser que ela tenha deixado o condado ainda mais chato*'. Ou ela está se fazendo de louca e fingindo que não teve nenhuma segunda intenção ao dizer '*Muito chato, Norfolk*', ou – outra possibilidade engraçada – Elyot admite que também acha Sybil 'chata' ao injustamente acusar Amanda de tê-la chamado assim. Seja como for, se Elyot tivesse conhecido Sybil em qualquer outro lugar – no País de Gales, digamos – e a linha de Amanda fosse '*Muito montanhoso, o País de Gales*', não teria graça nenhuma. '*O País de Gales é muito montanhoso*' ou '*Muito montanhoso, o País de Gales*' – não existe diferença no efeito, porque não existe trocadilho nenhum com a palavra '*montanhoso*', não há uma equivalência metafórica e referencial como acontece com '*chato*'..."

A esposa dele se aproxima, olha irritada para o marido, abre um sorriso doce para a sra. Norfolk, diz alguma coisa para ela e a leva em direção à sala de jantar, onde ele supõe, baseado no cheiro de capim-cidró, coco, cardamomo e outras especiarias, que o bufê esteja sendo servido. Talvez fosse uma boa ideia segui-las e comer alguma coisa para compensar todo o vinho que ele já bebeu, mas a essa altura é claro que uma fila já se formou e não seria muito educado da parte do anfitrião furá-la. Então ele vai até o escritório, onde escondeu uma das garrafas de Savigny-les-Beaune que ganhou do filho no dia anterior, para encher a taça. A lembrança do olhar irritado que a esposa lançou em direção a ele o incomoda. Aquela expressão pertence ao repertório de caras amarradas, olhares de desaprovação e comentários cochichados ao pé do ouvido (que para ele eram tão compreensíveis quanto o som do ar escapando da câmara de um pneu) recebidos durante a última hora que ele interpretou como indicadores de que, na opinião dela, ele está bebendo ou falando demais – talvez as duas coisas. Afinal, as duas estão relacionadas: sem um aditivo alcoólico ele não conseguiria se manter falando com tantas pessoas diferentes por tanto tempo. Ele tem a impressão de que está se saindo muito bem em circunstâncias extremamente difíceis.

Uns vinte minutos antes de os primeiros convidados chegarem, pela manhã, as pilhas dos dois aparelhos auditivos acabaram quase ao mesmo tempo – um fato realmente extraordinário. Ele percebeu que uma delas tinha acabado quando teve problemas para entender o que Jakki estava dizendo na cozinha (ela havia chegado mais cedo com dois asiáticos de avental branco, que carregavam recipientes de aço com curry perfumado e arroz para o bufê) e, antes que tivesse tempo para providenciar uma pilha nova em meio à confusão dos preparativos para a festa, o outro aparelho também parou de funcionar. Ao abrir a gaveta do escritório onde guarda todos os acessórios dos aparelhos auditivos ele descobriu que, contra todas as expectativas, não havia mais pilhas sobressalentes. Ou, para ser mais exato, *havia* pilhas sobressalentes, mas elas não serviam nos aparelhos dele. Esses disquinhos minúsculos têm grossura e diâmetro variável dependendo do tipo de aparelho a que se prestam, mas as embalagem em que vêm são idênticas, a não ser pelo código numérico que exibem. Ele está acostumado a comprar os pacotes de seis em seis, direto da prateleira na farmácia; e ao fazer a última compra ele deve ter esquecido de conferir se todos eram mesmo tipo, e assim não percebeu que algum funcionário descuidado havia misturado dois tipos diferentes de pilhas no mesmo lugar, de modo que, quando ele achou ter posto 36 pilhas novas na gaveta – que durariam até depois do Ano Novo –, na verdade havia posto apenas dezoito que lhe poderiam ser úteis, sendo que as duas últimas tinham acabado.

O que fazer? É dia 26, todas as lojas da vizinhança estão fechadas e, embora seja possível que em algum lugar do centro alguma farmácia esteja aberta, ele poderia perder a primeira hora da festa de Fred à procura dela e, como se não bastasse, já tinha tomado algumas taças de vinho para melhor enfrentar o suplício social iminente, o que o levou a pensar que não seria prudente dirigir; e mesmo que pudesse pedir para algum outro membro da família fazer o favor, o mais provável é que a farmácia aberta, caso existisse, já estivesse fechada antes que alguém a encontrasse, porque as farmácias abrem por apenas algumas horas no dia de Natal e no dia 26 e, mesmo que esteja aberta, o mais provável é que os funcionários se recusem a vender pilhas, porque nos feriados bancários o serviço fica limitado às máquinas automáticas. Ele passa todas essas possibilidades em revista e descarta-as uma atrás da outra na velocidade da luz enquanto olha arrasado para as três embalagens de pilhas inúteis na palma da mão. Então ele as joga na cesta de lixo. A única alternativa é tentar se virar sem os aparelhos auditivos.

Você tem duas opções quando não consegue ouvir o que os outros dizem: ficar quieto, acenar com a cabeça, murmurar e sorrir, fingindo que ouve o que o seu interlocutor está dizendo, usando de vez em quando uma expressão de concordância, mas sempre correndo o risco de meter os pés pelas mãos com consequências desagradáveis; ou então tomar a iniciativa, ignorar as regras normais de turnos conversacionais e falar sem parar sobre o assunto que preferir, sem deixar nenhum espaço para o seu interlocutor, o que evita o problema de escutar e entender o que ele está dizendo. Ele vem optando pela segunda alternativa durante a última hora.

Era preciso encontrar assuntos que pudessem ser explorados por bastante tempo sem que fosse necessário parar para pensar. O método escolhido foi o de contar com algumas ideias antigas, que ele jamais havia expressado, ou que tinham surgido tarde demais como produto do *esprit de l'escalier*, e então introduzir em qualquer conversa o assunto que parecesse mais adequado. O primeiro convidado em quem testou a estratégia foi um dramaturgo de esquerda, autor de uma peça política sobre a greve dos mineiros, que ele havia assistido muitos anos atrás no Playhouse Studio. Ele não havia conseguido entender a maior parte dos diálogos, que eram falados no dialeto Geordie, mas as tendências da peça estavam claras o tempo inteiro e foram confirmadas no final, quando todo o elenco se juntou no palco para cantar o hino do Partido Comunista. Ele ficou muito satisfeito de poder explicar ao dramaturgo por que a greve dos mineiros havia fracassado – um motivo ignorado por todos os inúmeros comentadores do assunto, incluindo o próprio autor. Não foi por conta da decisão do governo de Margaret Thatcher de acabar com a força dos sindicatos – embora esse fosse um fato inegável –, mas porque a greve não recebeu apoio popular fora das comunidades de mineiros, dos sindicatos e da intelligentsia esquerdista, que apoiava toda e qualquer greve por uma questão de princípios. A greve não recebeu apoio popular porque os britânicos em geral estavam condicionados pela própria cultura a ver a mineração como o exemplo mais opressivo e desumano de escravidão industrial e no fundo se sentiam culpados porque a energia que consumiam dependia de homens que trabalhavam a maior parte do dia em túneis subterrâneos escuros, estreitos e claustrofóbicos extraindo e cortando carvão enquanto suavam, sufocavam e ficavam cobertos de fuligem. O material que eles tinham lido sobre minas e mineração, desde os livros escolares sobre o princípio da Revolução Industrial, com ilustrações terríveis de mulheres grávidas de gatinhas, empurrando vagões de carvão em túneis de teto baixo, até o *Germinal* de Zola, o *Filhos e amantes* de Lawrence, o *A caminho de Wigan* de Orwell, passando pelas reportagens jornalísticas sobre acidentes e desastres fatais em minas, tudo reforçava a mesma mensagem: a mineração era um trabalho cruel e opressivo sem o qual o mundo seria um lugar melhor e mais civilizado. Embora fosse compreensível que os mineiros e suas famílias quisessem continuar a exercer a atividade por medo do desemprego, esse parecia ser um problema relativamente pequeno e passageiro, que poderia ser solucionado por meio de políticas sociais (treinamentos, aposentadorias fartas etc.), o que seria muito melhor do que continuar a explorar minas que já não davam lucro algum com o fim único de proporcionar um emprego perigoso, imundo e desumano para os mineiros. A greve dos mineiros fracassou porque a maioria das pessoas sentia, de maneira consciente ou não, que se as mudanças na economia e no fornecimento de energia significavam que a Grã-Bretanha não precisaria mais das minas de carvão, esse era um motivo de comemoração, não de protesto. O dramaturgo, que ficou radiante ao ouvir o primeiro comentário sobre a peça, foi ficando cada vez mais tenso enquanto ouvia a palestra, e por várias vezes chegou a abrir a boca na vã esperança de falar alguma coisa e interromper esse fluxo verbal, mas quando o loquaz interlocutor não conseguiu pensar em mais nada a acrescentar, disse apenas que tinha sido um prazer discutir a peça com o autor e pediu licença para se afastar e ir cuidar do vinho.

Ir cuidar do vinho significava ir até o escritório servir mais um pouco do Savigny, depois do que ele voltou à multidão na sala de estar e foi cumprimentado por uma mulher que trajava um conjunto roxo sem mangas; ele havia esquecido o nome dela, mas lembrava que ela trabalhava com publicidade. "Como está a senhora?", perguntou ele. "Como passou o Natal?", e ela respondeu alguma coisa incompreensível enquanto ele tentava arranjar algum pretexto para a conversa. Publicidade, publicidade... ah, claro, ele já sabia sobre o que falar!

"Sabe, às vezes eu vejo uma propaganda e não a entendo direito – talvez não aconteça muito seguido com *a senhora* – mas eu volta e meia tenho essa impressão. Quando vejo um anúncio em um outdoor, ou não entendo que produto ele está anunciando ou não entendo o que ele está dizendo, e parece que o quanto mais eu vejo o mesmo anúncio em diferentes lugares, mais intrigante ele se torna, e fica cada vez mais difícil admitir para outra pessoa que na verdade eu não o entendi direito. Chego a pensar que a explicação deve ser tão óbvia a ponto de fazer com que eu parecesse um imbecil ao perguntar. Por outro lado, eu me pergunto se todo mundo não está apenas fingindo que entendeu, ou então ignorando alguma contradição ou anomalia no anúncio que só eu percebi. Mas depois a campanha publicitária acaba, os pôsteres desaparecem e eu perco a chance de perguntar às outras pessoas o que elas acham que o anúncio significa e passo o resto da vida sem resolver o enigma. Eu nunca entendi, por exemplo – e esta é a primeira vez que estou fazendo essa confissão para alguém – eu nunca entendi aquele famoso anúncio do Wonderbra com uma moça loira de lingerie dizendo 'Hallo, boys!' – ela está dizendo ou pensando, não dá para saber ao certo –, a senhora sabe que anúncio é esse?" A mulher acena educadamente com a cabeça, e o sorriso social que ela vinha estampando no rosto de repente some para ser substituído por uma testa franzida. Ele se pergunta, um pouco tarde demais, se esse é um assunto apropriado para discussão com uma mulher que ele mal conhece e que – só neste instante ele percebe – tem um busto um tanto privilegiado sob a túnica púrpura, mas já não há como voltar atrás, então ele prossegue: "Enfim, eu nunca consegui entender com quem ou com o que ela está falando. Quem ou o que são os 'garotos' para quem ela está dando oi? Ela está sendo literal ou metafórica? Se observar a fotografia de perto, você vai ver que ela está olhando para baixo, em um ângulo tão fechado que você nem consegue enxergar os olhos dela, só as pálpebras, que estão pintadas com bastante rímel. Parece que ela está olhando para baixo e admirando os seios, realçados e empinados pelo Wonderbra, muito satisfeita, e nesse caso 'garotos' seria uma metáfora – mas será que uma mulher chamaria os próprios seios de 'garotos'? Parece tão artificial – acho que ela os trataria por um nome mais feminino, não? Talvez ela dissesse 'Olá, garotas!'. Ou então ela está mesmo se dirigindo a alguns garotos, e nesse caso devemos supor que o olhar dela esteja voltado para homens em um nível mais baixo, fora do enquadramento da imagem. Mas nesse caso onde estariam eles – onde a cena poderia estar acontecendo? Seria plausível imaginar que alguém tocou a campainha e ela, como mulher jovem e liberal, abriu a porta só de lingerie, olhou para baixo e viu os tais garotos, que foram atraídos pelo lindo busto, prostrados aos pés dela? Não me parece muito provável. E mesmo que fosse eles estariam na pior posição possível para apreciar o busto dela. Afinal eles não conseguiriam ver o decote. A senhora entende qual é o problema? Eu tentei procurar a frase no Google, mas não descobri nada muito esclarecedor. Ella Wheeler Wilcox publicou um livro de poemas sobre a primeira guerra chamado *Hello, boys!*, mas isso não me pareceu muito relevante, e tudo indica que, em competições de ginástica, "Hallo boys" é o apelido do movimento executado pelos ginastas homens quando eles abrem as pernas durante uma parada de mão, provavelmente porque a manobra deixa entrever o contorno dos testículos por baixo da malha, o que reforça a minha teoria sobre a personificação, mas não explica a que se referem os '*garotos*' no anúncio do Wonderbra..." Ocorreu-lhe que a interlocutora, que já dava sinais de impaciência, poderia saber a resposta do enigma e estar prestes a revelá-la, caso em que seria preciso fingir tê-la entendido, mas por sorte ela se distraiu ao ver algum outro convidado, sem dúvida um amigo querido, que ela cumprimentou com dois beijos no rosto, e assim a conversa foi encerrada em um ponto bastante conveniente.

A seguir ele expôs a um musicólogo da universidade uma teoria de longa data, segundo a qual os autores de música popular norte-americana tinham se beneficiado muito com o nome de vários lugares nos Estados Unidos que, por causa das origens indígenas ou espanholas, formavam anapestos, com a terceira sílaba tônica, como por exemplo Cali*fór*nia, Indi*ana*, Massa*chu*setts, Caro*li*na, São Fran*cis*co, ou então iambos, como Chi*ca*go, At*lan*ta, Miss*ouri*, palavras que se adequavam muito bem à música sincopada, enquanto os nomes de lugares ingleses em geral formavam dátilos, como *Birm*ingham e *Man*chester, ou então troqueus, como *Bright*on e *Lei*cester – ritmos um tanto antimusicais. Para ilustrar a teoria, ele cantarolou "*When you go to Birmingham, Be sure to wear a flower in your hair*", e depois, em uma imitação bem passável de Frank Sinatra, "*Leicester, Leicester, that toddling town, Leicester, Leicester, I'll show you around*"... Rostos curiosos se viraram em sua direção. O musicólogo, que parecia disposto a refutar o argumento, pareceu um tanto impressionado e com certeza desistiu depois de escutar a demonstração.

No geral ele está se sentindo bem por poder encontrar assuntos sobre os quais possa elaborar que sejam adequados aos diferentes convidados. A palestra sobre "*Muito chato, Norfolk*" foi, ele teve de admitir para si mesmo enquanto enchia a taça no refugiado do escritório, um pouco forçada, motivada apenas pelo nome da interlocutora, mas ele espera que ela tenha achado a genialidade da exposição uma recompensa adequada. Neste instante a esposa dele entra no escritório, fecha a porta atrás de si e diz alguma coisa. "O quê?", ele pergunta. Ela repete, um pouco mais alto e mais claro, e ele consegue ler seus lábios sem dificuldade.

"O. Quê. Você. Acha. Que. Você. Está. Fazendo?"

Fred estava zangada. Muito zangada. E ficou ainda mais zangada quando eu respondi que estava enchendo a minha taça com um dos vinhos que Richard tinha me dado de Natal. Ela começou um discurso em que eu consegui distinguir apenas algumas frases: "*bebeu demais... insultando os meus convidados... você e o seu pai... arruinando a minha festa...*" Levantei as mãos, anunciando a minha rendição. "Não adianta, Fred, eu não consigo entender o que você está dizendo." Ela parou de resmungar e disse alguma coisa que eu imaginei ser sobre o meu aparelho de surdez.

"As duas pilhas acabaram ao mesmo tempo, logo antes da festa começar. Eu não disse nada – achei que você já tinha preocupações suficientes."

Ela disse algo que pude ler em seus lábios como "pilhas novas".

"Eu achei que eu tinha, mas não tenho. As que estão na minha gaveta são do tamanho errado."

Ela rolou os olhos e os apontou em direção ao teto. "Eu comprei por engano. Acontece."

Ela disse alguma coisa como: "Que gaveta?"

"Aquela ali", disse eu, apontando para a primeira gaveta do gaveteiro em aço onde eu guardava os acessórios do meu aparelho. Um nó de desconforto já se formava nas minha entranhas. O choque de encontrar pilhas que não serviam no lugar onde eu tinha a certeza de encontrar pilhas novinhas talvez me houvesse impedido de fazer uma busca completa na gaveta.

Fred tirou a gaveta do lugar e despejou tudo o que estava lá dentro em cima da minha escrivaninha. Ela revirou uma pilha de panfletos, manuais de instruções, bolsas, caixas e mais bolsinhas pertencentes a outras gerações de aparelhos auditivos, algumas delas contendo pinceizinhos e coisinhas e paninhos sujos para limpeza e manutenção, velhos aparelhos retroauriculares quebrados do Sistema Nacional de Saúde com tubinhos plásticos saindo para fora deles, pilhas velhas e gastas de vários tamanhos, e puxou do meio daqueles detritos uma embalagem com quatro espaços vazios e duas pilhas. Ela as entregou para mim com uma pergunta que terminava com as palavras "tamanho certo?".

Eram pilhas modelo 312ZA, com os adesivos no lugar e intactos.

"São", eu disse.

Ela esperou e ficou me observando com um desprezo silencioso enquanto eu coloquei as pilhas nos aparelhos, ajustei-os no ouvido e confirmei que estavam funcionando. Então ela pôde reclamar do meu mau comportamento em grande detalhe. Eu tinha bebido demais e estava falando alto demais – falava para, em vez de falar com, qualquer pessoa que tivesse o azar de puxar assunto comigo, sem fazer pausas para tomar fôlego nem dar oportunidade para que os meus interlocutores falassem, e ainda por cima abordava assuntos que na melhor das hipóteses eram desinteressantes e, na pior delas, ofensivos. Parece que a mulher com o conjunto roxo sequer trabalhava com publicidade – ela era diretora da escolinha onde Lena estudava, tinha sofrido uma mastectomia e usava um sutiã prostético, e portanto não tinha apreciado muito a minha análise do Wonderbra; enquanto a sra. Norfolk, uma das melhores clientes da *Décor*, que estava prestes a encomendar cortinas para uma peça em seu segundo imóvel recém-comprado, sem dúvida havia ficado perplexa e também um pouco ofendida com a análise obsessiva que fiz sobre as conotações negativas de seu nome; e o dramaturgo de esquerda, que fazia parte da diretoria do Playhouse e a quem Fred já tinha convidado para festas e jantares em várias ocasiões sem nunca conseguir convencê-lo a aparecer até hoje, tinha se limitado a conversar com a namorada, de costas para os outros convidados, desde que eu havia falado com ele. E o que eu tinha pretendido ao imitar Sinatra em plena sala de estar? Já era ruim o bastante ter o meu pai cantando na cozinha depois de ser flagrando enquanto fazia xixi no jardim.

"Como?", perguntei. "Que história é essa?"

Só pude reconstituir a história horas mais tarde, depois de ouvir várias testemunhas, inclusive Papai. Ele havia se recusado a entender as deixas de Fred para que ele não comparecesse à festa, uma reunião barulhenta e tumultuada de pessoas em grande parte desconhecidas, segundo a descrição que ela fez, comendo iguarias estrangeiras que provavelmente não o agradariam, então talvez ele preferisse comer peru frio e picles no quarto, onde poderia assistir televisão no volume que quisesse sem incomodar ninguém. Pelo contrário: ele fez uma longa toalete matinal, vestiu suas melhores roupas – paletó esporte da Harris, calças de lã cardada bem-vincadas, uma camisa limpa e uma gravata com uma mancha de molho quase imperceptível –, desceu as escadas quase meia hora antes de a festa começar e anunciou que estava saindo para um passeio. Isso foi logo antes de as minhas pilhas acabarem. Eu perguntei aonde ele pretendia ir. Ele disse que até a rua principal. Lembrei-o de que tudo estaria fechado, mas ele achava que poderia encontrar alguma banca de revistas aberta para comprar um bilhete de loteria e, fosse como fosse, precisava tomar um pouco de ar fresco. Achei que nada poderia dar errado, então eu disse que tudo bem e pedi a Anne e a Jim que dessem uma olhada em Papai quando ele voltasse, caso eu estivesse ocupado, e lhe oferecessem algo para comer e beber. Admito que depois, em meio ao estresse da minha crise energético-auditiva e à falsa euforia das minhas proezas conversacionais, apaguei o assunto da memória.

Parece que durante o passeio Papai entrou em um pub para tomar um caneco de chope – algo que havia anos ele não fazia em Londres. Alguma memória atávica de Natais passados, talvez anterior ao casamento dele, quando todos os homens da família saíam para beber assim que os pubs abrissem no dia 26 e depois iam assistir a uma partida de futebol, aliada à certeza de que só teria vinho e cerveja enlatada para beber na festa, pode ter contribuído para o desfecho. Enfim, o que importa é que ele gostou do chope e foi imprudente a ponto de pedir outro caneco. No caminho de volta, a pressão em sua bexiga foi se agravando. Ao se aproximar da nossa casa, Papai começou a ter dúvidas quanto às chances de chegar até a porta de entrada sem molhar as calças e teve certeza de que, se por acaso o banheiro do térreo estivesse ocupado, ele não conseguiria subir as escadas até o banheiro do segundo andar. Então ele teve a presença de espírito de se enfiar entre os arbustos de louro ao lado do portão de entrada e esvaziar a bexiga no muro. Um convidado atrasado percebeu a movimentação e avisou, enquanto tirava o casaco, que um mendigo estava aprontando alguma nos arbustos. Cecilia, ao escutar o relato, chamou Fred e sugeriu que ela chamasse a polícia, mas Anne disse "Provavelmente é só o Vovô que foi pego de surpresa" e pediu que Jim fosse buscá-lo, o que ele prontamente fez. Levaram Papai até a cozinha, sentaram-no à mesa e, sem imaginar que ele já tinha tomado dois canecos de chope, ofereceram-lhe uma farta taça de vinho branco doce e o convidaram a experimentar o curry tailandês, que para sua própria surpresa ele achou delicioso e devorou com grande apetite. Logo Ben e Maxine substituíram Anne e Jim e lhe serviram mais um copo de vinho. Papai começou a entrar no clima da festa e convidou Maxine a sentar no colo dele, o que ela, também no espírito da brincadeira, fez até que ele reclamasse de um formigamento na perna. Papai desfiou suas histórias de músico antes da guerra e falou sobre a única gravação que tinha feito como cantor, "The Night, the Stars and the Music", com a banda de Arthur Roseberry, que tinha escrito a letra e composto a música; e quando Maxine disse que adoraria escutá-la ele cantou para ela. É o que se chama, em jargão musical, de balada, e a melodia estava gravada na minha memória graças às inúmeras voltas que o antigo disco de 78 rotações deu no toca-discos da nossa casa, até que mais tarde Papai o gravasse em fita. Ele me fez uma cópia, que está guardada em algum lugar. '*The night, the stars and the music / The magic of the larari larará...*' Parece que ele se levantou e cantou o refrão duas vezes, recebeu uma salva de palmas das pessoas na cozinha, sentou-se, soltou um sonoro peido por causa do curry e gritou "Táxi!" (que fez Ben rir a ponto de se afogar com a cerveja), disse que achava melhor ir se deitar um pouco, tentou sair da cozinha sem ajuda, tropeçou no limiar da porta, recobrou o equilíbrio agarrando-se a Cecilia, que naquele exato instante vinha entrando na cozinha com uma bandeja cheia de copos sujos, fazendo com que ela derrubasse as louças no chão azulejado, e precisou da ajuda de Jim e de Ben para subir as escadas até o quarto. "Eu não acho que *ele* tenha culpa", disse Fred. "Ele é um senhor idoso. A culpa é sua. Ele era sua responsabilidade."

"Desculpe", eu disse. "Eu não fazia a menor ideia." Eu não tinha distinguido nenhum dos vários sons relacionados ao episódio em meio ao burburinho da festa.

Ouvi uma batida na porta do escritório e logo a cabeça de Marcia apareceu no marco. "Mãe, os Jessop estão indo embora. Você quer dar se despedir deles?"

"Já?", Fred exclamou. Então ela se virou irritada na minha direção. "Está vendo? Você afugentou as pessoas, você e o seu pai!" Ela saiu da peça e passou por Marcia, que me lançou um olhar hostil e saiu no encalço da mãe. Eu segui em um passo mais lento.

Na verdade os Jessop tinham confirmado a presença duas vezes e pediram mil desculpas por irem embora tão cedo. A maioria dos outros convidados estava degustando as sobremesas e não demonstrava a menor intenção de ir embora, sendo que muitos já tinham bebido o suficiente para não se incomodar com algumas quedas e copos quebrados na cozinha. Mas Fred tinha uma ideia clara de como uma festa devia ser conduzida, com elegância e decoro, e eu e Papai havíamos atentado contra ambos aos olhos dela. Após se despedir dos Jessop, Fred voltou à sala de estar, e do corredor, onde eu zanzava meio tristonho, pude ver que ela conversava e sorria, serena, mas eu não tinha a menor dúvida de que por dentro ela ainda estava indignada e de que eu figuraria em sua lista negra por um bom tempo.

A campainha soou. Quem diabos poderia chegar à festa numa hora dessa?, eu me perguntei. "Eu atendo!", gritei para quem quisesse escutar e fui abrir a porta. Alex Loom estava de pé na varanda, com a japona preta de matelassê e uma touca vermelha em tricô, segurando um ramalhete de flores envoltas em papel celofane.

"Oi!", disse ela, sorrindo. "Parece que você está surpreso de me ver aqui."

"Achei que você estivesse nos Estados Unidos", eu disse.

"Era o meu plano", disse ela. "Mas o Heathrow estava sem visibilidade. Depois de esperar dois dias pelo meu voo, desisti. Posso entrar? Eu fui convidada."

"A festa já está quase acabando", disse eu, como um idiota, na esperança de que assim ela fosse embora.

"Querido, quem é?", perguntou Fred às minhas costas. O "querido", eu sabia, era puramente em nome das aparências, e não significava que ela estivesse menos ressentida. "Ah, é você, Alex!", gritou ela. "Deixe a menina entrar, pelo amor. Entre! Entre! Como foi que você veio parar aqui? Achei que você tinha ido passar o Natal em casa."

Alex explicou que o voo dela tinha sido adiado várias vezes e depois de um tempo cancelado, e como não conseguiu nenhum outro ainda a tempo de chegar em casa para o Natal, ela desistiu, pegou um ônibus no terminal do aeroporto, que era talvez o único transporte público em funcionamento, e voltou para casa no dia de Natal. "E eu achei que a senhora não se importaria se no final das contas eu resolvesse aceitar o convite", disse ela.

"Ora, é claro que não – estamos muito felizes com a sua presença, não é mesmo, querido?" Respondi à pergunta de Fred com um sorriso forçado e um aceno de cabeça. "Mas por que tão tarde?", ela perguntou a Alex.

"Eu queria trazer flores, mas gastei mais tempo do que eu pretendia procurando", disse Alex, entregando o ramalhete a Fred. "Não estou acostumada às comemorações natalinas aqui na Inglaterra, com tudo fechado. Eu pedi para o motorista do táxi dar umas voltas e no fim encontrei uma floricultura aberta perto de um cemitério."

"Não precisava, mas mesmo assim muito obrigada. Estão lindas!", disse Fred.

"Que cemitério?", perguntei.

"Não faço ideia", respondeu Alex com um sorriso.

"Pare de fazer perguntas bobas, querido, e pegue o casaco dela." Fred jogou o casaco de nylon nos meus braços e conduziu Alex até a sala de jantar, dizendo "Coma alguma coisa, ainda tem bastante."

Eu também já estava com fome, sendo que eu não tinha comido nada além de algumas nozes e uns petiscos que peguei entre as minhas conversas, e depois de pendurar o casaco de Alex fui com elas para a sala de jantar. Alex, com um copo de vinho branco na mão, já estava entretendo um pequeno grupo de convidados com histórias sobre os horrores do Heathrow – filas que saíam dos terminais e iam até a rua, pessoas dormindo atiradas por cima da bagagem ou esparramadas pelo chão, pais transtornados com bebês e crianças chorando... Nós tínhamos visto tudo no noticiário da TV, é claro, mas não há nada como um relato pessoal direto do front para nos dar a dimensão real dos horrores e encher-nos de uma profunda gratidão por não ter compartilhado a experiência. Fred serviu um prato de curry de frango no carrinho de serviço, ofereceu-o para Alex e ficou para ouvir a história. Tive de sair em busca do meu próprio alimento.

Não sei se acredito na história de Alex sobre ficar rodando de táxi atrás das flores. Se foi mesmo até um cemitério, é mais provável que ela tenha surrupiado as flores de alguma sepultura no pátio da igreja da Rectory Road do que pago por elas. Acho que ela quis chegar mais tarde. Sendo a última convidada a chegar, é natural que ela também seja a última a ir embora. Na verdade ela ficou bastante tempo depois que todo mundo, afora as nossas famílias, já tinha ido embora, e ajudou a limpar os copos e pratos sujos e a empilhá-los na máquina de lavar louça. Fred a convidou para ficar e tomar uma xícara de chá, e Alex prontamente aceitou. Pelo fim da tarde, para o meu desespero, Alex parecia muito à vontade e já estava chamando todos pelo primeiro nome. Fiquei admirado com a quantidade de assuntos que ela cobriu nas conversas. Falou sobre finanças com Giles, bebês com Nicola, imóveis com Jim e Ben e maquiagem com Maxine. Conseguiu até encantar Ben sem que Maxine ficasse com ciúme, e Marcia, que poderia ter sido um pouco mais resistente, tinha ido para casa depois do almoço com Peter e as crianças. De toda a família, acho que só Anne ficou um pouco ressabiada com Alex.

No fim ela disse que achava que já estava na hora de ir e perguntou se poderíamos chamar um táxi. "Você não tem por que pagar por um táxi", disse Fred, "e com o feriado você acabaria esperando uma eternidade. Desmond pode deixá-la em casa, não é, querido?" Antes que eu pudesse responder ela acrescentou, sorrindo: "Ou você está bêbado demais?" "Não estou nem um pouco bêbado", respondi, sério. Já fazia três horas que eu tinha tomado a minha última taça de Savigny-les-Beaune e eu me sentia sóbrio, embora um bafômetro provavelmente fosse discordar. Ben disse que *ele* sem dúvida estava acima do limite, senão faria o favor com o maior prazer, e Giles tinha subido com Nicola ao segundo andar para dar um banho no bebê, então, para evitar que Fred fosse a motorista de Alex, eu insisti em levá-la eu mesmo. Fred concordou com um "Bem, se você acha..." um tanto duro.

Então me vi sozinho com Alex. Para alguém que tinha passado os últimos dois dias em um aeroporto tentando sem sucesso embarcar em um voo para passar o Natal ao lado da família, o humor dela estava ótimo. No carro ela foi elogiando a festa e a minha família maravilhosa, enquanto eu fazia o menor número possível de comentários. Quando parei no estacionamento ao lado de Wharfside Court, ela disse: "Você não me perguntou como a minha pesquisa está indo."

"Como a sua pesquisa está indo?"

"Muito bem. Eu acabo de fazer uma descoberta interessante. Nos bilhetes de suicidas que eu recolhi, a ocorrência da palavra 'suicídio' é bem rara. Menos de dois por cento. Um número maior de pessoas fala em se matar. Mais ou menos a metade dos autores fala em morrer, ou em querer morrer, e o resto fica enrolando e dando a entender o que pretendem 'dizendo adeus', escrevendo coisas do tipo 'Não quero mais ser um fardo para vocês' e assim por diante. Ou então usam eufemismos como 'acabar com tudo'. Mas quase nenhum bilhete fala em suicídio. O que você acha?"

"Isso me lembra uma citação de Borges: 'Em uma charada cuja resposta é 'xadrez', a única palavra proibida é 'xadrez'."

"Genial!", disse ela. "Eu posso usar essa citação. Mas o que você acha da minha descoberta?"

Pensei por um instante. "Talvez o termo 'suicídio' pareça impessoal demais, afastado demais, uma palavra técnica demais para comunicar a intensidade das emoções naquela hora, em especial se você pensar que muitas vezes ele vem acompanhado de outro termo meio jurídico – 'cometer'. 'Morrer' é um verbo simples e básico, que existe há séculos e que deve ter um equivalente em todas as línguas naturais humanas. A morte é quase uma definição da condição humana, enquanto 'suicídio' categoriza o ato como algo marginal, pervertido, aberrante. Talvez isso explique alguma coisa."

"Nossa – que demais! Você é muito bom, Desmond. Posso usar essas ideias?" Enquanto eu hesitava, pensando se eu devia dizer "*Sei que você vai usá-las de um jeito ou de outro*", ela acrescentou: "Com os devidos créditos, é claro."

"Na verdade, eu prefiro que você não me credite pela ajuda que estou oferecendo", disse eu.

"Tudo bem, se é o que você prefere", respondeu ela em tom alegre.

Mais uma vez eu senti que, ao tentar evitar qualquer insinuação de um acordo entre nós, eu havia de algum modo assegurado sua continuidade.

"Você não quer subir para tomar um café?", ela ofereceu.

"Não", eu disse.

"Então – obrigada pela carona. E pela festa." Ela se inclinou na minha direção e beijou o meu rosto. Senti a mão dela na minha perna. "Tem certeza que você não quer subir?", ela sussurrou no meu ouvido.

"Não, obrigado", disse ela. Alex desceu do carro e eu fiquei observando enquanto ela atravessava o estacionamento com o casaco preto brilhoso, pensando no que poderia acontecer se eu tivesse aceitado o convite. Quando chegou na esquina do prédio ela se virou, abanou e desapareceu do meu campo de visão.

15

27 DE DEZEMBRO. Papai não estava nos melhores dias hoje pela manhã. Ele dormiu mal e disse que precisou levantar cinco vezes durante a noite para fazer "o de sempre", enquanto "o outro" estava lhe dando outro tipo de problema. "Acho que aquele curry me deixou meio constipado", ele confessou a Cecilia durante o café da manhã. Estávamos todos sentados ao redor da mesa da cozinha, porque Fred estava limpando manchas de vinho e de curry nos tapetes dos outros cômodos e ninguém podia pisar em cima deles enquanto não secassem. Esses pontos estavam indicados por quadrados de papel-toalha, como um campo minado. "Você imaginaria o contrário, não é mesmo?", comentou Papai.

"Não sei, sr. Bates", disse Cecilia, ostentatoriamente limpando os lábios com um guardanapo para indicar que Papai também devia fazer a mesma coisa: ele estava com um bigode de espuma branca do cappuccino que Fred havia lhe oferecido.

"Pai, a sua boca", disse eu, fazendo o gesto correspondente à operação desejada.

"Quê? Ah, está bem. Bela xícara, Winifred, mas as bolhas não param de entrar no meu nariz." Papai tirou do bolso um lenço de algodão grande, amarrotado e não muito limpo, passou-o nos lábios e depois assoou sonoramente o nariz. "Preciso de uma gota de parafina líquida", disse ele. "Vocês por acaso têm?"

"Parafina?", perguntou Fred. "Acho que tem um pouco na estufa."

"Na estufa? Você está falando da parafina que se usa em fogões? Ah, aquilo seria o meu fim. Não, querida, eu estou falando da parafina líquida que você compra na farmácia. É o melhor remédio para a constipação que existe."

"Ah", exclamou Fred.

"Nós podemos comprar hoje de tarde quando sairmos, Pai", disse eu, tentando mudar de assunto.

"Aonde nós vamos?"

"A Blydale House. Você lembra – eu mostrei um folheto lá em Londres, na última vez em que almoçamos juntos."

Uma expressão de desgosto e contrariedade se estampou no rosto dele. "Eu não vou me mudar para um lugar desses", ele afirmou.

"Você prometeu dar uma olhada", eu disse. "Eu marquei uma visita às três horas."

Discutimos por algum tempo. Para fazer justiça a Fred e a Cecilia, elas também me ajudaram a tentar convencer Papai sobre as vantagens de morar em Blydale House ou em algum outro lugar parecido, embora eu soubesse que nenhuma delas via a possibilidade de tê-lo como vizinho próximo e visitante frequente com muito entusiasmo. "Tudo bem, eu vou olhar", ele concordou depois de um tempo. "Mas é uma perda de tempo."

Durante toda a visita a Blydale House, Papai manteve um ar de distanciamento silencioso e sarcástico, andando sempre um ou dois passos atrás de mim e da diretora, deixando todas as perguntas a meu encargo e mal prestando atenção às respostas da sra. Wilson. Ela é uma mulher simpática de meia-idade, sem dúvida acostumada a tratar com idosos inconformados. No momento não há vagas, mas ela conseguiu a permissão de um dos residentes para que déssemos uma espiada no quarto enquanto ele tomava um chá na sala. A sra. Wilson destrancou a porta. Eu fiquei no limiar e chamei Papai, que fingia examinar uma aquarela na parede do corredor, para que ele fosse dar uma olhada. O quarto era menor do que parecia na foto, mas o ambiente era limpo e arrumado. Havia um sofá-cama com almofadas, uma poltrona, um armário e uma cômoda, uma mesa com cadeira e uma televisão no canto.

"É bem aconchegante, não?", eu perguntei.

Papai fungou e não respondeu nada.

A sra. Wilson mostrou-nos a porta do banheiro. "Aqui fica o box do chuveiro. E o vaso sanitário, claro."

"Então o banheiro não tem banheira?", perguntou Papai. Foi o primeiro detalhe que conseguiu arrancar algum comentário dele.

"Chuveiros são mais seguros", respondeu a sra. Wilson. "Tem uma barra para o senhor se segurar e um banquinho dobrável, caso prefira se sentar."

Papai sacudiu a cabeça. "Um chuveiro não é a mesma coisa que uma banheira", sentenciou. Na velhice ele readotou o banho de banheira semanal da juventude, um acontecimento épico, que leva horas em vez de minutos e gera quantidades enormes de vapor e condensação no banheiro.

"Nós temos uma banheira com elevador", disse a sra. Wilson, "mas em geral ela é usada pelas pessoas em cadeiras de rodas."

"Eu ainda não estou numa cadeira de rodas", disse Papai. A sra. Wilson sorriu e disse que ela já tinha percebido.

Depois fomos ver a sala de jantar, onde duas mulheres de macacão azul estavam pondo a mesa para a refeição noturna, e a sala, onde o chá e os biscoitos da tarde eram trazidos em um carrinho para os residentes, que ficavam sentados em cadeiras com braços e espaldar reto. Alguns estavam conversando entre si. Mas muitos estavam sentados em silêncio, perdidos em – no quê? Nos pensamentos? Nas lembranças? Nas preocupações? Ou simplesmente perdidos? Uma faísca de interesse se acendeu nos olhos deles quando entramos no recinto, mas logo ela se apagou. Vimos uma tabela onde estavam os horários das partidas de uíste, sessões de bingo e aulas de ginástica.

"O que o senhor achou de Blydale, sr. Bates?" A sra. Wilson perguntou a Papai quando voltamos ao escritório.

"Acho que é um bom lugar", disse ele, e fez uma pausa até que um sorriso se formasse nos meus lábios antes de acrescentar: "Para os idosos que não têm onde morar."

"Ah, muitos de nossos residentes tinham casas muito boas antes de vir para cá", disse ela. "Mas para todo mundo chega um ponto em que cuidar da casa passa a ser demais."

"Eu ainda não estou cheguei a esse ponto", disse ele, e se virou na minha direção. "Vamos, filho?"

Na saída eu pedi desculpas à sra. Wilson pela grosseria de Papai. "Não se preocupe, as pessoas mais idosas não gostam de sair de casa, é normal", disse ela. Perguntei se eu poderia colocar Papai em uma lista de espera. "Nós não temos lista de espera", disse ela. "Mas volte a entrar em contato se ele mudar de ideia.Volta e meia surgem vagas."

De certa forma eu entendia a resistência dele. Blydale House é um lugar agradável, limpo, iluminado e bem-cuidado, mas eu não consegui olhar para aquela sala sem sentir um desejo premente de sair lá de dentro, e o quartinho que nós vimos, embora bem-equipado, mais parecia uma cela do que um lar. No entanto, conforme eu disse no caminho de volta a Rectory Road (paramos na farmácia para comprar a parafina líquida de Papai e também as minhas pilhas), morando mais perto de nós ele não ficaria trancado por lá o dia inteiro: quando quisesse, ele poderia pegar um ônibus e nos fazer uma visita.

"Logo você ia se aborrecer, filho", disse ele, com uma sinceridade desconcertante. Papai tem razão, é claro. Eu fico um pouco culpado com o alívio que sinto por ele ainda não querer se mudar para Blydale House. Percebi que Fred e Cecilia compartilharam do mesmo sentimento quando contei a elas sobre o resultado da nossa visita, mas acho que todos nós, depois de termos cumprido cheios de altruísmo com o nosso dever, pedindo que se mudasse, passamos a acusá-lo de ingratidão por não aceitar.

"Você está apenas tentando evitar o inevitável, Harry", Fred disse a ele. "Se você não se mudar para um lar aqui, você vai acabar se mudando para algum outro em Londres."

"Não sei por que eu preciso me mudar", respondeu Papai com uma grande dose de mau humor.

"Porque você já não pode mais morar sozinho, Pai", respondi. "Você é um perigo para você mesmo. E você não aceita sequer usar um alarme de pânico."

"O que é um alarme de pânico?"

"Você sabe o que é, eu já expliquei. Aquele negócio que você usa no pescoço."

"Ah, aquilo? Eu não preciso daquilo. Eu posso apertar o botão sem querer e acordar com os bombeiros ou a polícia arrombando a minha porta no meio da noite."

"Se você estivesse em um lugar onde alguém cuidasse de você, não haveria necessidade, sr. Bates", disse Cecilia, que mora em um apartamento especial para idosos em Cheltenham. "No apartamento onde eu moro, todos os cômodos têm um botão para chamar a enfermeira."

Neste instante Papai chamou para a defesa o seu argumento favorito. "Quanto é que custa aquele lugar, afinal?", ele perguntou a mim.

"Não me lembro assim, de cabeça", respondi, desconversando. "Não é barato, mas você poderia muito bem pagar, e se não der a gente –"

"Custa 275 libras por semana, Harry", completou Fred.

"*Quê?*" Exclamou Papai. "De onde é que eu vou tirar esse dinheiro todo?"

"Simples. É só vender a casa", disse Fred. "Com o preço dos imóveis em Londres, o dinheiro seria suficiente para você morar em Blydale até..." Fred hesitou, e Papai completou a frase para ela.

"Até eu não precisar mais? Garanto que não levaria muito tempo, morando por aqui. E aí vocês herdariam o meu dinheiro."

"Harry, por favor!," protestou Fred. "Não seja ridículo."

"Pode saber que eu não tenho o menor interesse no seu dinheiro, sr. Bates", disse Cecilia. "O meu finado marido me deixou mais que o suficiente."

"Eu só imagino", balbuciou Papai em tom ameaçador.

Depois, quando ficamos a sós, eu disse a Fred que ela tinha sido bastante dura com Papai quando o assustou com os custos de Blydale House.

"Não adianta ficar enrolando", disse ela. "Ele precisa encarar a situação. Se o levarem para um lar de idosos estatal, vão acabar confiscando a casa dele para bancar os custos."

"Agora mesmo é que ele não vai se mudar para cá", disse eu. "Mas talvez tenha sido essa mesma a sua intenção."

Foi um comentário cruel. Por que eu fui dizer uma coisa dessas? Não sei. Deve ser o espírito azedo de Natal.

"Não acredito que você pode ter pensado uma coisa dessas, quanto menos dito", exclamou Fred. "Eu sempre recebi o seu pai muito bem aqui, mesmo que os boletins constantes sobre o funcionamento da bexiga e dos intestinos dele sejam um verdadeira provação. Pelo menos para a minha mãe."

"Acho melhor levá-lo de volta para Londres amanhã", eu disse.

"Tudo bem, se é assim que você quer", disse Fred. "Mas por favor não finja que sou eu que o estou mandando embora."

Quando sugeri a Papai levá-lo de volta para Londres amanhã, já que o tráfego na M1 não seria muito intenso, entre o Natal e o Ano Novo, ele aceitou sem discussão. "Como você preferir, filho. Como for melhor." Ele adotou um certo ar de martírio pelo resto do dia, como se sentisse que estava sendo vitimado, mas estivesse decidido a não reclamar. Talvez ele houvesse captado as vibrações dos sentimentos negativos entre mim e Fred e imaginado que podia fazer parte do problema. No geral, foi uma noite tensa e desconfortável. Depois do jantar, que ele comeu sem dizer uma palavra, Papai não quis usar os fones de ouvido para assistir à televisão sem nos perturbar (nós todos queríamos ler), e em vez disso preferiu escutar o velho radinho de transistor com o aparelho auditivo, reclinado em uma poltrona e com os olhos fechados.

"Você não pode pedir para ele parar com isso?", Fred me perguntou, irritada, tirando os olhos do livro.

"Isso o quê?", perguntei.

Ela suspirou e olhou para o teto. "Ah, claro, você não escuta. *Você* está escutando, Mãe?"

Cecilia, que estava lendo o *Guardian* e de vez em quando fazendo comentários sobre como este jornal era pior do que o *Telegraph*, respondeu, "Escutando o quê, querida?"

"Deus, me dê paciência! Será que sou a única pessoa nesta casa com audição normal?", Fred exclamou. "Tem um ruído baixinho que fica escapando do rádio. E está me deixando louca!"

"Está escapando da orelha dele; o volume provavelmente está muito alto", eu disse. Vou pedir para ele baixar."

"Não, nem se preocupe, com certeza eu vou continuar escutando", ela respondeu. "Vou ler na cama. Tome conta dele e de Mamãe até que eles resolvam ir dormir também."

"Não vai demorar muito", disse Cecilia; e depois, quando Fred saiu, ela me falou: "O meu finado marido sempre teve boa audição, até o fim da vida. A minha já não é mais a mesma."

"Mas a senhora escuta muito bem para a sua idade", eu disse. "Não sabe a sorte que tem."

"É verdade que ainda não precisei rezar para São Francisco de Sales", disse ela, satisfeita consigo mesma. "Você sabia que ele é o santo padroeiro dos surdos?"

Confessei que eu não sabia. "Ele era surdo?", perguntei. "Não, mas ele catequizou um homem surdo para que ele pudesse receber a Comunhão. Parece que ele inventou algum tipo de língua de sinais. Se você fosse católico, Desmond, poderia rezar para São Francisco de Sales." Ela terminou essa última frase com um sorriso discretamente malicioso. De tempos em tempos Cecilia gosta de implicar comigo por conta da minha condição herética.

"Para me curar?"

"Essas coisas existem. Mas não são os santos que fazem os milagres, como você sabe. Esse é um mal-entendido muito comum."

"Eles passam a sua oração adiante para Deus, não é?", disse eu, lembrando da palestra sobre a oração peticionária.

"Eles *intercedem* junto a Deus em seu nome", corrigiu Cecilia.

"Mas por que rezar para os santos se podemos rezar direto para Deus?", eu perguntei.

Cecilia meditou por alguns instantes, como se a questão nunca lhe tivesse ocorrido. "Talvez porque tenhamos certo receio de levar nossos problemas diretamente ao conhecimento de Deus. É mais confortável fazer um pedido a um santo ou a Nossa Senhora."

"Isso me faz imaginar o céu como uma corte renascentista", disse eu, "com todos os santos amontoados ao redor do trono de Deus como cortesãos, cada um trazendo uma petição."

Cecilia sorriu. "Não há nada que o impeça de rezar diretamente para Deus", disse ela. "Nosso Senhor curou muitos surdos aqui na Terra."

"Mas eles eram surdos totais, não é? – E em geral também mudos."

"Então você lembra do Novo Testamento", disse Cecilia, gesticulando sua aprovação com a cabeça.

"Deve ter sido um milagre espetacular fazer os surdos ouvirem e os mudos falarem", eu disse. "Mas a perda gradual da audição é uma deficiência muito menos interessante. Mal vale o incômodo a um santo, quem dirá a Deus."

"Você sempre deve pedir a paciência necessária para carregar a sua cruz", disse Cecilia.

"Foi o que Fred acabou de fazer", eu disse, "mas não parece que tenha adiantado muito." Ao perceber a expressão confusa de Cecilia, expliquei: "Ela disse, '*Deus, me dê paciência*', mas em vez disso foi para a cama."

"Ah, mas aquilo não foi uma oração de verdade", respondeu Cecilia. "Winifred nunca viu a paciência como uma virtude a ser cultivada. Ela já nasceu impaciente – foi o parto mais curto dos meus quatro."

Essa foi a conversa mais interessante que eu tive até hoje com a minha sogra. Enquanto falávamos, Papai se levantou, pôs-se de pé, desligou o rádio e saiu da sala sem dizer uma palavra nem olhar na minha direção. Achei que ele tinha ido ao banheiro, mas ele não voltou mais, e ao procurá-lo pela casa descobri que já tinha se deitado.

28 DE DEZEMBRO. Hoje levei Papai de volta para casa. Pela manhã o humor dele tinha melhorado, ao menos em parte graças à parafina líquida que tomou ontem à noite. "Já deu resultado", disse-me ele durante o café da manhã em um sussurro que Cecilia fingiu não ouvir. Às dez horas ele estava de malas feitas e pronto para partir. Fred, talvez se sentindo um pouco culpada pela grosseria de ontem, ofereceu a ele comida para levar: fatias de peito de peru e presunto, pedaços de queijo, torta doce, maçãs e laranjas, tudo embalado separadamente. Ele agradeceu calorosamente e deu um beijo no rosto dela. "Obrigado por tudo, querida", disse ele. "Até mais, Celia", disse ele, apertando a mão de Cecilia. "Até mais, sr. Bates", disse ela. "Faça uma boa viagem. E feliz Ano-Novo." "Claro, feliz Ano-Novo, Harry", Fred acrescentou. Ele fez uma careta. "Ah, eu não estou assim tão empolgado. O Ano-Novo já não significa mais nada para mim. Uma feliz Semana Nova é o máximo que posso esperar."

"É", disse ele, pensativo, enquanto deixávamos a casa para trás no interior do carro, "o Ano-Novo costumava ser e única noite do ano em que todo mundo na Archer Street contratava músicos, não importava se fossem bateristas manetas ou saxofonistas desafinados, e pagava o dobro do cachê normal. As pessoas contratavam grupos para tocar no Ano-Novo com meses de antecedência. Mas não é mais assim." Então ele fez o comentário de sempre sobre o declínio dos bailes com música ao vivo. Na estrada Papai ficou em silêncio, e eu achei até que tivesse pegado no sono, mas de repente ele me surpreendeu ao dizer: "O que aconteceu com aquele homem que estava na sua casa na noite passada?"

"Que homem, Pai?", perguntei.

"Tinha um homem na sala, falando com Celia."

"Era eu, Pai. Eu era o único homem na sala além de você."

"Não, era um outro sujeito. Eu não dei boa-noite para ele porque esqueci como ele se chamava. Hoje de manhã eu quis pedir desculpas, mas ele já tinha ido embora."

Essa alucinação me preocupou, mas achei melhor não insistir no assunto.

A viagem até que foi boa. Eu tinha tomado a precaução de pôr um decantador de vinho com boca larga debaixo do banco do passageiro para emergências, mas não houve necessidade. Fizemos três paradas cuidadosamente calculadas ao longo do caminho e chegamos à Lime Avenue por volta das três da tarde, quando o sol de inverno já estava se pondo. A casa, com todas as cortinas fechadas, parecia escura e triste por dentro, e eu senti uma pontada de arrependimento por estar levando Papai de volta à sua deprimente morada, embora essa fosse a vontade dele. O único consolo foi que lá dentro estava quentinho. "Meu Deus, eu esqueci a calefação ligada!", disse Papai, pondo a mão na estufa ao entrar. "Eu podia jurar que eu tinha desligado." Na verdade ele tinha – religar a calefação foi a última coisa que fiz antes de sair da casa. Mas a cozinha com a toalha de mesa gordurenta e a fórmica lascada, somada à sala de jantar com o carpete puído e cadeiras desconjuntadas, me fez lembrar do cenário das primeiras peças de Pinter. "Você não preferia estar naquele lugar limpo e aconchegante que vimos ontem?", comentei. "Com alguém que cozinhasse para você?" "Não", respondeu ele. "Estou feliz de estar em casa. E tenho todas aquelas comidas deliciosas que a sua esposa me deu." Nós tínhamos comprado leite e pão em uma das lojinhas nos paradouros, então ele estava mesmo bem-servido. Tomamos uma xícara de chá juntos e eu me despedi.

Voltei escutando o rádio enquanto eu dirigia – Jazz FM em Londres, depois a Radio Four e a Classic FM na estrada –, fazendo uma única parada para comer e tirar uma soneca dentro do carro, e cheguei em casa por volta das nove e meia. Fred saiu da sala de estar quando me escutou no corredor e disse alguma coisa. Ela não estava sorrindo. Eu perguntei, "O quê? Só um pouco", e pus o meu aparelho auditivo. Ela repetiu: "O seu pai ligou várias vezes. Não sei o que é, mas ele pareceu chateado."

Entrei no meu escritório e liguei para Papai. Ele atendeu no mesmo instante, como se estivesse ao lado do telefone. "Alô, quem é?", disse ele em voz alta e parecendo irritado.

"Pai, sou eu, Desmond", respondi. "O que houve?"

"O que houve? Eu quero saber o que está acontecendo", disse ele. "Fui largado aqui, sozinho. Aquele sujeito que me trouxe até aqui simplesmente desapareceu sem nem ao menos se despedir."

"Aquele sujeito era eu, Pai", respondi. "E eu tomei uma xícara de chá com você antes de ir embora."

"Como assim, você? Estou falando daquele sujeito que mora lá no Norte. Ele tem uma casa enorme com quatro banheiros e umas cortinas que abrem e fecham sozinhas, que nem no cinema. E uma esposa esnobe que se chama Fred, sei lá eu por quê, e um bando de familiares. Ele me trouxe até aqui de carro e mal falou comigo durante o trajeto."

"Fui eu, Pai", repeti. "Eu moro no Norte e moro em uma casa grande e tenho uma esposa chamada Fred. É apelido de Winifred. Ela deu peru e presunto para você levar para casa."

"É mesmo", disse ele, após uma pausa. "Eu acabei de comer um pouco com o meu chá." Pela voz ele parecia transtornado. "Então era você."

"Era."

"Mas então o que está acontecendo comigo?"

"Você passou uns dias foras e, agora que está de volta em casa, ficou um pouco confuso. Não é nada preocupante."

Mas é, sim.

29 DE DEZEMBRO. Hoje Cecilia foi embora. Eu e Fred a levamos para a estação e a pusemos no trem para Durham. Cecilia vai passar um tempo com o filho mais velho e a esposa, que moram lá; em geral ela passa o Natal conosco e o Ano-Novo com eles. Enfim eu e Fred estamos sozinhos. O que eu mais queria era passar um fim de semana tranquilo, afora umas poucas horas de socialização ensurdecedora na festa de Ano-Novo de um vizinho à qual vamos todo ano – chegamos atrasados e vamos embora logo depois dos inevitáveis beijos e do *Auld Lang Syne* –, mas Jakki e Lionel nos convidaram para ir com eles a um lugar chamado Gladeworld. Parece que é uma espécie de camping chique em uma floresta, a uns cem quilômetros daqui. Eles iam passar o feriado de Ano-Novo lá, com o irmão de Lionel e a esposa dele, mas o irmão de Lionel está de cama, com febre e bronquite, então eles acabaram desistindo na última hora e Jakki perguntou a Fred se nós gostaríamos de ir no lugar deles. Fred transmitiu a descrição de Jakki para mim: "Você fica em uns chalés no meio do bosque. Ela disse que as acomodações são bem confortáveis, e eles reservaram um chalé executivo que é superluxuoso. Com suítes e tudo mais. Dá para cozinhar ou comer em um dos restaurantes por lá. Tem uma piscina térmica com uma redoma de plástico em cima, ondas artificiais e palmeiras, e também um spa, um ginásio coberto e várias outras coisas. É proibido andar de carro: você deixa o carro no estacionamento e todo mundo anda de bicicleta ou a pé."

"Que horror", comentei.

"Eu achei que parece bem divertido", disse ela. "E o lugar é famoso – Jakki disse que é preciso fazer as reservas com meses de antecedência. Foi muito legal da parte dela e de Lionel ter nos convidado."

"E nós vamos ter que pagar?", perguntei.

"É claro que nós vamos pagar a nossa parte."

Perguntei quanto custaria, e ela respondeu com uma cifra que eu achei bastante alta. "Então na verdade a gente é que estaria fazendo um favor para eles, ou para o irmão de Lionel, ao menos, e não o contrário?", perguntei.

Fred desconsiderou o meu comentário balançando a cabeça. "Você sempre reclama do quanto você detesta o Ano-Novo, quase tanto quanto você detesta o Natal – pois bem, aí está uma chance para escapar das festas, fazer uma coisa diferente", ela disse. "Um pouco de exercício, um pouco de ar puro, muito descanso. Faria bem para nós dois."

"Presos a Jakki e a Lionel por três dias?"

"Jakki é minha amiga, e Lionel é uma pessoa muito agradável. E não precisamos fazer tudo junto o tempo inteiro. E é só por *dois* dias inteiros. E se você não quiser mesmo", Fred concluiu, " eu vou ir sozinha."

Vi que eu teria de ceder, porque eu não podia me arriscar a ter uma terceira briga com Fred na mesma semana. Tentei aliviar o clima com uma piada.

"Você tem certeza de que ele não estão planejando uma daquelas noites temáticas? Noite da troca de casais, digamos. Com as chaves do carro em um pote e filmes pornô na televisão."

Fred quase estourou de tanto rir. "Você queria passar uma noite com Jakki, querido?"

"De jeito nenhum!"

"Nem eu com Lionel. Mesmo assim, o pote não teria muitas chaves. Talvez você ficasse comigo."

"Ou com Lionel", eu disse.

Ela estalou a língua. "Mas e então, você vai junto?"

"Acho que é o melhor a fazer", eu disse, "ou eles podem propor a noite do *ménage à trois*".

"Legal, eu vou dizer para Jakki que você aceitou – mas não por quê." Fred saiu de bom humor para telefonar.

Talvez você ficasse comigo. A frase não saiu da minha cabeça, e comecei a pensar que o Gladeworld poderia nos ajudar a melhorar o nosso relacionamento. Eu e Fred não fazemos amor desde o episódio das palmadas umas semanas atrás. Por mais que eu não goste de fazer exercícios, em especial natação em piscinas térmicas cheias de cloro, admito que depois de sair você fica com uma sensação agradável e relaxada que é muito propícia ao sexo. E a certeza de que Jakki e Lionel estariam se comportando como um casal de coelhos no quarto ao lado podia ter um efeito afrodisíaco. Embora eu não fosse admitir, estou empolgado com o programa para o fim de semana.

16

A má audição de Ano-Novo

GLADEWORLD. Que fenômeno estranho. É como a imagem em negativo de um lugar com certas propriedades, como o confinamento e o sofrimento induzido, que em geral pareceriam negativas, mas com a curiosa capacidade de transformá-las em positivas, pelo menos a dizer pela expressão satisfeita dos hóspedes. Um campo de concentração do bem. Uma prisão feliz. Um inferno alegre. O lugar deve ter entre trezentos e quinhentos hectares, cercados por uma tela alta com arame farpado em toda a circunferência e um acesso único que parece uma barreira militar, com uma cancela que abaixa e levanta à medida que os internos chegam de carro, entregam os documentos para os guardas uniformizados e entram. No interior do complexo, milhares de homens, mulheres e crianças vivem em cabanas de um piso, muito menores do que as casas de onde vieram, distribuídas entre as árvores para dar a ilusão de privacidade. Todos usam uma espécie de uniforme prisional: conjunto esportivo, shorts, tênis e, caso esteja chovendo, japonas impermeáveis. Eles passam o dia para cima e para baixo, de um lado para o outro, a pé ou de bicicleta pelas estradas macadamizadas e pelos caminhos que ligam as cabanas a vários outros pontos de encontro, como por exemplo um supermercado onde você compra da mesma forma que em casa, só que com menos vantagens, porque os produtos têm menos qualidade e os preços são mais altos e você precisa carregar as suas sacolas pesadas até a cabana porque o uso de carros é restrito ao estacionamento; ou um grande centro esportivo onde, por uma taxa extra e nada desprezível, você pode praticar vários esportes (tênis, badminton, squash, raquetebol, bilhar, sinuca, pingue-pongue etc.) sob o olhar atento de um círculo de internos à espera de que o seu tempo acabe para o deles começar; e principalmente o Tropical Waterworld, um enorme domo plástico que encerra, em uma atmosfera quente e úmida, um complexo de piscinas e outras atrações aquáticas dos mais diversos tipos e tamanhos: canais labirínticos e túneis com correntes provocadas por bombas, cachoeiras íngremes, tobogãs espiralados e correntezas vertiginosas esculpidas em fibra de vidro, que começam no alto da estrutura ao ar livre e descem com força e velocidades cada vez maiores, primeiro por fora e depois por dentro da parede do domo, até desaguar a toda velocidade na parte mais funda de uma piscina. Embora em tese o objetivo seja a natação, o lugar foi desenhado de modo a impedir que se dê mais do que duas ou três braçadas em qualquer direção. A piscina principal tem um formato indefinido e é impossível saber qual é o sentido do comprimento e qual é o da largura, então as pessoas saem nadando para qualquer lado e acabam se batendo umas nas outras, sendo que de vez em quando uma máquina invisível cria uma onda forte em que é impossível nadar, então todos ficam flutuando à deriva como sobreviventes de um acidente aéreo em alto-mar à espera de socorro, com a única diferença de que eles gritam de alegria, e não de pânico.

Mude a trilha sonora, troque as risadas e bate-papos por gritos e uivos, ponha um filtro vermelho na lente para conferir um brilho flamejante ao espetáculo e você acharia que está em alguma versão moderna do Inferno de Dante, ou em algum dos infernos retratados pelos pintores medievais. As multidões seminuas se agitando em meio às ondas turbulentas, deslizando pelos tubos semitransparentes em uma velocidade apavorante, rolando de bunda para cima pelas corredeiras, se afogando com a água, cegados pela espuma, rodopiando em voragens, carregados pelo repuxo, enredados nos braços e pernas uns dos outros, machucados e roxos do impacto contra as paredes de fibra de vidro, para enfim cair em um caldeirão fervente mais para o fundo, guardam uma semelhança irresistível com as antigas imagens dos condenados, fadados ao castigo eterno. Porque assim que eles chapinham na água ao cair da corredeira, ou são cuspidos da extremidade dos tubos em espiral e se arrastam para fora d'água, encharcados e zonzos, os Gladeworlders voltam a subir a escadaria curva que passa por entre as pedras artificiais e se juntam às longas fileiras de pessoas umas atrás das outras esperando a vez de usar os tobogãs, ou se atiram na enorme piscina térmica ao ar livre que desemboca nas corredeiras para enfrentar o terror e a dor mais uma vez.

Desmond expôs essa analogia para Fred, Jakki e Desmond no fim do segundo dia. Era véspera de Ano-Novo e eles tinham decidido fazer o próprio jantar na "*villa*", o imponente nome dado ao chalé de dois quartos, porque o único restaurante em Gladeworld que parecia remotamente interessante estava com todas as mesas reservadas, e essa devia ser a situação em todos os outros lugares das redondezas – "Mesmo que os guardas na entrada nos deixassem sair por algumas horas", comentou Desmond, enquanto eles decidiam o que fazer. "Claro que eles nos deixariam sair", disse Jakki, que não tinha um senso de ironia muito desenvolvido. "Não dê bola para Desmond", disse Winifred. "É só o jeito dele." Apesar do conselho, Jakki reagiu com certo antagonismo à descrição metafórica do Tropical Waterworld. "Terror e dor?", disse ela, franzindo a testa. "Não entendi. Dá para ver que todo mundo está se divertindo."

"Foi uma piada, amor", disse Lionel. "Desmond está apenas brincando. Você sabia", prosseguiu ele, "que a taxa de ocupação aqui é de 95% durante o ano todo? Noventa e cinco por cento. Alguma coisa eles devem estar fazendo certo."

"Ah, eu acho que é incrível para as famílias", disse Fred. "Vou recomendar para Marcia e Peter. Tenho certeza que as crianças vão adorar."

"Mas claro que você tem que ser uma pessoa ativa para aproveitar tudo", disse Jakki. Ela e Lionel tinham saído para correr antes do café da manhã e dado um passeio pelo bosque nas bicicletas alugadas antes do almoço; Desmond e Winifred tinham se oferecido para fazer as compras para o jantar, e o caminho de mais ou menos dois quilômetros do chalé ao supermercado, e depois a volta, com sacolas plásticas abarrotadas, já tinham sido exercício mais do que suficiente, ao menos na opinião de Desmond. A tarde havia sido reservada para relaxar no Tropical Waterworld. Ele achava que nunca tinha estado em um lugar menos relaxante do que o Tropical Waterworld, a começar pelo vestiário, um labirinto de cubículos com piso escorregadio e duas portas cada, uma conduzindo à piscina e a outra à entrada e saída, que abriam e fechavam ao mesmo tempo com um mecanismo que ele levou vinte minutos para decifrar, e cheio de armários que, após a inserção de uma moeda de uma libra, permitiam que você girasse e retirasse a chave, que vinha presa a uma pulseira elástica que você podia pôr no pulso ou no tornozelo. Ao voltar para o vestiário antes dos outros, com os óculos e o aparelho auditivo bem guardados no armário, ele não conseguiu ler o número estampado na pulseira e, quando pediu a outros banhistas que o lessem em voz alta, não conseguiu entender as respostas, então no fim ele entregou a chave para uma criança que o levou como se fosse um imbecil completo até o armário certo e o abriu para ele.

Entre uma humilhação e outra sob o domo de plástico, ele se limitou a nadar devagar, em círculos, com poucas braçadas a cada vez na piscina principal e também na piscina térmica ao ar livre, mantendo-se o mais longe possível do acesso às corredeiras. Contudo, mesmo aquela breve imersão e o exercício parco bastaram para lhe aquecer o corpo com uma espécie de lassitude sensual; e, depois de um belo jantar – *coq au vin* preparado por Winifred e maçãs assadas recheadas com tâmaras feitas por Jakki –, e em especial depois de uns bons goles em duas garrafas de Pomerol trazidas de casa por precaução, ele estava pronto para esquecer as irritações e as frustrações do dia e deixar a imaginação correr solta pensando nas possibilidades eróticas da noite.

Um dos quartos tinha uma cama de casal, e o outro, duas de solteiro. Jakki e Lionel, que entraram primeiro no chalé, haviam ficado com a cama de casal. "Vocês não se importam, não é?", disse Jakki com um sorrisinho; "Vocês podem juntar as camas de solteiro."

"Talvez nem precise", respondeu Fred, o que não pareceu muito animador. Por outro lado, isso foi ontem à noite, após uma viagem que acabou sendo chata por causa de um longo engarrafamento na estrada e de todo o esforço necessário para descarregar os carros, dirigi-los até o estacionamento e caminhar de volta até o chalé, que parecia ser tão longe quanto possível dentro dos limites da cerca. Ele e Winifred estavam exaustos; se recolheram cedo e dormiram o sono dos justos debaixo dos edredons nas camas separadas. Mas hoje, pensou ele, hoje Winifred pode estar disposta a intimidades. O sistema nervoso dela também estaria inundado pelas endorfinas liberadas durante o exercício, ela também estaria com a mesma sensação passageira mas agradável de bem-estar que ele sentia naquele instante e, quando os olhares dos dois se encontraram por cima da mesa de jantar, os olhos dela pareciam emanar um brilho suave e cúmplice, e o sorriso, um calor genuíno.

Foi um azar, portanto, que a data fosse véspera de Ano-Novo, porque assim, depois de haverem tirado a mesa e empilhado os pratos sujos na máquina de lavar louça (segundo Jakki, esse eletrodoméstico, bem como as banheiras de hidromassagem nas suítes e a sauna na varanda dos fundos, era um luxo reservado às *villas* executivas) e tomado um café descafeinado ou um chá de ervas, quando Desmond declarou, com uma discreta piscadela em direção a Winifred, que estava cansado e pronto para ir para a cama, Jakki e Lionel disseram que a ideia estava fora de cogitação e pediram que os dois aguentassem mais um pouco para que todos estivessem juntos na chegada do Ano-Novo. E foi um azar duplo que Lionel tivesse levado uma garrafa de uísque maltado para, como ele mesmo disse, "maltar a sede".

Mal havia passado das dez e meia quando a proposta de Desmond foi rechaçada por Lionel e Jakki, uma decisão com a qual Winifred concordou (antes por educação do que por entusiasmo, ele suspeitou), e não havia nada para fazer até a meia-noite a não ser conversar sobre amenidades e beber o uísque. Winifred não gostou da bebida, e o consumo de Jakki foi modesto, então os dois homens sozinhos já haviam consumido dois terços da garrafa quando Lionel ligou a televisão. A imagem do Big Ben iluminado, com os ponteiros indicando onze minutos para a meia-noite, tomou conta da tela, e a câmera acompanhava o movimento do ponteiro dos minutos com cortes ocasionais para as multidões irrequietas no Trafalgar Square e em outros espaços públicos por todo o país, até que as tradicionais notas graves começassem a soar. As multidões contaram juntas – "Um – dois – três..." – a cada badalada e, na décima segunda, todos irromperam em gritos e algazarra e abraços promíscuos. Os fogos de artifício explodiram sobre o Tâmisa. Os quatro se levantaram – os dois homens com o equilíbrio levemente prejudicado – e os casais se desejaram um feliz Ano-Novo. Lionel deu um longo beijo apaixonado em Jakki e Desmond tentou algo parecido com Fred, mas logo ela encerrou o beijo e desviou o rosto. "Desculpe, querido, mas você sabe que eu não gosto do cheiro de uísque", disse ela. "Então venha para a cama que eu vou beijar você em outro lugar", murmurou ele, fazendo com que ela corasse e o afastasse de si. Lionel e Jakki enfim se desgrudaram e trocaram cumprimentos de Ano-Novo com Winifred e Desmond. Lionel deu um beijo recatado no rosto de Winifred e Jakki beijou a boca de Desmond, forçando a língua por entre seus dentes e logo depois se inclinando para trás a fim de observar a expressão confusa dele. "Feliz Ano-Novo, Des!", disse ela. "Agora vocês já podem ir para a cama."

No quarto, Desmond tentou despir Winifred, começando pelo zíper nas costas do vestido, mas ela afastou a mão dele. "Pare, assim você vai arrebentar." "Qual é o problema?", perguntou ele. "Você não está em um clima romântico?" "Não, não estou", disse ela, tirando o vestido e falando em um tom de voz baixo, mas enfático, que ele mal conseguia ouvir. "E mesmo que eu estivesse não adiantaria muita coisa, porque você bebeu demais." "A gente poderia fazer umas preliminares e ver o que acontece", ele sugeriu, abraçando-a por trás e pondo as mãos em concha sobre os seios de Winifred. Ela afastou as mãos dele e virou-se em sua direção. "O que você pretendia dizendo aquilo na frente de Jakki e de Lionel?", perguntou ela, irritada. "Dizendo o quê?" "Sobre me beijar em outro lugar." "Eles não ouviram." "Só um surdo não teria ouvido – um surdo como você." "Ah", exclamou ele. "Bem, eu acho que eles não ficariam muito chocados. Jakki acabou de me dar um beijo de língua." Winifred encarou-o como se duvidasse do que tinha acabado de ouvir. "É sério? Então é óbvio que ela também bebeu demais."

Winifred, apressada, continuou com os preparativos para dormir, mas Desmond percebeu que a notícia a havia chateado um pouco, plantado uma semente de ressentimento que ele poderia usar a seu favor. Quando ele disse que juntaria as camas de solteiro, ela não concordou, mas também não discordou e foi para o banheiro enquanto ele se encarregava da operação – o que na verdade foi bom, pois o procedimento mostrou-se surpreendentemente difícil. As camas eram construídas de material leve, montadas sobre rodinhas; uma delas disparou desgovernada pelo quarto ao receber um empurrão excessivamente entusiasmado, e ele quase suspeitou a outra cama de tentar derrubá-lo a uma certa altura, mas no fim conseguiu alinhá-las uma ao lado da outra – no meio do quarto, onde de fato elas ficavam um pouco estranhas, parecendo mais um catafalco do que uma cama de casal, mas a mesa de cabeceira entre as camas era parafusada à parede, então não havia outro jeito. Ele cobriu as camas com os edredons para deixá-las mais convidativas, pôs uma camisa vermelha em cima do abajur de cabeceira para dar um clima mais romântico e desligou as outras luzes. Do banheiro veio o som do chuveiro, o que era um sinal animador. Desmond tirou a roupa e se deitou, só de cuecas, esperando que Winifred se aprontasse para então dar um pulo no banheiro e lavar rapidamente as partes baixas. Ele ficou olhando para o teto, antegozando as intimidades vindouras, e pegou no sono.

Acordou com torcicolo, com a cabeça latejando e a boca seca, gelado por ter dormido em cima das cobertas, levantou-se e tateou no escuro para encontrar o caminho até o banheiro. A luz, refletida nos azulejos brancos, levou-o a fazer uma careta ao acendê-la, mas também iluminou o relógio dele, onde se via que o Ano-Novo já tinha quatro horas e quinze minutos de idade. Ele fez xixi, mas não deu descarga para não acordar Winifred. Também deixou que um fio de luz escapasse do banheiro e viu que ela havia empurrado a cama de volta até a cabeceira, que também era presa à parede. A cama dele ainda estava ilhada no meio do quarto, com o travesseiro no chão – sem dúvida o motivo para o torcicolo. Não havia nenhum copo no banheiro e o torcicolo o impedia de se curvar para beber água direto da torneira. De qualquer modo, água não bastaria para aplacar sua sede; talvez a caixa de suco de laranja na geladeira servisse. Ele saiu do quarto na ponta dos pés, fechando a porta com todo o cuidado atrás de si, e foi até a sala-cozinha. No caminho, passou em frente à porta do quarto de Jakki e Lionel. Ele percebeu que havia adormecido com o aparelho auditivo ligado e, como naquele estado confuso ainda não lhe ocorrera retirá-lo, escutou através da porta barata certos sons abafados de significado inconfundível. Quatro e quinze e os dois ainda não tinham parado! Que energia. Que luxúria insaciável! Aquela era a última pá de terra sobre o seu próprio fracasso sexual. Desmond voltou furtivamente para o quarto sem ir até a geladeira para saciar a sede, temeroso de que pudesse ser ouvido pelos amantes inflamados e tomado por um voyeur, ou por qualquer que fosse o equivalente auditivo de um. Entrou no banheiro, tirou o aparelho auditivo e tomou quatro cápsulas de Nurofen, engolindo-as com a água que conseguiu juntar nas mãos. Ele não tentou manobrar a cama de volta de volta à posição original, mas na mesma hora se enfiou debaixo das cobertas e, agarrado ao travesseiro como se este fosse uma boia salva-vidas, caiu no sono outra vez.

Quando acordou, às oito e meia, ele estava sozinho no quarto. Vestiu o roupão, pôs o aparelho auditivo e foi para a sala. Jakki e Lionel estavam tomando café da manhã, trajando algo que tanto poderia ser um pijama como um conjunto esportivo – era difícil dizer. "Bom dia, Des", disse Jakki. "Dormiu bem?"

"Não dormi mal", respondeu ele. "Onde está Fred?" Ele estava aterrorizado com a ideia de que ela pudesse ter ido embora de Gladeworld com o carro, deixando-o entregue à humilhação de ser levado de volta por Jakki e Lionel até a Rectory Road.

"Ela saiu para dar um passeio de bicicleta", disse Jakki. "Eu emprestei a minha."

Desmond sentou-se à mesa, serviu um copo de suco de laranja e bebeu-o de um só gole.

"Você estava precisando", foi o comentário desnecessário de Lionel. A luz da manhã refletida em seu cocoruto calvo ofuscou Desmond.

"Acho que vocês meninos se passaram um pouco na bebida ontem", disse Jakki, servindo para ele uma xícara de café. "Lionel dormiu enquanto eu estava escovando os dentes e depois ainda teve a coragem de me acordar de madrugada para me molestar."

"Jakki!", protestou Lionel, sem muita convicção.

"Bom, é verdade... Winifred disse que você também aprontou poucas e boas com as camas antes de apagar, Des."

"Ah é? Eu nem lembro direito", disse ele, e tomou o café com vontade. As coisas não estavam tão ruins quanto tinha imaginado. A esposa não o tinha deixado e Lionel tampouco havia feito uma maratona sexual de quatro horas.

"Agora de manhã nós pensamos em ir ao spa", disse Jakki.

"É uma ótimo jeito de acabar com a ressaca", disse Lionel.

"Bebendo toda aquela água, você diz?", perguntou ele.

"O que você ia querer com tudo aquilo?", perguntou Jakki, franzindo a testa.

"Ele está brincando outra vez, Jakki", disse Lionel. "O lugar é muito legal, Des. Tem saunas, salas de vapor, uma piscina térmica ao ar livre... É caro, mas vale a pena."

"Nós temos a nossa própria sauna aqui", disse ele, "de graça". Era uma pequena estrutura de madeira no deque atrás do chalé, com espaço suficiente para duas pessoas, que ontem eles haviam usado para secar os trajes de banho e as toalhas. Do lado de fora havia uma ducha primitiva no formato de uma tina de água fria, suspensa a partir de uma viga e operada por uma corda. "Aquilo? Aquilo não é nada", disse Lionel, fazendo pouco caso. "O spa tem três tipos diferentes de sauna e quatro salas de vapor temáticas, todas diferentes. Romana, japonesa, indiana." "Ah, agora entendi o porquê de tanto interesse", disse ele.

"E você pode fazer vários tipos de massagem e tratamentos de beleza", acrescentou Jakki, sem perceber a insinuação.

Winifred chegou neste instante, com as faces coradas e parecendo satisfeita consigo mesma. "O passeio estava maravilhoso", anunciou. "Fazia anos que eu não andava de bicicleta. Eu tinha esquecido de como é bom, quando você não tem que se preocupar com carros e caminhões."

"Aonde você foi?", perguntou ele. Na verdade ele não estava interessado, mas era uma forma de fazer com que ela conversasse.

"Ah... dei uma volta no lago, pelo bosque... Foi um idílio. Tinha pouca gente."

"Eu teria ido junto se estivesse acordado", disse ele.

"É que você estava em um sono pesado demais", respondeu ela, seca. "Ah, e eu passei pelo spa", disse ela, virando-se na direção de Jakki.

"Nós pensamos em passar a tarde lá", disse Jakki. "Ótima ideia", disse Winifred.

Quando os dois estavam de volta à privacidade do quarto, e enquanto restauravam um pouco de ordem lá dentro, ele se desculpou pelo fiasco da noite anterior.

"Você bebe demais, Desmond", disse ela. O nome "Desmond" era um indicador de seu desgosto. Até mesmo "querido" dito em tom irônico era melhor do que "Desmond".

"A culpa foi de Lionel, que apareceu com aquela garrafa de uísque."

"Você não era obrigado a beber. Mas não foi só na noite passada, é quase toda noite. Você está ficando dependente."

"Que besteira."

"Não é besteira."

"Tudo bem, eu vou mostrar para você", disse ele. "Hoje eu não vou beber nenhuma gota."

Ela o observou com ares de aprovação. "Sabia que nós vamos jantar fora essa noite – no restaurante *soi-disant* francês?"

"Sabia."

"E você não vai beber vinho?"

"Não."

"Nem se a comida não for aquela coisa?"

"Mesmo que a comida seja intragável. Que é o que eu tenho quase certeza que vai acabar acontecendo."

Ela riu. "Bem, se você cumprir a promessa, querido, eu vou ficar um tanto surpresa – mas muito feliz."

A estratégia o agradou. Esse voto de abstinência causou uma boa impressão em Winifred e também a deixou mais compreensiva. Um dia sem beber não lhe faria mal nenhum – na verdade, faria um bem enorme. Além do mais, se conseguisse cumprir a promessa – e estava determinado a cumpri-la –, ele estaria na melhor forma possível para, a título de recompensa, consumar a relação sexual que havia abandonado na noite anterior.

A diversão no spa contribuiu para o plano, embora o lugar fosse um tanto absurdo. Era uma construção grande e opulenta, com funcionárias de unhas impecavelmente bem-feitas e cabelos bem-penteados que vestiam casacos brancos, em estilo eclético (uma mistura de templo grego com o Taj Mahal), com as paredes internas forradas por uma imitação plausível de mármore e o piso coberto por azulejos antiderrapantes. Havia chafarizes e piscinas para os pés e réplicas de estatuário clássico na área central, de onde se tinha acesso às várias saunas temáticas e salas de vapor. Eles experimentaram o *laconicum* romano, a sauna tirolesa, o *hammam* turco, a sauna floral indiana e o banho de sal japonês. Meditaram na sala de meditação e, enrolados cada um no seu roupão, foram pela escada em pedra bruta até o jardim zen de pés descalços. Limparam e fecharam os poros dos corpos suados em chuveiros multissensoriais que disparavam jatos de água gelada de todos os ângulos imagináveis e ofereciam várias opções, incluindo tempestade tropical com trovoadas e efeitos luminosos e vapor com gosto de menta. A seguir, ficaram flutuando, lânguidos, na piscina térmica ao ar livre, que de tempos em tempos se transformava em uma enorme banheira de hidromassagem, quando amaciava os músculos deles com a força das borbulhas. Entre uma experiência e a outra, reclinavam-se nas cadeiras reguláveis e tomavam água ou simplesmente relaxavam. Disseram a Desmond que estava tocando uma música com instrumentos de sopro, mas é claro que ele não conseguia ouvir nada. Os outros saíram para receber várias massagens – reiki para Winifred, shiatsu para Jakki e massagem sueca para Lionel –, mas ele se contentou em ficar na área de relaxamento com um romance. Descobriu um cantinho onde havia uma espécie de otomana em couro artificial áspero, um trono onde Tamburlaine ou Gêngis Khan poderiam ter descansado após uma vitória no campo de batalha. Se o Waterworld era um inferno do bem, pensou ele, o spa era um paraíso brega bastante convincente.

Os quatro passaram várias horas por lá, saciaram na cafeteria os apetites vorazes na hora do almoço e depois foram jogar boliche, sendo que "*a metade da graça deste jogo simples e repetitivo*" – ele lembrava ter lido em algum lugar – "*consiste em observar as máquinas realinharem os pinos e devolverem as bolas*". Nem ele nem Winifred haviam jogado boliche antes, mas os dois se deram bem – Winifred, em especial, mostrou verdadeiro talento para o jogo e fez a maior pontuação. Às quatro da tarde eles retornaram ao chalé para tomar uma xícara de chá e descansar um pouco antes de sair para jantar no melhor restaurante do Gladeworld, ao qual Desmond agora se referia como *Soi-Disant.* Tudo estava indo muito bem quando, com um comentário feito para agradar a si mesmo, ele deu um rumo indesejado à conversa e aos acontecimentos.

"O spa é muito agradável", disse ele, enquanto discutiam os méritos do lugar, "mas ter que usar roupas de banho é ridículo. Para aproveitar bem uma sauna ou uma sala de vapor, você precisa estar nu." "Você tem razão, Des", disse Lionel. "Não é muito legal ficar suando dentro do calção." "Mas aí precisaria ter uma sauna masculina e outra feminina", disse Jakki, "o que não seria nada divertido para os casais como nós." "Uma vez eu estive em uma sauna pública na Alemanha", disse Desmond, "onde todo mundo estava pelado, com homens e mulheres juntos", disse Desmond, "e ninguém sequer levantava a sobrancelha." "E não levantava mais nada, também?", perguntou Lionel.

"É mais uma das suas piadas, Des?", Jakki perguntou, desconfiada. "Não, é sério", disse ele. "Eu estava em Bremen. Dando umas palestras por conta do British Council." Ele gostava de lembrar às suas companhias que já tinha sido um cidadão do mundo sofisticado e viajado. "Bem, nós temos a nossa sauna particular no deque", disse Lionel. "O que você está sugerindo, Lie?", perguntou Jakki, dando um tapa nele de brincadeira. "Que todo mundo vá para a varanda pelado?" "De noite ninguém vai perceber", disse Lionel. "Nós podíamos experimentar na volta do restaurante. Não todo mundo ao mesmo tempo – um casal de cada vez." "Má ideia", disse Desmond. "Não se deve entrar em uma sauna depois de comer." "Bem, agora mesmo já está escuro", disse Lionel. "Ainda temos tempo antes de sair." "Para mim já chega de ar quente e água fria por hoje, obrigada", disse Winifred. "Não contem comigo." "Nem comigo", disse Jakki, em solidariedade feminina. "Mas vocês podem se divertir se quiserem, garotos." "O que você acha, Des?", perguntou Lionel. Parecia covarde recusar depois de ter bancado o especialista em saunas. "Pode ser", disse ele. "Tem certeza de que é uma boa ideia, querido?", perguntou Winifred. "Você pode pegar um resfriado." O "querido" era afiado como uma faca, mas ele fingiu não perceber. "É impossível, se você tomar uma ducha fria depois", respondeu ele em tom leviano.

Jakki já havia ligado a sauna para secar as roupas de banho, e Desmond aumentou o termostato antes de ir ao quarto para se despir e se enrolar em uma toalha de banho. Quando ele voltou Lionel estava à sua espera, junto à porta envidraçada do pátio, em trajes parecidos. Winifred, que estava lavando a louça do chá na cozinha, lançou-lhe um olhar de reprovação. "Espero que você não se arrependa depois", disse ela. "Nós não vamos tirar para fora", ele prometeu. Na rua já estava escuro, e as luzes estavam acesas na sala. "Feche as cortinas atrás da gente, senão vamos dar um show para todo o Gladeworld na ducha", Lionel disse a Jakki. "E não fiquem nos espiando", ele acrescentou. "Como se a gente quisesse", retrucou Jakki. Ela foi até a porta do pátio quando eles saíram para a rua. "Brr, está esfriando. Antes você do que eu", disse ela, fechando a porta e fechando as cortinas. A geada já pairava no ar. Desmond e Lionel desceram depressa até a sauna, que não era muito maior do que uma guarita, e sentaram em cima das toalhas no banco, com os quadris encostados. A iluminação da sauna era tênue, com apenas uma lâmpada em um canto, mas suficiente para Desmond perceber que Lionel era muito bem-dotado. Ele estava sentado com as pernas levemente abertas e as mãos nos joelhos, com o órgão pendendo entre as coxas como um cassetete de borracha, quando começou a falar alguma coisa sobre contabilidade. "Desculpe, mas eu não estou escutando, Lionel", disse Desmond. "Não estou com o meu aparelho." Lionel acenou com a cabeça para indicar que havia entendido. O suor escorria pelo rosto dele e desaparecia em um tufo de pelos no peito. "Isso sim é uma sauna! Está bem mais quente do que no spa", gritou ele no ouvido de Desmond. Desmond, que também estava suando em bicas, imaginou que ele poderia ter aumentado demais a temperatura do termostato. Passados uns dez minutos, Lionel indicou que era o bastante para ele e saiu pela escuridão, jogando uma lufada de ar frio para dentro da sauna ao sair. Fez-se uma pausa de uns dez segundos até que, mesmo sem o aparelho auditivo, Desmond escutou o chapinhar da água batendo no deque, seguido um ou dois segundos mais tarde por um urro de Lionel, quando ele conseguiu tomar fôlego e registrar o choque térmico. Desmond esperou vários minutos, até que a tina estivesse cheia outra vez, e então saiu.

Lionel havia entrado em casa e fechado as cortinas atrás de si. O cenário estava iluminado por um luar gelado. À direita dele havia um barranco coberto de grama, que descia até um riacho, e um laguinho, de onde todas as manhãs os patos e as outras aves aquáticas saíam em marcha atrás de comida, gingando orgulhosos até a porta do pátio; no outro lado do lago havia uma concentração escura de árvores e arbustos. Tudo estava no mais absoluto silêncio, e os chalés vizinhos estavam além da sua linha de visão. Era uma sensação ridícula a de ficar nu e sozinho no frio, em cima de tábuas molhadas, debaixo da tina e com uma corda grossa na mão, sabendo que um puxão bem dado derramaria vários litros de água gelada em cima do seu corpo indefeso. Não era como apertar um botão cromado no chuveiro multissensorial do spa; era algo muito mais existencial e contraditório. Era como cometer suicídio. A corda e a viga onde a tina ficava suspensa conferiam ao ritual o aspecto de um enforcamento voluntário. Todo o corpo dele parecia gritar: *Não!* Mas a cada momento de hesitação ficava mais difícil tomar a iniciativa. Ele já começava a sentir o fogo que a sauna havia despertado no interior de seu corpo esmorecer. Se não se puxasse a corda de uma vez ele não a puxaria nunca, teria de se arrastar para dentro de casa, ainda empapado em suor, e ser motivo de deboche. Agora. Agora! Um, dois, três... PUXE!

No primeiro instante, tanto a temperatura quanto o peso da água foram um choque, como se uma pequena geleira houvesse caído em sua cabeça, cegando-o e fazendo-o fraquejar; então o frio o envolveu como se ele tivesse caído por um buraco no gelo ártico, e ele o respirou fundo e guardou tudo aquilo nos pulmões, incapaz de expelir o frio na forma de um grito, pelo que pareceram ser minutos; por fim, quando recobrou a capacidade de respirar, ele arfou, gritou, praguejou, pulou de um pé para o outro, agarrou a toalha e tentou, em vão, enrolar-se nela. Do lado de dentro, alguém abriu a cortina, a luz vazou para o deque e o rosto sorridente de Jakki apareceu do outro lado do vidro. Ele implorou para que ela abrisse a porta e, a muito custo cobrindo as vergonhas com a toalha, tropeçou no lintel e adentrou a sala.

"Meu Deus!", exclamou. "Que coisa mais brutal."

Jakki disse alguma coisa. Lionel, que havia trocado a toalha por um roupão e segurava um copo, ergueu a outra mão, onde trazia a garrafa de uísque que ainda continha alguns centímetros cor de âmbar no fundo, e disse alguma coisa que Desmond imaginou ser um convite para beber. "Não, obrigado, hoje eu não vou beber", agradeceu ele. Winifred, que estava lendo um livro, ergueu os olhos e disse alguma coisa. "Só um pouco, eu vou pôr o meu aparelho", disse ele. Então entrou no banheiro para colocar o aparelho auditivo e aproveitou para vestir uma camisa e um par de calças. Ele estava contente por Winifred ter observado a recusa do uísque. Sequer havia sentido necessidade de beber: seu corpo inteiro começava a pinicar com o calor agradável.

Então ele voltou para a sala. Jakki disse alguma coisa. Lionel disse alguma coisa. Winifred disse alguma coisa. Ele os encarou sem entender nada. "Acho que as minhas pilhas acabaram", disse ele. "Desculpem, eu já volto." Ele voltou ao banheiro. Era estranho que as baterias tivessem acabado ao mesmo tempo outra vez – talvez aquele lote estivesse com defeito. Ele pôs pilhas novas nos aparelhos e voltou para a sala. Winifred disse alguma coisa. Lionel disse alguma coisa. Jakki disse alguma coisa. Ele ainda não conseguia ouvir. Um medo terrível se apossou dele. Ele estava surdo. Surdo mesmo. Completamente surdo. O trauma de toda aquela água fria de repente encharcando sua cabeça quente deve ter tido um efeito catastrófico sobre as células capilares, ou sobre a parte do córtex que se liga a elas, cortando toda comunicação. Desmond imaginou alguma parte de seu cérebro se apagando, como uma câmara ou um túnel em que de repente todas as luzes se apagam para sempre. Ele viu sua preocupação refletida nos olhares ansiosos dos outros. Winifred disse uma frase que ele conseguiu ler em seus lábios: "*O que houve?*" "Eu estou surdo", disse ele. "Quer dizer, surdo de verdade. Não consigo ouvir nada do que vocês dizem. Acho que foi a ducha." Ela fez mais um comentário que ele foi capaz de ler em seus lábios: "*Eu avisei.*"

Levou quatro horas até que o medo passasse, quatro horas de um pânico e de uma ansiedade que ele esperava nunca mais sentir: mexendo desesperadamente no aparelho auditivo, limpando, tentando pilhas novas, tudo em vão; ele seguia incapaz de ouvir os comentários da esposa e dos amigos a não ser que eles os escrevessem ou movimentassem os lábios para transmitir as frases mais simples. Jakki sugeriu uma visita ao centro médico de Gladeworld e, quando ele retrucou que achava muito improvável que lá tivesse um otorrinolaringologista, ela disse que só estava tentando ajudar. Lionel ligou para a recepção e descobriu que o centro médico estaria aberto pela manhã, mas a única pessoa por lá era uma enfermeira. Eles acharam que seria difícil arranjar um médico para Desmond no primeiro dia do ano, e assim sugeriram o departamento de acidentes e emergências do hospital em uma pequena cidade industrial a cerca de trinta quilômetros. Winifred disse – na verdade escreveu – que ela não via por quê, mas de qualquer modo concordou em levá-lo de carro se ele achasse que pudesse adiantar alguma coisa, e foi o que ela fez, em silêncio sepulcral: manobrou por algum tempo nas ruas desertas até encontrar o hospital, ficou esperando com ele por duas horas e meia em uma sala cheia de pessoas machucadas ou aflitas pelas consequências das drogas ou das bebedeiras na noite anterior, que haviam passado o dia inteiro lá esperando, até que enfim fossem chamados por um jovem médico cansado que examinou os ouvidos dele com um espéculo, escreveu uma receita, entregou-a para ele e disse alguma coisa. Ele olhou para Winifred em busca de ajuda. Ela escreveu em um bloquinho: *O doutor disse: "Acho que a farmácia ainda está aberta, mas se não estiver, um pouco de azeite aquecido deve ajudar."*

Ele ficou examinando a receita. "O que é isso?", ele perguntou para o médico.

O médico escreveu alguma coisa em um pedaço de papel e empurrou-o para o outro lado da escrivaninha. Ele leu: *Um remédio para otite infantil. O calor da sauna derreteu a cera nos seus ouvidos e a torrente repentina de água fria solidificou-a como se fosse um tampão.*

Quando eles chegaram de volta ao chalé por volta das dez e meia, Jakki e Lionel disseram que o jantar no *Soi-Disant* estava delicioso.

17

3 DE JANEIRO. Ontem, quando chegamos do Gladeworld, havia várias mensagens truncadas e incompreensíveis de Papai na secretária eletrônica. Tive a impressão de que ele não entendeu que estava falando com uma secretária eletrônica, ou que talvez tenha esquecido como se faz isso, e em todas as vezes ele começou a falar antes que o meu recado terminasse de tocar, então as primeiras palavras ficavam de fora e eu só conseguia escutar um pedaço do que ele tinha dito antes que ele se irritasse porque ninguém estava escutando e desligasse. "*...não sei o que fazer com eles.... Alô? ...você está aí? ...Alô? ...[bip] ...afora os sons dela no andar de cima, eu acho que é... Alô? ...Você está me escutando? ...[bip] ...e o que aconteceu com a outra casa? ....Você sabe? ...O telefone ficou mudo outra vez? ...[bip] ...com toda aquela correspondência sobre impostos... você sabe o que... está escutando? ...Não. Pelo amor de Deus. [Bip.]*"

Liguei para ele. "Oi, Pai, estamos de volta."

"Por onde vocês andavam?"

"Em um lugar chamado Gladeworld."

"É mais um desses lares para idosos?"

Dei uma risada. "Não, é uma espécie de colônia de férias... fomos com um casal de amigos. Eu avisei que a gente ia passar uns dias fora."

"Eu passei o fim de semana inteiro tentando falar com você. Acho que o seu telefone está com algum problema. A linha não para de cair."

"É a secretária eletrônica, Pai. Você tem que deixar uma mensagem depois do bipe."

"Ah... Bom, é que eu recebi umas correspondências daquele sujeito, como é mesmo o nome dele... Moynihan, Mogadon, algo assim."

"Sobre os seus impostos?"

"É. Ele mora na Escócia, sabe, bem para a esquerda, onde ficam as ilhas."

"Cumbernauld. É perto de Glasgow. O escritório da Receita que cuida dos seus impostos fica lá."

"Isso mesmo. Eu recebi várias correspondências dele."

"Acho que são correspondências velhas, Pai. Sobre uma restituição. Eu já cuidei de tudo para você. Em algumas semanas você deve receber o dinheiro."

"Sério? Quanto?"

"Não sei ao certo. Algumas centenas de libras."

"Filho, essa é a melhor notícia que eu recebi em muito tempo. Obrigado."

"O que você pretende fazer com o dinheiro?"

"Esconder debaixo do assoalho. Não quero que a Receita descubra."

"Pai, você está *recebendo* esse dinheiro da Receita. É uma restituição. Você não precisa pagar imposto nenhum sobre o valor."

"Ah, então melhor ainda."

Ele desligou de bom humor, mas cerca de uma hora depois ele voltou a telefonar.

"Eu quero perguntar coisa para você", disse ele. "O que aconteceu com a outra casa?"

"Que outra casa, Pai?"

"A casa em Brickley."

"Você mora na casa em Brickley, Pai. Você está nela agora."

"É mesmo? Tem certeza?"

"Você está na Lime Avenue, em Brickley. Os Barker são os seus vizinhos."

"É mesmo", disse ele, após um intervalo. "Eu a vi do outro lado da cerca hoje de manhã. Mas afinal, o que aconteceu com a outra casa?"

"Que outra casa?", eu perguntei.

"Aquela casa geminada, grudada a todas as outras casas da rua. Com janelas coloridas na fachada."

"Essa é a casa em Dulwich onde você cresceu, Pai." Eu lembrava das janelas por causa das visitas à casa dos meus avós quando eu era pequeno – duas vidraças estreitas, uma amarela e a outra vermelha, e os retângulos coloridos que elas projetavam no piso azulejado do corredor com o sol da tarde.

"Ah, é? E quando é que eu vou para lá?"

"Você não vai para lá. Hoje a casa pertence a outra pessoa – isso se já não foi demolida."

"Ah... Aqui é tão silencioso. A única coisa que se ouve são os ruídos dela no andar de cima. Mas eu nunca a vejo. Por quê?"

"Você está falando da Mamãe?"

"Não, eu perdi a minha mãe. Ela morreu uns anos atrás, em Dulwich."

"É verdade", eu disse.

"Você está misturando as coisas, Filho", disse ele.

Liguei para o dr. Simmonds, o médico de Papai, e disse para ele que eu estava preocupado. O dr. Simmonds é um homem de poucas palavras, e o pouco que diz costuma ser desanimador, mas também é um profissional sério e dedicado e cuida de Papai há uns bons 25 anos. Ele prometeu que faria uma visita o mais breve possível e depois me telefonaria.

4 de janeiro. Hoje o dr. Simmonds ligou. "O seu pai está com uma leve demência", disse ele. "Eu vou agendar uma avaliação de saúde mental, mas pode demorar um pouco."

"Ele pode continuar morando sozinho?"

"Digamos que ele está no limite", respondeu Simmonds.

"Eu quero que ele venha morar em um lar para idosos aqui perto", eu disse. "Mas ele não quer nem ouvir falar a respeito."

"O instinto dele está certo", comentou Simmonds, para a minha surpresa.

"O lugar é muito agradável."

"Acredito. Mas os idosos têm um tipo de mapa mental da própria casa que os ajuda a fazer o que tem de ser feito quando tem de ser feito. Em um lugar estranho eles ficam totalmente desorientados."

"O que vai acontecer se ele piorar?"

"Alguém vai ter que cuidar dele. Talvez eu precise interná-lo."

"Meu Deus!" Tive uma visão de Papai sendo escoltado para fora da casa por homens de jaleco branco, com a sra. Barker observando tudo da soleira da porta e abanando enquanto a ambulância se afastava.

"Mas pode ser que não cheguemos a esse ponto", disse o dr. Simmonds. "Já ajudaria bastante se ele tivesse alguém para auxiliá-lo com as tarefas de casa. O serviço social pode providenciar alguém."

"Ele não deixa ninguém entrar", eu disse. "Ninguém que ele não conheça. Ele tem medo que possam roubar o dinheiro que ele tem guardado."

O dr. Simmonds estalou a língua. "O seu pai também tem um problema na próstata. Eu agendei um check-up para ele."

Como eu tinha imaginado, logo em seguida Papai telefonou.

"Hoje o velho Simmonds passou por aqui", disse ele.

"Uma gentileza e tanto da parte dele", disse eu.

"Eu não chamei ninguém. O que ele queria?"

"Não queria nada. Ele é o seu médico. Só passou aí para ver se você estava bem."

"Acho que ele quer me levar até o hospital para me operar."

"Não é nada disso, Pai."

"Mas ele marcou uma consulta para segunda-feira que vem. Acho que eu não vou aparecer."

"Pai, você precisa aparecer. É só um check-up."

"Ah, foi o que ele disse. Mas eu sei bem como são essas histórias de médico. Eles querem fazer experimentos em mim."

Passei vários minutos tentando convencer Papai de que o dr. Simmonds não tinha nenhum motivo profissional ou financeiro para participar de uma conspiração que fizesse o Sistema

Nacional de Saúde gastar o pouco dinheiro que tem em uma operação desnecessária, mas no final ele respondeu, "Você acredita nele, não é?"

"Acredito, Pai", eu disse.

"Então não me resta mais nenhuma esperança", disse ele, contristado. "Harry Bates está sozinho."

Pedi para ele parar com as bobagens. Então me ofereci para ir até Londres e acompanhá-lo durante as consultas, mas ele reagiu de forma negativa: "Você está pensando que eu sou o quê – uma criança? Eu posso muito bem ir ao médico sozinho."

"Então prove", eu respondi. "Vá."

"Vai depender de como eu estiver me sentindo na segunda", ele balbuciou. "Mas como você está?"

"Bem."

"Você não parece muito feliz", disse ele.

De fato, não estou. Com um pai senil e uma esposa que me ignora, eu não tenho como estar. Fred ainda está indignada comigo por eu ter arruinado nosso passeio ao Gladeworld, que eu descrevi em uma espécie de conto para tentar exorcizar toda a humilhação e a vergonha que eu senti. Acho que ela nem estaria falando comigo se não fosse porque eu não entendo a metade do que ela diz. Ela mal podia esperar para voltar à *Décor*, porque a loja está fazendo uma liquidação. Ela sai de casa cedo da manhã, volta tarde da noite e prepara um jantar rápido, ou então eu esquento algum congelado da Marks & Spencer's; ela declama um monólogo sobre o que aconteceu na loja, relatando palavra por palavra tudo o que a cliente desaforada disse para Jakki e tudo o que Jakki respondeu à cliente desaforada, e o que ela mesma disse para a cliente desaforada a fim de acalmá-la e o que disse logo a seguir para Jakki a fim de acalmar a *ela*, tudo para não ter de conversar comigo, e então toma um banho e vai cedo para a cama. Eu bebo vinho demais durante o jantar, adormeço em frente à televisão, acordo me sentindo aceso demais para ir para a cama e venho até o escritório para atualizar esse relato dos meus infortúnios. As decorações de Natal, que precisam ficar penduradas até a Epifania, compõem um cenário incompatível com a melancolia que eu sinto enquanto fico de um lado para o outro na casa vazia durante o dia, e o clima e as notícias fazem o tudo o que podem para baixar ainda mais o meu astral. Os chuviscos não me dão a menor vontade de sair de casa, ainda que as temperaturas estejam bastante altas para a primeira semana de janeiro em consequência do aquecimento global. E Saddam Hussein foi enforcado de uma maneira que fez um dos maiores tiranos de todos os tempos parecer uma pessoa digna, corajosa e ultrajada. Não, eu não estou feliz.

Lembrei de um comentário interessante sobre as colocações de *feliz* em um livro de linguística de corpus que eu resenhei alguns anos atrás e, depois de uma breve busca, consegui localizá-lo. Em um corpus pequeno, de um milhão e meio de palavras, as palavras lexicais mais comuns até três palavras antes ou três palavras depois de *feliz* eram *vida* e *fazer*. Não é nenhuma surpresa: todos queremos levar uma vida feliz e gostamos das coisas que conseguem nos fazer felizes. Algumas das outras palavras mais comuns foram: *completamente, casamento, dias, ficaria, lembranças, imensamente, triste, passou, sentia, pai, sinto, lar*. Chama-me a atenção a quantidade de palavras-chave relativas à minha própria busca da felicidade, ou da ausência dela, em especial os substantivos: *casamento, lembranças, pai, lar*. De todos os verbos, *sentir* é sem dúvida o mais frequente em relação a *feliz*, se somarmos as ocorrências de *sentia* e *sinto*. Como se poderia imaginar, o único adjetivo na lista, afora *feliz*, é seu antônimo, *triste*. Fiquei surpreso ao ver que os advérbios que com maior frequência qualificam *feliz* foram *completamente* e *imensamente* em vez de "bastante" ou "razoavelmente", por exemplo. Por acaso alguma vez nos sentimos imensamente, completamente felizes? Mesmo quando acontece, é por pouco tempo. A palavras mais interessante é *dias*. Não *dia*, mas *dias*. Larkin tem um incrível poema chamado "Dias" em que também aparece o adjetivo *feliz*.

Para que servem os dias?
Os dias são onde vivemos.
Eles vêm nos acordar
Manhã após manhã.
E neles somos felizes:
Onde vivemos senão nos dias?

A colocação familiar e nostálgica *dias felizes* não aparece no poema, mas é fortemente sugerida; ela ecoa em nossa mente durante a leitura e nos faz pensar no caráter transitório e ilusório da felicidade. Os dias em que vivemos são sempre uma decepção por não serem tão felizes quanto eram, ou quanto erroneamente acreditamos que eram "antigamente", nos "bons e velhos tempos". Mas onde vivemos senão nos dias?

Ah, resolver a questão
Faz o padre e o doutor
Em suas longas vestes
Correrem pelos campos.

Uma última observação sobre o que escrevi acima: ocorreu-me que as partículas de negação pudessem ter sido omitidas durante a análise das colocações de *feliz*, então eu conferi o pequeno corpus que tenho em CD aqui em casa e, como eu esperava, *completamente feliz* muitas vezes vem precedido de *não* ou de uma outra negativa, como *nunca*. Mas *imensamente* em geral aparece sozinho. Na verdade a distribuição é quase igual: *não completamente feliz* ocorre com a mesma frequência que *imensamente feliz*, e *completamente feliz* é tão raro quanto *não imensamente feliz*. Por que será? A linguística de corpus sempre revela quebra-cabeças como esse. Uns anos atrás eu procurei por *surdo* no maior corpus disponível de inglês escrito e falado, com cerca de cinquenta milhões de palavras, e a colocação mais comum, com cerca de dez por cento do total, era *cair em ouvidos surdos* (contando *cair* como lema, ou seja, como todas as formas do verbo). Não é nenhuma surpresa que a maior contribuição de *surdo* para a língua inglesa seja uma expressão que se refere à incompreensão estúpida ou a preconceitos renitentes; o mais curioso é o verbo *cair*, já que o ouvido humano é posicionado de forma a receber as ondas sonoras pelas laterais, não por cima. E o enigma não é exclusividade da língua inglesa. Uma rápida busca pelos dicionários revelou que o alemão tem a expressão *auf taube Ohren fallen*, o francês tem *tomber dans l'oreille d'un sourd* e o italiano tem *cadere sugli orecchi sordi.* Mais um assunto para um artigo que eu acabei não escrevendo nunca.

5 DE JANEIRO. Hoje recebi uma ligação inesperada de Simon Greensmith, um colega do British Council com quem eu não falava havia anos. Ele era um funcionário muito amigável do BC de Madri, que me mostrou a cidade e me levou para comer as melhores tapas quando eu fui dar palestras na Espanha. Depois ele passou um tempo no departamento de turnês especializadas em Londres e teve um papel decisivo na concretização das minhas viagens a vários outros países, pelo que eu me sentia muito grato. Depois ele foi promovido e transferido para Varsóvia, de onde me ligou. Após algumas breves felicitações de Ano-Novo e algumas perguntas bem-educadas sobre como eu estava e como eu tinha passado o Natal ele chegou ao assunto do telefonema. "É uma pequena emergência, Desmond. Espero que você possa nos ajudar." Ele explicou que um linguista de Lancaster, que faria uma breve turnê pela Polônia no fim de janeiro, falando sobre análise do discurso aos professores e alunos de pós-graduação nos departamentos de inglês de várias universidades, tinha sofrido um acidente sério de esqui na Alta Saboia alguns dias atrás e ficaria hospitalizado lá pelas próximas seis semanas. Simon queria saber se eu poderia substituí-lo. "Eu sei que está em cima da hora", continuou ele, "mas é a sua área de especialidade e eu imagino que você tenha várias palestras prontas que possa usar. São só dez dias e três lugares: Varsóvia,

Łódź e Cracóvia. E caso você nunca tenha estado em Cracóvia, a cidade é linda, Cidade Europeia da Cultura e tudo mais –"

"Eu nunca estive na Polônia", comentei.

"Mais um motivo. O país é muito interessante. A área de inglês está com a corda toda – você teria boas plateias. E seria ótimo ter a oportunidade de revê-lo."

"O único problema, Simon, é que eu não faço mais essas coisas. Eu estou surdo demais."

"Ah, eu sei que você tem um probleminha, mas a gente dá um jeito."

"Está muito pior do que na última vez em que nos vimos", eu disse. "Eu posso dar as palestras, claro, mas eu não consigo ouvir as perguntas."

"Nós podemos providenciar alguém que as repita para você."

"Mas a pessoa seria algum polonês que fala inglês com um sotaque carregado que eu não entendo. As vogais vão soar distorcidas e eu não vou ouvir as consoantes", expliquei. "Polonês, aliás, é praticamente virado em consoantes, não? Deve ser um inferno ser polaco e sofrer de surdez de alta frequência."

Simon estalou a língua. "Dá um certo trabalho aprender polonês", disse ele. "Mas, escute, nós podemos fazer um intervalo após as palestras e pedir que a plateia escreva as perguntas e repasse-as a você."

Ele foi muito insistente, e no fim eu aceitei. A verdade é que eu queria ser convencido. Eu queria ir para a Polônia – a bem dizer, para qualquer lugar, eu queria me ver longe da rotina monótona de dono da casa, dos problemas do meu pai levemente senil e das atenções perigosas de uma aluna sem escrúpulos; em qualquer lugar onde eu mais uma vez fosse respeitado, mimado e bem-tratado, com direito a todo o decoro que recebem os professores acadêmicos estrangeiros quando em visita. Como um caubói deficiente agonizando em uma aposentadoria compulsória, agarrei-me à chance de montar no meu cavalo para tocar a boiada pela última vez. Enquanto Simon falava eu já imaginava seu rosto sorridente no terminal do aeroporto, ao lado de um motorista de terno escuro, pronto para carregar a minha bagagem até a limusine do British Council; já me via bebericando um drinque e recebendo elogios nos coquetéis após as palestras, jantando em um restaurante elegante com lambris de madeira e toalhas de mesa brancas e iluminação indireta, ouvindo as explicações sobre uma igreja ou um castelo histórico dadas por uma acadêmica jovem e encantadora com inglês impecável...

"Ótimo!", ele exclamou quando eu disse que aceitava. "Vou dar a notícia ao pessoal de Londres agora mesmo. Eles vão providenciar o contrato e as passagens aéreas. Ainda hoje eu lhe envio o itinerário por email, e na semana que vem a gente fala sobre as suas palestras. Se preferir, você pode repetir a mesma nas três universidades, sem problema nenhum."

Acho que eu deveria ter consultado Fred antes de me comprometer, mas Simon tinha pressa. Era tarde de sexta-feira e ele estava ansioso para conseguir um substituto para o palestrante ferido antes que os escritórios de Londres e Varsóvia fechassem. Ele também ia passar o fim de semana esquiando. ("Cross-coutry", acrescentou. "É mais seguro.") Na minha agitação, eu não conseguia imaginar outra pessoa indo no meu lugar; e sem dúvida o meu subconsciente não queria dar a Fred a chance de me dissuadir.

Quando ela chegou e eu disse que estava fazendo as malas para viajar à Polônia, ela me relembrou de todos os contras que eu havia ignorado ao aceitar o convite. Ela me lembrou da frustração e do cansaço que eu tinha sentido ao retornar das minhas últimas viagens ao exterior, em boa parte causadas pela minha dificuldade para entender o que as pessoas diziam, não só nas perguntas durante as palestras, mas em todas as ocasiões sociais, e ainda comentou que a época não poderia ser menos propícia para uma viagem dessas – a Polônia estaria congelada em janeiro e a viagem não seria fácil. Três lugares em pouco mais de uma semana parecia um tanto puxado. Provavelmente eu pegaria um resfriado ou teria problemas estomacais por conta da comida e da bebida em excesso, como quase sempre tinha acontecido nas viagens anteriores, quando eu era mais jovem, tinha mais saúde e podia me dar ao luxo de ignorar indisposições leves. Em suma, ela achou que era uma má ideia.

"Bem, mas eu não posso mais voltar atrás", eu disse.

"Claro que pode", respondeu ela. "É só pegar o telefone."

Eu expliquei que já era tarde demais: eu não teria como falar com Simon antes de segunda-feira e, além do mais eu sabia que ele ficaria decepcionado com a minha desistência.

"Então eu só gastei saliva", disse ela, dando de ombros. "É melhor você avisar o seu pai; não estou a fim de ficar atendendo os telefonemas loucos dele enquanto você está fora." Eu respondi que ainda o visitaria em Londres antes de embarcar e que pediria ao dr. Simmonds para tomar conta dele durante a minha estada na Polônia.

6 DE JANEIRO. Um email de Alex com um anexo do que ela chamou de "pré-rascunho" de um capítulo chamado "A ausência de 'suicídio' e o suicídio como ausência", com a minha citação de Borges na epígrafe e algumas páginas de argumentos que mais ou menos repetiam os comentários que fiz de improviso no carro, quando a levei de volta para casa. Alex perguntou se eu achava que ela estava no caminho certo e escreveu, "Fique bem à vontade para completar as lacunas nas minha ideias e acrescentar quaisquer outros comentários pertinentes" – até agora, a tentativa mais descarada de fazer com que eu escreva a tese para ela. Senti uma certa satisfação ao responder que haviam me convidado em cima da hora para dar umas palestras na Polônia e que portanto eu estaria totalmente ocupado com os preparativos da viagem pelas duas semanas seguintes. Eu esperava uma resposta irritada, mas ela respondeu com tranquilidade: "Tudo bem, eu não tenho pressa. Talvez eu também esteja ocupada com preparativos – estou me candidatando a dar aulas neste semestre. A dra. Rimmer está de licença médica e o departamento vai selecionar um aluno da pós-graduação para assumir os compromissos dela. E parabéns pelo convite. Aproveite."

Fiquei surpreso ao ver que ela imagina ter alguma chance de dar aulas no setor de inglês, visto que para isso ela precisaria da aprovação de Butterworth.

7 DE JANEIRO. Hoje fiz os telefonemas tradicionais de domingo. Papai agora está totalmente confuso em relação à restituição do imposto de renda e aos títulos de capitalização do National Savings – tudo está misturado na cabeça dele, bem como a geografia da Grã-Bretanha. "Aquela carta que você mandou para o camarada lá no Norte, que você me deu uma cópia – sobre a competição, ou melhor, não é bem uma competição, mas você sabe, você compra nas agências de correio e o dinheiro fica rendendo por cinco anos... Eu não tive nenhuma notícia dele nesses últimos tempos, e nem sei se vou receber alguma coisa ou não... eles são um bando de salafrários lá em Blackpool, não, não é em Blackpool, é em uma daquelas ilhas na costa oeste da Escócia, em Sheppey, ou em Scilly, ou na Ilha de Man... Eu vou conferir os papéis hoje à noite, ver se consigo dar jeito neles..."

"Acho melhor não, Pai", eu disse. "Espere a minha próxima visita." Para mudar de assunto eu perguntei o que ele havia comido no almoço. "Um pássaro muito gostoso", disse ele. "Um frango?", perguntei. "Talvez tenha sido um frango bem pequeno", respondeu ele. "Eu comprei ontem no mercado. É só você apontar e eles servem uma porção." "E como você o cozinhou?", perguntei. "Coloquei no forno e tirei quando ficou com jeito de pronto. Comi com purê, meio tomate e um pouco de... Como é mesmo? Uma coisa verde." "Repolho?" "Não, repolho não. É parecido com repolho, mas se come cru." "Alface?" "Não, não é alface... tem uma pele meio dura, que nem a de um crocodilo..." "Pepino?" "Isso, isso mesmo, pepino! Eu cortei umas fatias, sabe, e pus uma pitada de sal e outra de pimenta em cima..."

Eu o lembrei da consulta com o dr. Simmonds amanhã e o tom da conversa de repente ficou mais sombrio. "Acho que ele quer me internar no hospital para uma operação", disse ele. "Não é nada disso, Pai", respondi. "É só um check-up." "Mas então o que ele quer comigo?" "Provavelmente só tirar uma amostra de sangue –" "Com uma agulha, não é? Eu detesto agulhas." "– e outra de urina." "Ah, isso vai ser bem mais fácil! Eu produzo uma amostra a cada cinco minutos." Fiquei contente de ver que ele não tinha perdido o bom humor.

Liguei para Anne. Ela está bem, apesar da dor nas costas. Eu contei da minha viagem para a Polônia, mas garanti que estaria de volta para o nascimento do bebê. "Então você está pensando em dar uma mãozinha no parto, Pai?", perguntou ela, de brincadeira. "Não, vou deixar tudo com Jim", respondi. "Mas eu gostaria de estar por perto." Ela apoiou a minha viagem. "Vai fazer bem para você, mudar de ares. Parece que ultimamente a sua rotina tem sido meio maçante." "O nome técnico é 'aposentadoria'", disse eu. Ela suspirou. "Você sempre gostou de fazer essas piadinhas terríveis, não é? E eu lembro que você sempre nos incentivava a fazer a mesma coisa com Mamãe quando éramos pequenos." "Foi um recurso educacional", eu respondi, "para que vocês tivessem gosto pela linguagem." "Você podia conseguir um emprego como autor de piadas para as bombinhas de Natal." "Graças a Deus estamos livres de toda essa função por mais um ano", eu comentei. Eu e Fred passamos a tarde desmontando a decoração de Natal, pondo-a em caixas de papelão que foram guardadas no sótão, passando a árvore de Natal pelas janelas francesas para colocá-la de volta no quintal e aspirando as agulhas espalhadas pela sala de estar.

Liguei para Richard e finalmente ele atendeu em vez da secretária eletrônica. Contei a ele sobre a minha viagem à Polônia. "Imagino que você já tenha estado lá", eu disse. "Sim, eu fui a uma conferência em Cracóvia uns anos atrás", disse ele. "A cidade é muito bonita – e não sofreu quase nenhum dano durante a Segunda Guerra – na verdade foi praticamente a única cidade polonesa a escapar da destruição. Tem igrejas lindas de todos os estilos – românicas, góticas, barrocas – o lugar é uma antologia de arquitetura." Richard é um cientista muito culto e sabe bem mais de arquitetura do que eu. "E, claro, Auschwitz é lá por perto", ele acrescentou.

"É mesmo?", perguntei. "Eu não sabia."

"É sim. Você deveria ir até lá."

"Eu não sei se vou ter tempo...", eu disse.

"Faça uma força para ir", ele insistiu. "Ninguém deve perder a chance de fazer uma visita àquele lugar."

Contei a ele sobre Papai e pedi que, se por acaso ele estivesse em Londres com tempo sobrando, aparecesse na Lime Avenue, em especial durante a minha ausência. Ele disse, sem muito entusiasmo, que faria o possível. "Mas ligue antes", eu o preveni, "senão ele pode nem reconhecê-lo. Talvez nem abra a porta."

Eu preferiria que Richard não tivesse me dito nada sobre Auschwitz. A notícia surgiu como uma nuvem negra sobre o prospecto da minha viagem. Eu já tinha lido a respeito, é claro. Sei que lá tem caixas cheias de sapatos e cabelos, câmaras de gás e fornos... mas não sei se eu quero ver essas coisas. Para mim não parece certo transformar o lugar onde tantas atrocidades foram cometidas em um museu, em uma atração turística. Eu li o bastante sobre o Holocausto – os livros de Primo Levi, relatos de outros autores, histórias sobre o Terceiro Reich – para me convencer de que a matança sistemática e a sangue frio de milhões de judeus pelos nazistas foi um ato de maldade sem precedentes. Não sei o que visitar um patrimônio histórico, com roletas e guias, como Auschwitz deve ser hoje, poderia acrescentar. Mas talvez eu esteja sendo preguiçoso e covarde. Nas palavras de Richard, havia uma insinuação de que essa visita é uma espécie de dever, uma obrigação: "*Faça uma força para ir... Ninguém deve perder a chance de fazer uma visita àquele lugar.*" Estou quase certo de que essa é a última chance que vai aparecer na minha vida, então acho que devo ir, nem que seja só para olhar para o meu filho de cabeça erguida quando eu voltar. Conferi o itinerário que Simon me enviou e descobri que eu tenho uma tarde livre em Cracóvia no meu último dia, mas uma visita a Auschwitz não é exatamente o fecho de ouro que eu esperava para a minha viagem.

8 DE JANEIRO. Hoje de manhã eu estava relendo as minhas anotações sobre palestras e seminários, selecionando material que eu possa usar na Polônia e gostando muito da sensação de estar mais uma vez concentrado em um trabalho intelectual útil quando fui interrompido por uma ligação de Colin Butterworth. "Eu ficaria muito grato se você tivesse tempo para nos encontrarmos ainda hoje", disse ele. Pelo tom da voz ele parecia tenso e preocupado. Eu disse que estava muito ocupado e expliquei meus motivos – foi muito bom mostrar para ele que a minha carreira acadêmica ainda não estava encerrada –, mas ele explicou que era urgente. Butterworth estava disposto a vir até a minha casa no horário que eu escolhesse – mas, segundo afirmou, o quanto antes, melhor. Perguntei se era alguma coisa a respeito de Alex e ele disse que sim, mas que preferia não tratar do assunto por telefone. Convidei-o para vir até aqui à tarde, em qualquer horário depois das duas.

Butterworth chegou às duas em ponto. Ele nunca tinha estado em nossa casa antes e fez alguns comentários elogiosos enquanto eu o acompanhava até o meu escritório. Eu disse que quase toda a decoração interna era obra de Fred. Ele pareceu aliviado ao saber que ela não estava em casa. Ofereci-lhe o lugar na poltrona e me sentei na cadeira da escrivaninha, mas puxei-a um pouco mais para perto a fim de ouvi-lo melhor. Ele estava vestido no estilo casual-elegante de sempre, mas tinha um pouco de caspa nos ombros do casaco e não estava bem barbeado. Seus olhos pareciam cansados. Ele tirou um maço de cigarros e perguntou se poderia fumar. Eu respondi que não.

"Você tem razão, é um péssimo hábito. Eu já larguei várias vezes, mas quando fico estressado... Frances está furiosa comigo." Ele guardou o maço de volta no bolso. "Se não me engano, você e Alex têm se visto com uma certa frequência", disse ele. "Ela disse que já é amiga da família."

"Eu diria que nem tanto", respondi. "Mas ela veio à nossa festa no dia 26. Talvez você saiba que ela pretendia passar o Natal em casa, já que o pai dela tinha mandado dinheiro para a viagem, mas os voos no Heathrow acabaram sendo cancelados e ela desistiu."

Butterworth pareceu surpreso. "Foi isso o que ela lhe contou – sobre o pai dela?" Quando eu respondi que sim, ele disse: "O pai de Alex se suicidou quando ela tinha treze anos."

Eu não estava certo de ter ouvido bem e pedi que ele repetisse essa informação surpreendente.

"Foi o que ela me contou – mas não há como saber se é verdade. Ela disse que vem daí o interesse pelos bilhetes de suicidas. O pai dela não escreveu nada. E ela está tentando descobrir por que ele se matou lendo os bilhetes de outros suicidas. Ao menos essa foi a teoria de um dos terapeutas dela."

"Para mim ela disse que tinha se interessado pelo assunto por causa de um ex-namorado que estava fazendo uma pesquisa sobre suicídio na área de psicologia", eu disse. "O namorado que escreveu aquele artigo."

"A questão é saber se ele foi mesmo namorado dela... Mas, enfim, não foi disso que eu vim falar com você. Alex se candidatou ao cargo de professor substituto que anunciamos no departamento, por causa da licença médica de Hetty Rimmer. É claro que ela nunca vai conseguir a vaga. Não teríamos como confiar os alunos da graduação a Alex e, além do mais temos vários candidatos mais merecedores. O problema é que ela não concorda com nada disso e está convencida de que a escolha está em meu poder. Talvez em outras épocas estivesse mesmo, mas hoje temos outros procedimentos..." Ele fez uma pausa e olhou na minha direção. "Eu peço que você trate essa conversa como assunto sigiloso."

"Tudo bem", respondi com a curiosidade ainda mais aguçada.

"No verão passado, logo depois que aceitei orientar Alex, mas antes de perceber que ela era uma pessoa instável, eu fiz uma grande besteira. Eu... er... eu tive um relacionamento impróprio com ela."

"Um relacionamento sexual?", perguntei.

"O ex-presidente Clinton responderia que não", disse ele com um sorriso sarcástico.

"Mas eu acho que a diretoria de relações estudantis teria uma opinião diferente. E a minha esposa também."

A história era familiar: um professor carismático e brilhante seduzido por uma jovem estudante atraente que o admirava e tinha algo a ganhar com o relacionamento. "Eu errei, é claro", continuou ele, "mas foi ela quem tomou a iniciativa; eu não usei a minha posição de professor para me aproveitar de uma aluna inocente. Afinal de contas ela tem 27 anos. É uma mulher-feita – ou pelo menos era o que eu achava. Foi uma época meio turbulenta para mim e para Frances..." Ele tirou o maço de cigarros do bolso com um gesto automático, lembrou da minha objeção e guardou-o de volta. "A primeira vez em que passei do limite foi quando, ao fim de uma supervisão, ela me beijou e eu a beijei de volta, em vez de afastá-la. Na vez seguinte o beijo foi mais demorado, com mãos aqui e acolá, e partir daí a coisa degringolou. Era muito excitante, porque quando marcávamos uma reunião nós dois sabíamos que ela acabaria com um beijo e carícias, e também por causa do risco envolvido. Um dia ela se ajoelhou, abriu o meu zíper e me chupou, com a porta destrancada e o pessoal caminhando de um lado para o outro no corredor externo. Ela fazia praticamente tudo, a não ser sexo propriamente dito. Mesmo quando eu comecei a frequentar o apartamento dela – ela mora em daqueles prédios novos pertos do canal –, ela se recusava a fazer sexo comigo. Mas ela gostava de apanhar. Foi nesse ponto que eu comecei a ficar preocupado. E para ser honesto eu também estava enchendo o saco de não conseguir uma trepada decente. Fiquei feliz quando vieram as férias de verão e nós – eu e Frances – fomos passar uns meses na Espanha. Quando nós voltamos eu avisei a Alex que teríamos de parar com o sexo. Me desculpei, assumi toda a culpa e não a acusei de nada, mas ela não ficou muito feliz. Eu pensei em pedir a outro colega que a orientasse, mas fiquei com medo de que ela pudesse abrir a boca. E basicamente é isso o que ela está ameaçando fazer agora, se eu não lhe der a vaga de professor substituto."

Então esse era o motivo daquela visita tão urgente. "Eu escrevi para ela as melhores referências que eu podia sem levantar suspeitas", disse ele. "Mas não consegui fazer a defesa dela na reunião hoje pela manhã. Ela é vista como uma pessoa estranha e não tem nenhuma produção acadêmica em linguística. Foi a primeira candidata a ser eliminada. A vaga vai para outra pessoa, como ela logo vai descobrir."

"Mas por que o senhor está me contando isso tudo?", perguntei, embora eu tivesse uma boa suspeita.

"Eu estava esperando que você pudesse convencê-la a não registrar uma queixa contra mim. Eu sei que ela gosta de você, que ela o respeita. Ela sempre fala de você com carinho. Acho que ela ouviria um apelo seu."

"Entendo", disse eu, e me calei, pensativo.

"Você deve estar se perguntando '*Por que eu faria uma coisa dessas?*'", disse ele.

"Eu estaria mentindo se dissesse que não", respondi.

"Você mal me conhece, não deve nada para mim, provavelmente condena o que eu fiz –"

"É verdade", eu disse.

"Mas isso poderia acabar comigo, você sabe. Não só com a minha carreira, mas com o meu casamento, com a minha família... Frances ficaria arrasada. E eu tenho duas filhas adolescentes, de treze e quinze anos. Imagine como ficaria a vida delas se isso viesse a público."

"O senhor acha mesmo que Alex pode formalizar uma queixa?"

"Eu não estaria aqui lhe contando tudo isso se eu achasse que não."

"Mas por que alguém levaria a queixa a sério, se todo mundo sabe que ela inventa histórias?", perguntei.

O rosto de Butterworth se contorceu. "Ela tem lenços de papel com o meu DNA, ou pelo menos diz que tem. Oportunidade para consegui-los não faltou." Ele deve ter percebido uma expressão de desgosto no meu olhar, porque logo emendou "Peço desculpas por estar incomodando você com o meu relato indecente, mas eu ficaria infinitamente grato se você pudesse falar com ela. O mais breve possível."

Eu respondi que pensaria no que fazer.

9 *DE JANEIRO*. Encontro com Alex no Pam's Pantry hoje à tarde. Desta vez ela já estava me esperando, sentada nos fundos da cafeteria onde havíamos nos encontrado da outra vez, com uma xícara de café nas mãos. O lugar estava quase vazio. Eu pedi um *latte* e fui me sentar com ela. Alex parecia um pouco mais pálida do que o normal, e seus cabelos loiros estavam fracos e sem vida. Talvez ela estivesse menstruada, mas o mais provável é que fosse resultado do jogo perigoso em que estava envolvida. Falei sem rodeios e resumi tudo o que Butterworth tinha me dito sobre o relacionamento deles, mas sem entrar nos detalhes sexuais. Ela me escutou sem esboçar nenhuma reação e no fim disse: "Eu não sabia que você e Colin eram amigos."

"Nós não somos", eu respondi.

"Mas os homens se apoiam nessas situações, né?"

"Escute", eu prossegui, "eu não gosto e nunca gostei de Colin Butterworth. Não me incomodaria nem um pouco se ele protagonizasse um escândalo ou tivesse que pedir exoneração. Acho que a conduta dele é inadmissível, mesmo que você tenha começado tudo." Percebi que ela não negou essa última acusação. "Mas se você for adiante e registrar uma queixa, ele não vai ser o único a sofrer as consequências. Pense na mulher a nas filhas dele. Ele tem duas filhas adolescentes. Você pode acabar destruindo uma família – e para quê? Você não vai conseguir o emprego. A vaga vai ser oferecida a outra pessoa."

"Como é que você sabe?", ela perguntou, irritada.

"Porque Butterworth me disse."

Alex balançou a cabeça e falou para as paredes. "*Filho da puta*", ela sussurrou.

"Acredite, ele não teria como escolher você, nem que quisesse. Então você não tem motivo para denunciá-lo. Você teria de passar por interrogatórios nada agradáveis – e ele teria um advogado pago pela UCU e acusaria você de chantagem. O que aliás é uma acusação verdadeira. E você também se sentiria humilhada e seria expulsa da universidade."

"Não existe nenhuma prova escrita", disse ela, voltando a me encarar. "Eu poderia negar tudo. Seria a palavra dele contra a minha."

"Mas a sua palavra não é muito confiável, certo, Alex?", eu disse.

"O que você quer dizer?", ela me perguntou.

"Você disse para Fred que o seu pai tinha mandado uma passagem aérea para você passar o Natal em casa. Mas para Butterworth você contou que o seu pai se suicidou quando você tinha treze anos. Afinal, qual dos dois é verdade?"

Alex olhou para baixo e mexeu o café, embora a xícara já estivesse pela metade e o conteúdo frio, e murmurou alguma através dos cabelos que cobriam seu rosto.

Eu me inclinei para frente por cima da mesa. "O que você disse?"

"O meu pai se matou de verdade", disse ela.

Eu expressei os meus sentimentos, mas disse que não entendia por que ela tinha inventado a história das passagens. Ela disse que estava junto com os alunos da pós-graduação depois de um seminário e o pessoal começou a falar sobre passar o Natal em casa, e assim que alguém lhe perguntou o que pretendia fazer ela inventou uma história sobre voltar aos Estados Unidos para passar o Natal com a família porque não queria admitir que passaria a data sozinha em casa. "Eu faço isso às vezes", confessou ela. "Eu invento uma história, conto uma mentira ou ainda uso algum artifício no calor do momento. Não consigo evitar. Não que para mim fizesse a menor diferença passar o Natal sozinha. Eu não tenho família. Minha mãe morreu de câncer cinco anos atrás, os meus avós estão todos mortos, a não ser por um, que sofre de Alzheimer... Eu e a minha irmã não nos falamos. Não tenho para onde ir nos Estados Unidos. Mas eu não queria que ninguém ficasse com pena de mim nem me tratasse com condescendência, então inventei esse idílio de visita familiar para o Natal, como os que aparecem nas capas do *Saturday Evening Post*. Afinal, ninguém saberia que eu estava no meu apartamento comendo comida congelada." Quando recebeu o convite de Fred, Alex queria desesperadamente aceitar, mas teve de continuar fingindo que voltaria para os Estados Unidos durante as festas. "Achei que seria legal se o meu pai me mandasse o dinheiro", disse ela. "Já que eu estava inventando um idílio, achei que eu poderia aproveitar ao máximo a oportunidade. Então eu acrescentei esse detalhe na carta que escrevi a Winifred. Assim tudo pareceria mais real. Quando o Natal veio e eu vi toda aquela gente presa no Heathrow, pensei que seria a desculpa perfeita para comparecer à festa de vocês."

"Quer dizer que você inventou todas aquelas histórias sobre o inferno no Heathrow com base nos noticiários?"

"Não foi difícil", disse ela. "Eu também leio os jornais."

"Sabe, você devia achar uma outra forma de usar essa criatividade toda", disse eu. "Você devia escrever ficção."

Alex esboçou um sorriso. "Quem sabe um dia", disse ela.

Perguntei por que ela havia explicado seu interesse por bilhetes de suicidas de duas maneiras diferentes para mim e para Butterworth.. "Elas não são excludentes, e as duas são de certa forma verdadeiras", explicou ela. "Foi o cara de Columbia que me deu a ideia de fazer pesquisa em linguística sobre bilhetes de suicidas. Mas é claro que eu também tinha um motivo psicológico. Sempre me incomodou o fato de Papai não ter deixado nada escrito. Nós nunca descobrimos o que aconteceu. Nem sabíamos que ele estava deprimido. Nunca descobrimos nenhum motivo, como por exemplo ele ter feito algo horrível e estar com medo de ser descoberto, ou ter sido diagnosticado com uma doença terrível, nada disso, nada mesmo. Ele simplesmente saiu de barquinho a remo em um lago perto da nossa casa, à noite, e se deu um tiro com um rifle de caça."

"Pode ter sido um acidente", eu disse.

"Encontraram ele com o cano na boca", disse ela, "e ao que tudo indica ele puxou o gatilho com o dedão do pé."

Será que essa é a verdade? Não tenho a menor ideia, embora eu tenha fingido acreditar, porque seria incrivelmente doloroso se eu não acreditasse. No geral me sinto inclinado a pensar que Alex contou a verdade. Um acontecimento tão traumático na infância explicaria muita coisa a respeito do comportamento de Alex, afora a obsessão por bilhetes de suicidas: as fantasias, a atração por homens mais velhos, o prazer que sente em manipulá-los e fazê-los sofrer. Também explicaria o tom de indiferença e por vezes até de desprezo com que ela fala sobre suicídio, bem como os comentários que fez sobre o *Guia para escritores*, fosse o site obra dela ou não. É óbvio que na adolescência ela amava o pai, mas ainda assim sentia uma raiva enorme dele pelo que fez – e ainda sente. "Como ele pôde fazer isso com a gente?", ela perguntou. "Se matar sem deixar nenhuma explicação. Nos deixar para sempre sem saber o que aconteceu, sem saber se de alguma forma foi nossa culpa. Ele quis que isso não acabasse nunca para nós. Nunca." Acho que Alex escolheu estudar os bilhetes de suicidas mais para da vazão à raiva que sente do que para decifrar um enigma.

Ao chegar em casa, telefonei para Butterworth e disse que eu havia falado com Alex e tinha quase certeza de que ela não faria denúncia alguma. Eu poderia ter falado com mais entusiasmo, mas eu não sentia a menor vontade de livrá-lo tão depressa, ou com tão pouco esforço, dos aguilhões da angústia. De qualquer modo, ele sentiu um alívio imenso e agradeceu muito por tudo o que eu tinha feito.

11 de janeiro. Em meio às recentes atribulações na minha vida, a aula de leitura labial é um paraíso de tranquilidade e de divertimento inocente. Hoje foi o reinício das aulas. Começamos falando sobre as liquidações de janeiro. Beth distribuiu tiras de papel com a frase "*Eu comprei... nas liquidações de janeiro*" e cada um tinha de completar a lacuna com um sintagma nominal (embora ela obviamente não tenha usado esse termo) e falar a sua frase apenas mexendo os lábios. Eu disse que tinha comprado camisas nas liquidações de janeiro, o que de fato eu devia ter feito, já que algumas roupas novas não me fariam nenhum mal durante a viagem para a Polônia. Beryl disse que ela tinha comprado algo que nenhum de nós conseguiu decifrar. No fim era um tapete chinês. Acho que foi o "chinês" que nos derrotou. Se tivesse sido um tapete persa, acho que todos teriam compreendido, mas "tapete chinês" não é um conceito muito familiar – embora hoje em dia tudo seja feito na China, talvez até os tapetes persas.

Depois tivemos uma sessão a respeito do Ano-Novo, mas por sorte ninguém precisou dar mais detalhes sobre como havia passado a data. Beth leu sobre a tradição da Primeira Pisada, primeiro sem voz, depois com. O homem a cruzar o limiar da porta depois da meia-noite deve ser alto e robusto, não pode ser coxo nem vesgo, precisa estar carregando um pedaço de carvão, um naco de pão e uma garrafa de uísque, mas não pode trazer consigo uma faca, ter pé chato nem usar roupas pretas ou falar antes de deixar o pão em cima da mesa, pôr o carvão na lareira e oferecer uísque ao dono da casa, quando então diz "Feliz Ano-Novo" e sai pela porta dos fundos. Parece que não há nenhuma exigência quanto a ouvir bem, então acho que eu poderia me candidatar.

Fizemos mais uma atividade com os homofemas *estágio* e *estádio*, que tínhamos de tentar resolver falando uns com os outros só mexendo os lábios. Mais uma vez Gladys foi a minha parceira. Acho que ela gosta de sentar perto de mim porque sabe que sou bem-educado e ela é muito competitiva – tão competitiva, na verdade, que muitas vezes esqueceu de falar comigo sem voz. As pistas eram bem fáceis: *Lugar onde se assiste a uma partida esportiva... Fase de um processo... Treinamento oferecido a profissionais com pouca experiência...* Uma que deixou todo mundo perplexo foi *Uma medida de comprimento.* Eu fingi não saber que a resposta era "estádio". Nada a ver com os jogadores de futebol, é claro – mas o estádio era uma medida usada pelos antigos gregos, que equivale a mais ou menos duzentos metros.

Depois do intervalo para o chá nós tivemos a palestra sobre cães-ouvintes com Trevor, que tem um desses animais. Ele levou o cão junto, um belo Jack Russell chamado Patch que se sentou aos pés do dono e deu a impressão de estar acompanhando a conversa, que ele sem dúvida já tinha ouvido em muitas outras ocasiões, uma vez que Trevor viaja o país falando para grupos como o nosso em nome da organização que treina esses animais. O treinamento de um único cão custa cinco mil libras, porque requer muito tempo e paciência. Eles aprendem a distinguir os vários sons diferentes da casa, como o despertador, o timer da cozinha, o telefone, o detector de fumaça e o alarme de incêndio. Ao escutar um som, os cães o identificam e então cutucam o dono com as patas para chamar a atenção deles e levá-los até a sua origem. Se for o detector de fumaça ou o alarme de incêndio, eles o cutucam e a seguir se fazem de mortos para sinalizar o perigo. Por razões óbvias, cães-ouvintes raramente latem, embora Trevor tenha dito que Patch às vezes dá uns latidos enquanto dorme. Patch tem um passaporte e uma identificação onde consta que ele pode entrar legalmente em restaurantes e lojas de alimentos, mas Trevor diz que mesmo assim já o proibiram de entrar em alguns lugares. Será que uma loja ou um restaurante proibiria a entrada de um cão-guia? Duvido.

Trevor deu a entender que era solteiro e, pensando melhor, se alguém tem uma esposa ou mora com outra pessoa não há necessidade de um cão-ouvinte. Fica claro que a companhia de Patch é tão importante quanto a ajuda prática que oferece. Dá uma sensação boa imaginar essa rede de cães espertos, treinadores dedicados e donos agradecidos na qual todos os envolvidos cedem e recebem coisas igualmente importantes, cumprindo seu papel em silêncio dia após dia, ano após ano, sem que o grande público perceba.

15 de janeiro. Não tive tempo de atualizar o diário na semana passada – ando muito ocupado com os preparativos da viagem para a Polônia, que começa depois de amanhã. Quando reli os meus artigos e palestras não publicados, achei que nenhum era bom o suficiente, então passei um bom tempo revisando e atualizando três deles.

Ontem tive notícias preocupantes a respeito de Anne. Ela teve um sangramento e está internada no hospital da maternidade em observação. Falei com ela pelo telefone e ela explicou que a internação foi apenas preventiva. Está tudo bem com o bebê, mas o médico quer evitar um nascimento prematuro. Mesmo assim, é impossível não ficar preocupado.

Deixei para avisar Papai na última hora – de propósito, porque eu sabia que ele ia ficar chateado e, quanto menos tempo ele tivesse para ficar remoendo o assunto, melhor. "Polônia? *Polônia?* Pelo amor de Deus, o que você quer naquele lugar? Todos os poloneses estão desesperados para vir para cá, pelo que eu leio no jornal. Eu nunca ouvi nada de bom sobre a Polônia. Achei que você já tinha parado com essas leviandades." Eu expliquei as circunstâncias e disse, com mais entusiasmo do que estou sentindo de verdade, que eu estava empolgado com a viagem. "Antes você do que eu", respondeu ele. "Como você vai até lá – de avião? Espero que não seja em um avião polaco." "Não, eu vou com a British Airways", eu disse, embora o meu voo de volta de Cracóvia fosse em um avião da LOT. O meu voo sai do Heathrow cedo da manhã e eu já reservei um hotel no aeroporto para a noite anterior, então quando eu for para Londres amanhã vou aproveitar a viagem e fazer uma visita a Papai. Ele pareceu mais calmo ao saber do meu plano.

18

18 DE FEVEREIRO. Não escrevi nada nas últimas quatro semanas porque passei a maior parte do tempo longe do computador e, quando chegava ao hotel, eu estava preocupado demais ou cansado demais para atualizar o diário. Durante a minha estada na Polônia eu fiz anotações sobre a viagem, mas agora não vou me prestar a transcrever minhas impressões de Varsóvia, Łódź e Cracóvia nem as notas sobre os meus encontros com professores e alunos poloneses. Tudo parece prosaico em comparação ao que aconteceu no fim da minha viagem e no meu retorno à Inglaterra, e é sobre isso que eu vou escrever agora. Sobre a viagem, basta dizer que as minhas palestras foram bem-recebidas e que eu lidei relativamente bem com o meu problema auditivo durante as palestras e os seminários – o mais difícil foram as ocasiões sociais informais, como restaurantes e recepções. A maioria dos poloneses que eu conheci falava inglês fluente, mesmo que às vezes tivessem sotaques desconcertantes e soassem como alguém do sudeste da Inglaterra ou do Brooklyn, dependendo de onde e com quem tinham aprendido a língua. Comi muita carne, caça e salsicha e bebi cerveja, vinho e vodca além da conta. Os poloneses e o British Council exigiram um bocado de mim e eu estava começando a me sentir cansado quando cheguei em Cracóvia.

A cidade é linda como todo mundo diz, mas eu não tive muito tempo para apreciá-la, já que estava às voltas com a Universidade Jaguelônica e o British Council Centre. Consegui ver a Basílica de Santa Maria por dentro, com o impressionante altar entalhado e pintado, o exterior do Palácio do Pano e a *Dama com arminho* de Leonardo da Vinci no Museu Czartoryski, além de outras atrações famosas, mas reservei a minha única tarde livre para ir a Auschwitz. Foi o meu primeiro erro, porque em janeiro o lugar fecha às três da tarde, conforme li no meu guia de viagem, já a caminho. Ninguém em Cracóvia me avisou quando eu comentei que ia passar a minha última tarde em Auschwitz. Ou – o que é mais provável – alguém me avisou e eu fingi ter ouvido, mas não ouvi. Fiz a excursão sozinho. Muitos voluntários se ofereceram para me mostrar a Cracóvia, mas ninguém quis me acompanhar a Auschwitz. Não é muito surpreendente, eu acho: se você esteve lá uma vez, provavelmente não vai querer voltar. Mas fiquei imaginando quantos dos poloneses que eu tinha conhecido haviam ido até lá. Quando eu falava sobre o meu plano eles acenavam com a cabeça e logo mudavam de assunto. Fiquei com a impressão de que para eles era um pouco constrangedor viver um uma linda cidade civilizada tão próxima a um lugar cujo nome é uma metonímia para "genocídio". Auschwitz foi declarado Patrimônio da Humanidade pela UNESCO, mas não é algo que a Polônia queira reclamar como parte de seu patrimônio, embora muitos poloneses tenham morrido lá.

Na manhã daquela sexta-feira eu dei uma palestra na universidade, tomei café com o pessoal da faculdade e só voltei para o hotel às 11h45. Simon Greensmith tinha sugerido que eu pegasse um táxi para ir e voltar de Auschwitz porque o transporte público é lento e inconveniente, e eu agendei um para as 12h15 na recepção, o que me deu tempo suficiente para comer um sanduíche no bar. Eu também tinha a ideia equivocada de que Auschwitz era perto de Cracóvia – meu segundo erro. Quando eu perguntei à jovem na recepção quanto tempo levaria ela respondeu "trinta minutos", mas o quanto mais a viagem se alongava, mais eu me convencia de ter ouvido errado – talvez ela tivesse dito "trinta quilômetros". Depois de alguns quilômetros de estrada até o aeroporto, a estrada até Oświęcim (este é o nome polonês de Auschwitz) transformou-se em uma pista única, bastante congestionada. Na noite anterior havia nevado, e os campos e as árvores estavam cobertos de neve virgem, mas a estrada estava um verdadeiro barral gelado, o que atrasava o nosso progresso. O meu táxi era um Fiat modelo antigo com um motor barulhento a diesel e amortecedores velhos. O motorista, um homem atarracado com uma jaqueta de couro, não falava inglês muito bem e parecia um tanto avesso a melhorá-lo com um pouco de prática. "Quanto falta?", eu ficava perguntando, e ele dava de ombros e resmungava e levantava as mãos do volante, como se quisesse dizer "Depende do tráfego". Perto de Oświęcim nós ficamos vários minutos parados em uma passagem de nível enquanto um enorme trem de carga com vagões fechados estrondeava pelos trilhos – um prelúdio sinistro à minha visita, porém mais um atraso frustrante. No fim a jornada levou bem mais de uma hora, e eu percebi que teria apenas uma hora e quarenta minutos para assimilar toda a realidade do mais terrível assassinato em massa da história.

Logo na entrada havia um Centro de Visitantes com fotografias, uma cantina e um cinema com filmes sobre a época de funcionamento do campo, que eu não tive tempo para ver. A entrada é grátis a não ser que você queira um guia pessoal, que eu dispensei. Eu avançaria no meu próprio ritmo, que teria de ser rápido a ponto de beirar o indecente. O famoso – ou antes infame – portão com a inscrição *Arbeit macht Frei* em ferro trabalhado é bem pequeno, e o aspecto físico do campo não deixa de ser um anticlímax comparado ao terror que você sente ao se aproximar, pois é algo fora de proporção com a enormidade dos crimes que lá foram perpetrados. O campo parece um daqueles projetos habitacionais construídos no período entreguerras, ou um acampamento militar – o que a princípio ele foi. Blocos de tijolo idênticos, com três andares, ficam dispostos como em uma grade, com árvores plantadas ao longo dos caminhos ou estradas entre um e outro. Eu não estava esperando árvores. Não havia muitos visitantes, acho que por causa da época do ano, e preferi seguir as pegadas impressas na fina camada de neve que cobria os caminhos e estradas a consultar o mapa no meu guia de viagem.

Alguns dos blocos haviam sido transformados em museus dedicados a aspectos particulares do campo – dormitórios sórdidos, camas com colchões de palha, infraestrutura mínima para a higiene, o rústico uniforme listrado de prisioneiro – ou a grupos étnicos e nacionalidades específicas que haviam sofrido naquele lugar. As paredes eram tapadas de retratos dos prisioneiros, fotografados com a proverbial eficiência germânica, de frente e de perfil. Os rostos são impressionantes: alguns parecem indiferentes, outros raivosos, outros loucos. Alguns até trazem um sorriso tímido, talvez na esperança de ganhar a simpatia dos algozes. O bloco II era o bloco dos castigos. Lá estão as minúsculas "celas de ficar em pé", nas quais era impossível deitar, e outras salas equipadas com bancos para açoitamento e ganchos para suspender prisioneiros com os braços amarrados para trás. Lá, homens e mulheres condenados à morte eram obrigados a tirar toda a roupa e a marchar até a rua para serem mortos a tiros contra o muro, com as janelas do bloco adjacente cobertas para que ninguém testemunhasse as execuções. Junto ao muro do campo fica o crematório onde os corpos eram queimados e onde também havia uma câmara de gás. Alguém havia deixado uma coroa de flores ao lado dos fornos. E havia um bloco de partir o coração, chamado "Extermínio", com pilhas de cabelo feminino, roupinhas infantis e sapatos, tudo exposto em vitrines.

Eu tinha lido no meu guia que Auschwitz na verdade abarcava dois campos – aquele onde eu estava, que havia sido planejado como campo de concentração, onde os prisioneiros trabalhavam até caírem mortos e eram tratados com extrema brutalidade, e um campo maior, chamado Auschwitz-Birkenau, onde a política de extermínio era praticada. Eu tinha imaginado que os campos eram contíguos, mas o taxista havia me informado que Birkenau ficava a dois ou três quilômetros de distância. Ele disse que poderia esperar no estacionamento perto do Centro de Visitantes para me levar até lá. Enquanto a luz vespertina do inverno esvaecia, eu apertava o passo no campo principal, temeroso de chegar tarde demais a Birkenau. Eu me sentia incompetente e estúpido por ter me preparado tanto para aquela visita a contragosto e, no entanto, ter acabado com tão pouco tempo para absorver tudo, e amaldiçoei a minha audição problemática, que sem dúvida tinha sido a culpada pela falha. Eram quinze para as três quando deixamos o campo principal, e eu estava torcendo para conseguir visitar Birkenau por pelo menos cinco minutos, ou ao menos para conseguir ver o campo por fora antes que a noite caísse. Cinco minutos para Birkenau: a frase parecia resumir a minha loucura.

Quando chegamos lá o meu relógio já marcava três horas. O lugar estava quase deserto, com apenas uns poucos veículos no estacionamento. Não havia Centro de Visitantes, roletas nem funcionários à vista, e poucas luzes brilhavam nas janelas da construção de tijolos que forma a entrada de contornos familiares, vista em filmes e fotografias, com um desenho tão banal que o prédio poderia ter sido construído com blocos de montar: uma guarita na entrada, com uma ala para cada lado, empoleirada no alto de uma arcada por onde um trilho de trem passa para o interior do campo e continua em direção ao horizonte, ao infinito, que é para onde quase todo mundo que chegava lá de trem acabava indo muito em breve. A arcada estava fechada com uma grade de ferro. "Está fechado", disse eu, desanimado, para o motorista. "Não, o senhor pode entrar. Eu espero", disse ele, e apontou para a entrada na lateral da construção.

Parece que, embora o horário oficial de fechamento seja o mesmo do campo principal, em Birkenau os visitantes podem se demorar mais um pouco e andar pelo campo sem nenhum tipo de supervisão. Eu me juntei aos poucos que ainda estavam lá naquela tarde fria. A primeira coisa que me chamou a atenção quando entrei foi a imensidão do lugar, que se estende até onde a vista alcança à direita da linha de trem, com fileiras e mais fileiras de cabanas marcadas apenas pelas fundações e pelas chaminés de tijolo que se erguem do centro de cada retângulo, como caixões alongados. A maioria das cabanas foi destruída pelos alemães antes que fossem embora, saqueada pelos poloneses em busca de madeira após o fim da guerra ou desgastada pelo vento e pelas intempéries ao longo dos anos, mas algumas foram preservadas para dar uma ideia de como era habitá-las. Cheias de buracos nas paredes, com chão de terra batida, beliches rústicos de madeira e um pequeno fogão, aquelas estruturas devem ter sido sufocantes no calor do verão e gélidas no inverno. Aqueles eram os dormitórios dos prisioneiros tidos como fortes o bastante para trabalhar, mas não construções feitas para abrigar seres humanos por muito tempo.

Um caminho se estende ao longo da ferrovia e da plataforma onde os trens descarregavam a carga humana que transportavam, e placas informativas explicam em vários idiomas o que acontecia a seguir: os homens eram separados das mulheres e das crianças, e a seguir vinha a separação feita pelos médicos da SS, que decidiam quem poderia viver mais um pouco e quem marcharia direto para as câmaras de gás no outro extremo do campo, acreditando – ou querendo acreditar – no que lhes diziam: que poderiam tomar um banho, o que, após dias em um vagão para transportar gado, fazendo as necessidades em um balde, deve ter parecido um prospecto bastante animador. Horas após a chegada estariam todos mortos e cremados – milhares de pessoas por dia, e mais de um milhão no total.

Alguém já disse que não existem palavras adequadas para descrever o horror do que aconteceu em Auschwitz e em outros campos de extermínio cujos vestígios foram apagados em maior grau pelos nazistas em retirada. Tampouco existem pensamentos ou reações emocionais adequadas que sejam suficientes para o visitante cuja vida não teve nada sequer remotamente comparável. Você sente pena, é claro, e tristeza, e raiva, mas comparados à enormidade da desolação que o lugar evoca todos esses sentimentos parecem tão ínfimos quanto uma lágrima derramada no oceano. Talvez as lágrimas oferecessem algum consolo, mas a exemplo de Richard eu não costumo chorar. No fim, talvez a melhor coisa a fazer seja adotar uma postura de humildade perante o que se passou naquele lugar e sentir uma gratidão eterna por não ter sido engolido naquela voragem do mal, seja como vítima ou cúmplice. Por acaso – graças à minha própria incompetência – eu absorvi a experiência de Auschwitz de uma forma que eu jamais iria esquecer.

No início eu vi outros visitantes, a maioria em duplas ou pequenos grupos, caminhando ao lado da ferrovia, ou passando por entre as cabanas preservadas; vários deles passaram por mim em direção à saída. Mas à medida que eu adentrava o campo, enquanto a luz natural esvaecia, o escuro começava a tomar conta do panorama e a temperatura se aproximava de zero, o número de pessoas à vista ficava cada vez menor e o som das vozes cessava, até que por fim tive a impressão de estar completamente sozinho. Em circunstâncias normais eu teria tirado o meu aparelho auditivo para dar um descanso aos ouvidos; mas eu os mantive no lugar porque eu queria ouvir o silêncio, interrompido apenas pelo estalar dos meus sapatos na neve congelada, pelos latidos ocasionais de um cão ao longe e pelo apito melancólico de um trem. Lâmpadas montadas em altos postes iluminavam o caminho e derramavam um pouco de luz sobre a ferrovia e a fundação de uma das cabanas mais próximas, coberta de neve. As silhuetas negras das chaminés nuas delineavam-se contra o fundo branco em fileiras cada vez mais distantes, até que as formas se perdessem na escuridão. Parecia impossível ver o fim do campo – ele dava a impressão de continuar até o infinito. Depois de um tempo caminhando ao longo da ferrovia, cheguei ao memorial às vítimas de Auschwitz, que fica entre as câmaras de gás e os crematórios que os alemães dinamitaram antes de bater em retirada diante do avanço do exército russo. As estruturas continuam intactas – pilhas de tijolos e lascas de concreto armado. Num nicho em meio às ruínas, alguém tinha depositado uma pequena vela ou lamparina, do tipo que se costuma ver em igrejas, e talvez também em sinagogas, dentro de um recipiente de vidro vermelho. A frágil chama bruxuleante era a única luz naquela parte do campo e o único sinal de vida no panorama de morte. Eu quis que aquela pequena vela continuasse ardendo noite adentro. Passei alguns minutos observando a chama, até que o frio começasse a enregelar-me os ossos; então voltei pelo mesmo caminho. O meu táxi estava sozinho no estacionamento, com o motor ligado para manter o ar quente funcionando. Fui a última pessoa a sair de Auschwitz naquele dia.

Pedi desculpas ao motorista por tê-lo feito esperar. Ele deu um resmungo e engatou a primeira, fazendo as rodas de trás patinarem na neve ao acelerar. Fiquei agradecido pelo silêncio no interior do táxi enquanto fizemos o trajeto de volta até Cracóvia. Eu queria repassar na minha cabeça o que eu tinha visto naquela tarde para garantir que tudo ficasse devidamente gravado. Eu tinha combinado de jantar com o secretário de idioma do British Council à noite, mas achei melhor telefonar e cancelar o encontro. Não seria nada formal, apenas um encontro para que eu tivesse companhia na minha última noite, mas eu não me sentia disposto a conversar sobre a minha viagem a Auschwitz e também não queria falar a respeito de mais nada. De repente senti vontade de estar de volta em casa e relatar tudo aquilo a Fred. Eu só tinha feito dois telefonemas para casa, de Varsóvia e de Łódź, e nós falamos pouco nas duas vezes. Se eu uso os telefones do hotel com o meu aparelho auditivo no lugar eu fico escutando uma microfonia terrível, e é uma luta para entender o que Fred está dizendo sem usá-los. Ela me contou que Anne tinha recebido alta e o médico havia lhe dado orientações para ficar em repouso – nada de preocupante. Ela também tinha ligado para Papai e ele pareceu um pouco confuso, mas bem. Ele perguntou quem era Richard. "*Um tal de Richard disse que vai aparecer por aqui – o que você acha que ele pode querer comigo?*" Ela explicou. Fiquei alegre ao saber que Richard tinha pegado a minha deixa.

Cochilei no banco traseiro durante o viagem de volta: o táxi estava quentinho e eu me sentia exausto. Acordei com uma freada brusca em um cruzamento perto do centro da cidade. Era tarde de sexta-feira, as calçadas estavam apinhadas de gente e luzem brilhavam em vitrines cheias de comida, laptops e roupas esportivas de marca. Auschwitz parecia tão distante quanto a lua. Quando chegamos ao hotel eu paguei o taxista e lhe ofereci uma generosa gorjeta, que serviu para fazê-lo abrir o primeiro sorriso do dia. A garota da recepção também me cumprimentou com um sorriso. "Tenho uma mensagem para o senhor, professor", disse ela, puxando uma folha dobrada dos escaninhos às suas costas. "Eu mesma atendi a ligação. Parabéns!"

Desdobrei o papel. "*Sra. Bates ligou às 15h15. Sua filha deu à luz um menino. A mãe e o bebê passam bem.*"

Fui até o meu quarto e liguei para Fred, que me repassou todas as informações recebidas de Jim: o bebê havia nascido naquela manhã, dois meses prematuro, pequeno (dois quilos e meio) mas saudável, o parto durou seis horas, Anne estava exausta mas feliz, Jim tinha assistido e estava nas nuvens, em suma, só boas notícias. "E como está você, querido?", Fred perguntou, quando esgotamos o assunto do bebê. "Estou bem", respondi. "Hoje eu estive em Auschwitz." "É mesmo?" Ela parecia surpresa: eu não tinha falado nada sobre o meu plano para o caso de eu desistir. "Foi muito horrível?" "Foi inesquecível", eu respondi. "Eu lhe conto tudo quando eu voltar para casa." "Claro, querido, é melhor", disse ela. "Não vamos estragar o nascimento do seu primeiro neto com um assunto tão mórbido. Eles vão batizá-lo de Desmond, a propósito." "Pobrezinho", comentei, embora no fundo eu estivesse lisonjeado.

Liguei para o colega do British Council e cancelei nosso jantar. Ele sabia onde eu tinha estado naquela tarde e se mostrou compreensivo. "Muita gente prefere passar um tempo sozinho depois de ir até lá", disse ele. Contei-lhe sobre o bebê de Anne. "Que ótima notícia!", ele exclamou. "Isso vai alegrar você um pouco." Ele tinha razão, mas eu não sabia muito bem como equacionar a minha alegria pessoal e a experiência de Auschwitz – uma vida contra milhões de mortes. Não me pareceu apropriado comemorar sozinho com a champanhe do frigobar. Em vez disso, pedi um jantar no quarto e uma garrafa pequena vinho tinto búlgaro e, enquanto esperava a comida, aproveitei para tomar algumas notas que consultei para escrever este relato.

O meu voo no dia seguinte era às duas e meia, então eu teria tempo livre pela manhã para fazer umas compras. Comprei um pingente de âmbar para Anne e um broche antigo de prata para Fred e alguns brinquedos bonitos de madeira para Daniel e Lena em uma banca em frente ao mercado – um camelo articulado que descia uma rampa me chamou particularmente a atenção. Voltei ao hotel feliz com as minhas aquisições e fui até a recepção avisar que logo eu desocuparia o quarto. O funcionário em serviço me entregou uma mensagem anotada em papel: "*Por favor ligue para a sua espoza com a maior urgentidade possível.*"

Meu primeiro pensamento me deu um aperto no coração: *aconteceu alguma coisa com o bebê de Anne.* Acho que eu fiz uma oração peticionária em silêncio enquanto subi correndo até o meu quarto, e posso dizer que ela foi atendida – mas não de forma a me livrar da ansiedade. Não era nada com o bebê de Anne – mas com Papai. "O seu pai está no hospital – os médicos acham que foi um derrame", disse Fred quando eu consegui falar com ela. Eu não captei tudo o que ela estava dizendo no maldito telefone do hotel, mas consegui entender o que estava acontecendo. Conforme o combinado, Richard passou pela Lime Avenue naquela manhã, bateu na porta, não foi atendido, pediu informações aos Barker, que não souberam dizer nada, pulou o portão dos fundos e espiou pelas janelas francesas, quando descobriu Papai caído na sala de jantar ao lado da televisão, que estava ligada. Richard pegou um cinzel na casinha de ferramentas no jardim, usou-o para abrir as janelas, viu que Papai estava inconsciente e chamou uma ambulância. Os paramédicos achavam que era um derrame, e não um infarto. Richard tinha ligado para Fred para avisar que estava indo na ambulância de Papai até o hospital, e ela me ligou na mesma hora. Mais ela não sabia dizer. "Graças a Deus achei você no hotel, querido. Assim você pode ir do Heathrow direto para o hospital." Eu tinha pensado a mesma coisa.

Já era noite quando cheguei ao Tideway Hospital, suando dentro do meu sobretudo pesado por causa da noite quente que fazia em Londres e arrastando a minha maleta de rodinhas. As recepcionistas me disseram que infelizmente não poderiam tomar conta da maleta por motivos de segurança, então eu tive de carregá-la comigo até a ala geriátrica onde Papai estava. Os idosos, reclinados nas camas em vários estágios de debilidade e demência, encararamme alarmados quando passei com o sobretudo preto e a maleta rolando no piso de vinil atrás de mim, como se temessem que eu fosse um agente funerário prestes a tirar suas medidas. Richard, que estava sentado ao lado de Papai, explicou que ele estava na ala há pouco mais de uma hora e que os dois tinham esperado horas no setor de emergência até que Papai fosse examinado por um médico. O aspecto de Papai era de dar pena: ele tinha um hematoma na lateral do rosto – resultado da queda – e uma bandagem na testa. Parecia debilitado e confuso, e haviam retirado sua dentadura. Uma agulha de soro estava espetada nas costas de sua mão, e um aviso ao pé da cama dizia "*Nada por via oral*". Parece que vítimas de derrame têm dificuldade para engolir e podem se engasgar com a própria língua. Papai me reconheceu e balbuciou algumas palavras. Acho que ele disse algo como "muito mal".

Richard me deu mais detalhes sobre a história que eu já tinha ouvido de Fred e depois disse que precisava voltar a Cambridge. Agradeci por tudo o que ele havia feito. Eu nunca tinha pensado em Richard como um homem de ação, capaz de pular um portão e arrombar uma casa, mas ele lidou de maneira exemplar com a emergência. Não havia como saber quanto tempo Papai tinha ficado desacordado no chão da sala de jantar, mas a televisão ligada dava a entender que a queda podia ter acontecido à noite. Fred tinha falado pela última vez com ele na noite de quinta, e os Barker não o tinham visto na sexta, então ele podia ter caído na quinta depois do telefonema de Fred ou na noite de sexta. Mas ele poderia ter ficado mais um dia inteiro no chão se não fosse pela visita de Richard. "Tchau, Vô", disse Richard, pegando a mão livre de Papai e recebendo um apertão e alguns balbucios, talvez em agradecimento. Eu fiquei mais um tempo com Papai, lembrando-o de que eu tinha estado na Polônia e dando-lhe as notícias sobre o bebê de Anne, mas ele não prestou atenção e não esboçou reação alguma quando eu disse "Agora você é bisavô". Ele apenas ficou olhando para o tubinho do soro preso ao seu pulso, virando a mão repetidas vezes, aparentemente sem entender muita coisa, imaginando como aquilo tinha ido parar lá. Não havia nenhum médico com quem eu pudesse falar, então avisei à enfermeira que eu voltaria pela manhã. Ela perguntou se eu poderia levar artigos de higiene pessoal, um roupão, um cardigã e chinelos para Papai.

Passei a noite na casa da Lime Avenue. Eu sabia onde encontrar um molho de chaves sobressalentes, enterrado em uma latinha debaixo do arbusto de lavanda junto à porta da frente justamente para emergências como essa. A casa parecia ainda mais triste do que de costume quando entrei: escura, gelada, malcheirosa. Liguei a calefação e o radinho a transistor na cozinha engordurada para aliviar o silêncio sepulcral enquanto eu preparava um jantar com bacon e feijões enlatados. Liguei para Fred para dar notícias de Papai, e depois para Anne, no hospital *dela*, para dar uma versão resumida das mesmas notícias e para cumprimentá-la pela chegada do bebê. É claro que ela ficou chateada ao saber do que tinha acontecido com Papai e lamentou não poder ajudar, mas eu percebi que naquele instante o que mais a preocupava no mundo era conseguir fazer o bebê mamar.

Fiz a cama no quarto dos fundos, o quarto que tinha sido meu durante a minha infância e a minha adolescência, e também durante as férias na minha época de universitário. Quando eu saí de casa de uma vez por todas, Papai usou o quarto para seus mais diversos hobbies, e as evidências ainda estavam espalhadas pelo cômodo: um tripé, pinturas a óleo de paisagens rurais copiadas de cartões-postais e naturezas mortas que ele mesmo havia composto; vasos e potes de cerâmica "antigos", um ou dois deles com lascas e rachaduras; uma pilha de velhas revistas de golfe; livros sobre caligrafia, um livro em brochura chamado *Como ganhar dinheiro no mercado de ações* e uma foto dele no West Pier, em Brighton, sorrindo e segurando um enorme robalo, o maior peixe que ele fisgou na vida. Acima do friso e da lareira tapada com tábuas ainda havia um vestígio da minha presença – uma espécie de mural com o distintivo vermelho e branco do Charlton Athletic, o time para o qual eu torcia quando garoto, tendo por fundo um campo de futebol, tudo executado com tintas para cartaz do alto de uma escada quando eu tinha catorze anos. Papai gostava muito da pintura e não conseguiu reunir coragem para pintar por cima dela quando redecorou o quarto. Foi a última coisa que eu vi antes apagar a luz de cabeceira. O colchão era macio e tinha uma textura irregular, mas eu o esquentei com uma bolsa d'água e, no meu estado de cansaço, não tive a menor dificuldade para pegar no sono.

Voltei ao hospital no dia seguinte, levando comigo as coisas que me haviam pedido. Papai estava sentado na cadeira ao lado da cama, usando o robe desbotado que alguém havia lhe oferecido e espremido atrás de uma mesa portátil que haviam enfiado debaixo da cama. A enfermeira me explicou que era para evitar que ele caminhasse, o que ele já havia tentado. Papai também havia causado um certo tumulto à noite quando arrancou o soro e tentou bater na enfermeira que pôs uma agulha nova no lugar. Ele ainda estava com o olhar fixo no tubo preso ao pulso, virando a mão repetidas vezes. Ele pareceu me reconhecer, mas demonstrou um interesse muito maior pelo carrinho do chá que se aproximou da cama. Papai podia consumir líquidos desde que alguém o ajudasse, então eu segurei um copo de chá morno com tampa diante de seus lábios. Ele bebeu com vontade, mas boa parte do líquido escorreu de sua boca e molhou o peito da roupa do hospital. Pouco falou, e quase tudo o que disse era incompreensível.

Depois conheci o dr. Kannangara, o geriatra responsável por Papai; um asiático baixinho e rechonchudo com óculos sem armação e um rosto redondo e impassível, que confirmou o diagnóstico de derrame. Ele disse que Papai ficaria algumas semanas em observação e depois seria transferido para uma unidade geriátrica com enfermeiras. Havia certos procedimentos burocráticos a cumprir, e mais tarde o pessoal da previdência me explicaria melhor. Perguntei se ele não poderia ser levado de ambulância para um lar de idosos próximo à nossa casa se eu conseguisse encontrar um e o doutor pareceu surpreso com a ideia, mas disse que achava possível. Perguntei se Papai voltaria a falar, mas ele respondeu que seria improvável. Ele está com o lado direito do corpo paralisado, o que indica que o hemisfério cerebral afetado foi o esquerdo, responsável pelas funções de linguagem.

Era deprimente imaginar que provavelmente eu nunca mais teria uma conversa com o meu pai, mas o que me consolou foi que durante a minha última visita, já a caminho da Polônia, ele tinha parecido mais calmo e muito mais lúcido do que de costume e me surpreendeu com verdadeiras façanhas de memória a longo prazo, que surgiram como raios de sol por entre as nuvens, iluminando pequenos detalhes de um cenário obscuro. Perguntei qual era a lembrança mais antiga que ele tinha, e Papai respondeu que era a de estar nos ombros do pai dele, indo até uma tabacaria para comprar cigarros. "Ele pediu ao sujeito da tabacaria vinte Wills' Gold Flake e o homem os tirou da prateleira e entregou-os para ele. Bem, como você sabe o nome do meu pai era Will, então eu pensei que os cigarros eram feitos especialmente para ele. Ele riu. E ele tinha um irmão chamado Alf, que tinha um nariz de bêbado, sabe, com as veias estouradas, e eu chamava ele de 'o tio com letras no nariz'... Isso também os fazia rir." Ele até desencavou umas histórias sobre o início da carreira de músico que eu nunca tinha ouvido antes. "Teve uma época em que eu tinha dois trabalhos à noite – a banda no 53 Club perto da Regent Street, que abria pelas nova horas, e antes disso, no caminho até o West End, eu costumava tocar em uma escola de dança no Elephant and Castle – eles chamavam de escola de dança, mas na verdade o nome era uma desculpa para ter um salão de dança sem pagar os impostos sobre entretenimento. Era um trio: piano, bateria e eu no sax e no clarinete, um esquema de ritmo, rápido rápido devagar, eu conseguia tocar tudo até dormindo, e inclusive ficava lendo enquanto soprava, com o livro apoiado na estante, ninguém no salão conseguia ver... mas o dinheiro era bom. Eu estava economizando para casar. Não que eu tivesse pressa, mas a sua mãe tinha. Um dia ela me perguntou, 'Quando nós vamos nos casar? Mamãe e Papai querem saber.' Então eu disse uma data e depois precisei pensar em juntar uns trocados no banco. Mas eu larguei a escola de dança depois do casamento. Eu e Norma quase não tínhamos tempo para nos ver." A lembrança o deixou um pouco melancólico. "Acho que ela nunca pôde aproveitar a vida sendo casada com um músico que trabalhava de noite e quase todos os domingos em casamentos judaicos. Ainda mais depois que você veio. Mas ela nunca reclamou." Eu lembrei de como Maisie se sentiu mal quando foi apresentada à nossa família e percebeu o quão limitada era a vida de Mamãe, reduzida a uma existência de segunda mão graças às notícias que o marido músico e o filho acadêmico lhe traziam do mundo lá fora. "Ela se tornou escrava de vocês dois", Maisie costumava dizer, e olhando para trás eu acho que ela tinha razão, mas já era tarde demais para avisar Papai, e eu não queria soar nenhuma nota dissonante na melhor conversa que eu estava tendo com ele em muito tempo.

Embora a situação fosse desconfortável e deprimente, fiquei mais alguns dias na casa de Londres para poder vê-lo no hospital. Era um típico hospital do Sistema Público de Saúde em um local pouco privilegiado: superlotado, precisando de móveis novos e menos limpo do que deveria ser. Os médicos e as enfermeiras-chefe pareciam transtornados e ansiosos, e os demais funcionários estoicos e lerdos. Você pressentia o temor ao SARM e à superbactéria mais recente, *C. difficile*, no ar quente das diferentes alas. Pequenos roubos são de regra. O cardigã de lã que eu havia dado a Papai no Natal desapareceu dois dias depois que eu levei as roupas dele para o hospital, e eu o encontrei vestindo uma peça horrível de acrílico com dois botões faltando – talvez a herança de um paciente falecido que os funcionários tivessem usado como substituto. A enfermeira pediu desculpas e disse que iria procurar o cardigã de lã de Papai, mas acrescentou que não tinha muita esperança de encontrá-lo. Eu queria sair de lá o quanto antes e decidi ir para casa e procurar um lar para idosos na vizinhança.

Voltar para a Rectory Road após vários dias passados entre a casinha sórdida de Papai e a ala geriátrica do Tideway Hospital pareceu mais do que nunca a entrada em um paraíso do conforto civilizado. Fred estava fora, mas a casa não parecia vazia: as paredes claras, os quadros familiares, as superfícies e texturas, as cores bem-combinadas dos pisos e decorações, a escada acarpetada com varetas em latão e o corrimão de madeira eram presenças bem-vindas, como um grupo de criados silenciosos e sorridentes dando boas-vindas ao patrão. Desfiz as malas, deixei um punhado de roupa suja na cesta da lavanderia, tomei um banho demorado de banheira na limpeza impecável do banheiro e vesti roupas limpas. Quando Fred chegou em casa ficamos nos beijando e nos abraçando por um ou dois minutos, em silêncio. Havia muito o que discutir, e nós dois conversamos durante o jantar que ela havia deixado pronto. Fomos para a cama cedo e fizemos amor ardente. Exasperado pelo desejo e pela longa abstinência, não tive nenhuma dificuldade para consumar o ato. Depois nós dois caímos em um sono profundo.

Os pequenos delitos e recriminações de Natal e Ano-Novo e o relacionamento distante que mantivemos até o momento em que fui para a Polônia foram perdoados e esquecidos. Fred foi solidária e apoiou tudo o que eu tinha feito e planejava fazer a respeito de Papai, me ajudou a escolher alguns lares para idosos nas Páginas Amarelas e marcou visitas em três deles. Combinamos de fazer uma visita a Anne, que já estava de volta em casa, no fim de semana. Reagi de forma positiva à ajuda e à empatia que Fred demonstrou em relação a esses assuntos familiares, mas um outro elemento também contribuiu para a nossa reconciliação, embora eu não estivesse totalmente consciente dele quando tudo aconteceu, e Fred sequer suspeitasse. Quando eu lhe contei sobre a minha visita a Auschwitz ela escutou com atenção, sentiu arrepios com as minhas descrições e disse que me admirava por eu ter enfrentado uma experiência tão terrível; mas ela pareceu aliviada quando eu terminei a minha história, e feliz quando trocamos de assunto. Percebi que eu nunca conseguiria pôr em palavras a impressão que eu tive daquele lugar, especialmente de Birkenau.

Quando voltei para Londres, na segunda-feira seguinte, comprei um livro sobre Auschwitz e sobre a Solução Final na banca da estação de trem, e o li durante a viagem e nos dias seguintes, preenchendo as lacunas no meu parco conhecimento sobre a história do lugar e assimilando um pouco da individualidade das vítimas e das experiências pelas quais passaram. Muitas pessoas, sabendo que jamais sairiam vivas de lá, deixaram cartas para seus amigos e familiares enterradas pelo campo em potes ou em cantis, na esperança de que um dia esses documentos fossem descobertos e entregues aos destinatários, ou ao menos lidos. O mais comovente de todos os documentos mencionados era a carta que um certo Chaim Hermann, um Sonderkommando, havia escrito para a esposa em 1944. A carta foi desenterrada de uma pilha de cinzas humanas encontrada perto de um dos crematórios de Birkenau em 1945. Os Sonderkommandos eram os prisioneiros em boa forma física que eram obrigados a trabalhar no processo de extermínio, conduzindo vítimas insuspeitas às câmaras de gás, removendo os cadáveres lá de dentro e queimando-os nos fornos do crematório. Uma recusa a trabalhar nessa função era passível de execução instantânea; a aceitação do trabalho resultava em melhores condições de vida – por um tempo. De certa forma, os Sonderkommandos foram as vítimas mais trágicas de Auschwitz. A maioria das pessoas que morreram lá foi inocentemente até as câmaras de gás e sofreu apenas um ou dois minutos de dor e terror antes de expirar. Os Sonderkommandos viveram por meses com a certeza de que mais cedo ou mais tarde também seriam mortos, porque os nazistas não podiam correr o risco de deixar testemunhas – e na verdade o mais provável é que o primeiro serviço deles fosse desfazer-se dos corpos de seus ex-colegas na terrível linha de produção da morte. Chaim Hermann descreveu Auschwitz como "*um inferno, mas o inferno de Dante é infinitamente ridículo em comparação com este inferno real, e nós somos testemunhas dele, mas não podemos sair com vida.*" Também escreveu que pretendia morrer "*com calma, talvez com heroísmo (dependendo das circunstâncias)*", o que sugere um último ato de resistência, mas não se sabe se ele chegou a realizá-lo. Hermann não tinha como saber se a esposa um dia receberia sua carta, mas em meio a toda aquela maldade diabólica ele pediu desculpas por eles não terem aproveitado mais a vida, e a frase que mais me comoveu em toda a carta foi esta: "*Se em vários momentos de nossa vida tivemos desentendimentos banais, agora percebo como somos incapazes de apreciar o tempo que passa.*"

Visitamos três lares para idosos. O único que não cheirava a urina misturada com aromatizador de ambientes e pareceu aceitável era pavorosamente caro, mas eu pensei que a expectativa de vida de Papai não seria muito longa e que valia a pena investir em conforto durante o pouco tempo que lhe restava. Eles tinham uma vaga e estavam dispostos a reservá-la por até duas semanas, mas quando voltei ao hospital as notícias não foram nada animadoras. O estado de Papai não tinha melhorado nos últimos dias, e a bem dizer tinha até piorado. O dr. Kannangara não estava disponível, mas eu falei com um jovem médico – talvez um residente – que era assistente do doutor e perguntei se em duas semanas Papai seria capaz de ir em uma ambulância para o Norte, mas ele balançou a cabeça. Papai ainda tinha dificuldades para engolir e estava perdendo peso por falta de alimentação adequada. Ele ainda precisava de soro e continuava mexendo na agulha com movimentos débeis da mão direita, sentado na cadeira atrás da cama, quando eu o cumprimentei. Mostrei-lhe o folheto da clínica e falei empolgado sobre a minha intenção de levá-lo para lá assim que possível, e ele passou a mão no papel brilhoso com fotos coloridas dos quartos e do jardim de inverno, mas eu não tinha como saber o quanto ele entendia, se é que entendia alguma coisa. O mais triste foi ver que ele não entendeu o que eu disse quando falei sobre a grande emoção que senti ao pegar o meu neto – bisneto dele – no colo durante o domingo passado, quando fomos visitar Anne e Jim. Eu fiquei um pouco nervoso, porque o bebê me pareceu pequeno e frágil demais, mas Anne insistiu em colocá-lo nos meus braços, e como tinha acabado de mamar ele simplesmente me lançou um olhar meio perdido, ébrio de leite materno, até que uma bolha de indigestão dispôs os pequenos lábios na forma aproximada de um sorriso. "Veja só, ele sorriu para você!", Anne exclamou, e eu fingi acreditar naquela ficção. "Ele tem a boca de Maisie, como você", eu disse. "E o seu nariz", respondeu ela. "Acho então que eu fico com as orelhas", completou Jim. "Elas são meio de abano, como as minhas." Transmiti toda essa conversa ao meu ouvinte indiferente porque era melhor do que ficar sentado em silêncio e, de qualquer modo, eu gostei de relembrar uma visita tão feliz.

Papai também me deu a impressão de estar sonolento, e quando eu abordei a enfermeira ela disse, "É porque hoje de manhã ele brigou com a gente quando quisemos levantá-lo." Eles usam uma espécie de grua com lonas para transportá-lo da cama para a cadeira e de volta para a cama. Comecei a sentir um profundo respeito pelas enfermeiras que trabalham naquela ala lotada, fazendo um trabalho difícil com pacientes de corpos e mentes arruinados, muitos dos quais, a exemplo de Papai, são também ingratos.

Não havia horários de visita: os visitantes podiam entrar e sair a qualquer momento, sem dúvida para que pudessem manter os pacientes distraídos e ajudar na hora de alimentá-los. Me acostumei a segurar um copinho com tampa, como os de bebê, perto dos lábios de Papai, e a de vez em quando oferecer-lhe uma colherada de iogurte, enquanto eu pensava que sessenta e poucos anos atrás ele tinha feito a mesma coisa comigo (ou, pensando melhor, talvez não; os papéis masculinos e femininos eram mais estereotipados na época). Um dia pela manhã eu estava sentado com ele quando Caroline, a enfermeira, chegou com uma auxiliar afro-caribenha e começou a fechar as cortinas em volta da cama. Perguntei se elas queriam que eu saísse. Caroline me lançou um olhar de desafio e disse: "Não, eu quero que o senhor ajude Delphine a dar banho no seu pai." Fui pego totalmente de surpresa. No fundo eu sentia aversão à ideia, mas não consegui pensar em nenhum pretexto para recusar que não fosse me fazer cair no descrédito aos olhos das enfermeiras. "Tudo bem", disse eu. "O que eu devo fazer?" "Delphine vai lhe mostrar", respondeu Caroline, e então nos deixou. Delphine vestiu um avental à prova d'água e um par de luvas de látex retiradas de um pacote lacrado e me lançou um olhar cético. "É melhor tirar o seu casaco", ela disse.

Foi uma experiência extraordinária, que levou a inversão das relações entre pai e filho para muito além do tabu. Basicamente eu estava ajudando Delphine a trocar as fraldas de um homem de 89 anos, só que ele era o meu pai. Primeiro tivemos de tirar o pijama e as roupas de baixo dele, o que envolveu sentá-lo na cama e balançá-lo de um lado para o outro. O corpo dele parecia muito fraco e emaciado, mas, alto e ossudo como ele é, Papai ainda pesa um bocado. Ele estava usando uma fralda geriátrica por baixo. Delphine cobriu a virilha dele com uma toalha enquanto lavava a parte de cima do corpo e eu ia secando; depois ela tirou toda a roupa dele, inclusive a fralda de papel. Papai tinha feito cocô, mas o cheiro não era muito forte, talvez por causa da dieta insossa. Delphine lavou e passou talco nas partes íntimas dele de um jeito respeitoso e pragmático, para a seguir pôr-lhe uma sonda no pênis e prender o reservatório de urina junto à perna dele. Então vestimos nele as calças do pijama, uma camisa de baixo e a camisa do pijama. Foi um alívio ver o animal nu e fendido vestido outra vez. O meu braço doía por causa da força que tive de fazer. Ao longo de toda a operação, Papai se manteve passivo e obediente, embora uma ou duas vezes eu tenha afastado a mão dele para evitar que empurrasse a de Delphine. "Em geral ele dá um pouco mais de trabalho", comentou Delphine. "Hoje deve ter sido assim porque o senhor estava aqui."

Quando terminamos e Papai estava mais uma vez reclinado nos travesseiros, ela tirou as luvas de látex e jogou-as em um cesto de lixo com pedal. "Obrigado pela ajuda", disse ela. "Eu nunca tinha feito nada parecido com isso", eu disse. Mesmo quando estava muito doente, Maisie nunca ficou tão incapacitada como Papai, e ela sempre conseguiu ir ao banheiro sem ajuda nenhuma. "Acho que eu nunca vou esquecer", acrescentei. Quando Caroline voltou para ver se tudo havia corrido bem, Delphine repetiu a ela o meu comentário. "Agora o senhor sabe o que nós fazemos todos os dias", disse ela. Na hora eu achei que ela estivesse apenas aproveitando a oportunidade para delegar uma tarefa rotineira e cuidar de assuntos mais importantes, mas depois fiquei pensando que talvez ela estivesse me dando uma prévia dos cuidados que Papai exigiria a longo prazo. Naquela noite, quando eu disse a Fred pelo telefone (mais uma vez eu estava na casa da Lime Avenue) que tinha ajudado a dar banho em Papai, ela disse, "Não acredito". Eu respondi que eu mesmo mal conseguia acreditar. Eu estava feliz por ter ajudado, mas não pretendia repetir a experiência, e a minha emoção mais forte era um desejo de que eu nunca precisasse receber aqueles cuidados de ninguém.

O dr. Kannangara quase não apareceu naquela semana, e para minha frustração eu perdi a visita dele na quinta-feira. Mas eu consegui falar com o residente, que aliás se chamava Wilson. Ele me levou até um depósito no final da ala e falou comigo em um tom de voz baixo e confidencial. Explicou que o especialista faria uma nova avaliação do estado geral de Papai na segunda-feira seguinte e depois falaria comigo. "O mais provável é que ele sugira um tubo PEG", disse ele, e logo explicou que isso era um dispositivo usado para pôr alimento diretamente no estômago do paciente. "O seu pai sofreu uma extensão do derrame que reduziu ainda mais a capacidade de engolir. Sem alimentação adequada ele vai ficar cada vez mais enfraquecido." "E com esse tubo ele vai ficar mais forte?", perguntei. "Digamos que ele vai ficar estável. Do mesmo jeito que ele está agora – a não ser que sofra outro derrame, é claro." Wilson me lançou um olhar especulativo. "O seu pai tem noventa anos, já viveu bastante. Em casos como esse, nós seguimos as orientações da família. Podemos mantê-lo vivo, mas com pouca qualidade de vida. Ou podemos cuidar dele da melhor maneira possível e deixar a natureza seguir o caminho dela. O senhor é quem sabe."

Não gostei de ter que escolher. Não gostei nem um pouco. Quando contei o ocorrido a Fred naquela noite, ela percebeu a tensão na minha voz e achou que eu precisava de apoio moral. "Eu vou a Londres amanhã passar uns dias com você", disse ela. "Jakki pode tomar conta da loja. Ron também pode ajudá-la." Eu não tentei dissuadi-la, mas avisei que a casa estava em petição de miséria.

Encontrei-a na manhã seguinte em King's Cross e de lá nós pegamos um táxi exorbitante até o hospital. Papai não estava em muito bom estado. Alguém tinha tentado fazer sua barba, e ao que tudo indicava Papai tinha dificultado a operação, porque o rosto dele tinha alguns cortes e ao mesmo tempo haviam sobrado porções inteiras de barba intocada. Ele deu a impressão de não reconhecer Fred, mas ao ouvi-la falar ele fixou o olhar nela como se o som daquela voz evocasse alguma memória distante. Eu já não sabia mais se ele me reconhecia, tampouco. Enquanto eu e Fred encenávamos nossa pantomima de visitantes de hospital conversando com um paciente lúcido, os olhos de Papai seguiam as enfermeiras e auxiliares uniformizadas que passavam de um lado para o outro em frente à cama com uma atenção feroz, como se soubesse que era daquelas pessoas que ele dependia para ter comida, bebida e outros tipos de cuidado. Tive a impressão de que ele havia regredido a um estágio anterior à infância humana na escala evolutiva e de que seus reflexos tinham uma semelhança bastante perturbadora com os modos de um animal enjaulado.

Fred ficou chocada e consternada com o que viu. Depois, quando estávamos de volta à Lime Avenue, sentados em frente à lareira elétrica na sala de jantar suja com nossas xícaras de chá, falamos sobre o tubo PEG. Fred disse que não via por que manter alguém vivo nas condições de Papai com um procedimento tão artificial e invasivo. "É claro que os médicos são obrigados a oferecer a alternativa, já que o procedimento existe, mas o médico-residente já lhe deu uma pista clara de que ele acha que é hora de deixar as coisas seguirem o curso natural."

"Mas assim todo o ônus fica comigo", eu protestei. "Tenho que decidir sozinho se ele vai viver ou morrer."

"Todos nós morremos mais cedo ou mais tarde, querido", disse ela, e o "querido" foi terno e afetuoso. "Você acha mesmo que pode ser bom deixá-lo numa cama de hospital por meses, talvez anos, incapaz de falar, incapaz de reconhecer as pessoas, sendo cuidado como um bebê e alimentado através de um buraco no estômago? Seria mais humano deixá-lo ir embora." Eu acenei a cabeça, concordando, mas devo ter parecido resistente, porque ela acrescentou: "O que você gostaria que *eu* fizesse, se você estivesse na mesma condição?"

"Meu Deus, eu ia querer que você me deixasse ir em paz!", eu disse. "Nada de tubos PEG, nada de máquinas, por favor."

"Então aí está", arrematou ela.

"Acho que para mim é mais difícil porque essa é a segunda vez na minha vida em que a vida de outra pessoa está nas minhas mãos", eu disse. Então eu contei a Fred o que eu jamais havia contado a nenhuma outra pessoa: que eu ajudei Maisie a morrer.

No último Natal ela estava muito doente, muito fraca e com muitas dores, embora tenha tido muita bravura para esconder tudo das crianças. O câncer já havia sofrido metástase e se espalhado por todo o corpo, e ela sabia que não havia mais chance de remissão. Quando eu combinei que as crianças passariam o feriado fora, esquiando, ela viu uma oportunidade de abandonar sem grandes comoções uma vida que não prometia nada além de mais dores físicas e emocionais. Ela não queria morrer em um hospital nem em uma clínica, em meio a estranhos, por mais bem-intencionados que pudessem ser. "Para mim já chega, Des", ela me disse. "Eu não sei por quanto tempo ainda vou estar no comando. Estou cansada. Está na minha hora e eu preciso da sua ajuda." Acho que o nosso clínico geral percebeu as nossas intenções e resolveu ajudar em silêncio. Para controlar a dor, Maisie usava uma bomba de infusão de seringa – na época uma novidade médica – que administrava um fluxo constante de diacetilmorfina subcutânea, recarregado de acordo com a necessidade pela nossa enfermeira. Dentro de um limite seguro, Maisie podia aumentar ou baixar a quantidade da droga que era injetada. Ela também tomava comprimidos de Coproxamol quando a dor era insuportável. No fim da semana de Natal o nosso médico deu uma receita para uma quantidade maior do que a de costume "para durar até depois do Ano-Novo", e ao entregá-la para mim ele me encarou fundo nos olhos e disse: "Muitos desses comprimidos podem ser perigosos com álcool." Na última noite do ano, quebrei vinte comprimidos de Coproxamol e ajudei Maisie a engoli-los em uma mistura de leite quente e conhaque. Ela regulou a bomba de infusão na capacidade máxima. Eu a beijei, acendi uma vela ao lado da cama e me deitei ao lado dela, segurando sua mão, até que Maisie caísse em um sono profundo. Então eu me sentei em uma poltrona e fiquei observando a respiração dela até adormecer. Quando acordei, às quatro da manhã, a vela tinha se apagado e ela estava morta, com um semblante tranquilo e o corpo relaxado. Liguei para o médico e às seis horas ele apareceu. Ele não me fez nenhuma pergunta e, no momento oportuno, assinou o atestado de óbito. Um pouco mais tarde liguei para o resort na Áustria e dei a notícia a Anne e a Richard.

"Coitado", disse Fred, quando terminei de contar a minha história. Enquanto falávamos o sol tinha se posto lá fora, e o brilho vermelho da lareira elétrica era a única iluminação no cômodo. Ela se ajoelhou na minha frente e tomou as minhas mãos nas suas. "Deve ter sido horrível para você. Mas você foi muito corajoso."

"Não tão corajoso quanto Maisie", eu disse. "Mas você faria a mesma coisa por mim?"

"Não sei", respondeu Fred, hesitante. "O catolicismo prega que... mas, enfim, se chegasse a esse ponto e você me pedisse, acho que eu faria. O que você fez por Maisie foi um ato de amor."

"É o que eu gosto de pensar", disse eu. "Mas o problema é que eu desejei a morte dela. Eu queria que toda aquela desgraça tivesse um fim – queria quase tanto quanto ela. Depois que ela morreu eu tive que esconder o meu alívio por baixo da tristeza. Acabei com um sentimento de culpa do qual acho que eu nunca vou me livrar. E agora está tudo acontecendo outra vez. Claro que eu não quero que a vida de Papai se arraste sem nenhum objetivo – mas não é só porque seria horrível para ele. É porque também seria horrível para mim."

Conversamos por um longo tempo, e Fred fez tudo o que podia para me convencer de que não havia por que eu me culpar pela morte de Maisie, nem pela morte de Papai, caso eu resolvesse não optar pelo procedimento cirúrgico. Ela invocou uma casuística católica abstrusa sobre "duplo efeito": se você faz alguma coisa que tem um efeito negativo por uma boa causa não é pecado – algo assim. Eu não sabia direito se aquilo valia para o meu caso, mas fiquei agradecido pelo apoio que ela me ofereceu. No fim eu fui poupado da decisão. Papai teve uma infecção pulmonar e, quando eu consegui falar com o dr. Kannangara, era evidente que o estado dele só tendia a piorar, e depressa. Nesse meio-tempo, eu e Fred ficamos acampados na casa da Lime Avenue. Nenhum de nós dois quis dormir na cama de Papai, mas também não quisemos dormir separados, então pegamos os colchões das duas camas e os pusemos no chão da sala, o único cômodo da casa que ainda conseguia parecer atraente. Não tentamos fazer amor, mas ficamos nos acariciando e adormecemos em um abraço aconchegante, eu com a mão entre as coxas quentes dela. Mais cedo ou mais tarde eu acho que é a isso que a nossa vida sexual vai se reduzir, se vivermos o suficiente – a toques íntimos e ternos; e o melhor é aceitar que essa perspectiva é infinitamente melhor do que nada (embora o quanto mais tarde ela se concretizar, melhor).

Entre uma e outra visita ao hospital, Fred trouxe material de limpeza e nós começamos a limpar aquela camada de gordura na cozinha, e depois a camada de pó no resto da casa, só para ter o que fazer; e, passados alguns dias, morar lá não era mais o suplício nauseante que tinha sido. Eu fazia visitas diárias a Papai, às vezes sozinho, às vezes com Fred. Depois de um tempo ela achou melhor voltar para casa e ajudar Jakki, que estava tomando conta da loja sozinha. Richard apareceu no hospital um dia e, quando ele segurou a mão de Papai, notei um último brilho de reconhecimento naquele seu olhar, talvez motivado por uma lembrança nebulosa de como Richard o tinha encontrado e acompanhado até o hospital. No fim da semana o estado dele era de dar pena. O pulso esquerdo estava machucado e ensanguentado por causa das repetidas inserções da agulha de soro, que agora estava espetada em sua barriga. Papai estava fraco demais para sentar e ficava imóvel na cama até que as enfermeiras viessem mudá-lo de posição, fazendo um barulho estranho ao respirar na máscara de oxigênio que abastecia seus pulmões com oxigênio umidificado. A máscara, que ficava presa atrás da cabeça dele com uma tira de elástico, parecia ser desconfortável, porque de tempos em tempos ele se irritava e tentava tirá-la, e às vezes conseguia. Quando eu estava lá eu segurava a máscara contra o rosto dele e ao mesmo tempo dava-lhe a mão, o que parecia acalmá-lo. Mas uma outra vez em que eu tentei fazer assim ele empurrou a máscara para longe repetidas vezes, até se exaurir, quando então fechou os olhos e se resignou a ter a máscara presa com a tira elástica. Naquela mesma noite, a enfermeira ligou para a casa da Lime Avenue e avisou que ele estava piorando depressa e que era melhor eu me pôr a caminho o mais rápido possível. Chamei um táxi e cheguei ao hospital em menos de meia hora, mas a enfermeira me disse que ele tinha falecido cinco minutos depois do telefonema. Ela me deixou a sós com ele, atrás das cortinas fechadas em volta da cama. Morto, Papai tinha um aspecto austero, quase nobre, e não lamentei ter perdido seus últimos suspiros de agonia. Fiquei imaginando se a relutância em pôr a máscara naquela tarde não teria sido um sinal de que, em algum lugar de sua consciência arruinada, ele havia desistido da luta pela vida e achado melhor ir embora.

19

22 DE FEVEREIRO. No fim Papai fez sua longa jornada em direção ao Norte, não em uma ambulância, mas em um carro funerário. Agora à noite o corpo dele está um pouco mais adiante na rua, entregue aos funcionários da funerária B.H. Gilbert & Filhos, que o buscaram mais cedo no Tideway Hospital. O cemitério de Brickley, onde Mamãe foi cremada, é um lugar desolado, espremido entre um terreno do governo e uma ferrovia por onde os trens volta e meia passam estrondeando. Lembro do funeral dela como uma ocasião muito deprimente. Na época os funcionários municipais estavam em greve e o lixo não recolhido era arrastado pelos ventos fortes de março, e no cemitério havia pilhas de flores apodrecendo dentro dos embrulhos de celofane. Não havia muitas pessoas, e eu sabia que o funeral de Papai estaria ainda mais deserto se fosse em Londres. Os dois primos dele, que já haviam sido comunicados do falecimento, estão velhos e enfraquecidos demais para sair da casa onde moram à beira-mar, e afora os Barker eu não consegui pensar em ninguém mais em Brickley que pudesse comparecer. A lista consistia na maior parte da minha família e da família de Fred, e a ideia de convidá-los para ir à casa na Lime Avenue depois do enterro, mesmo a casa estando limpa, ou de alugar algum outro lugar em Brickley, um distrito com pouca tradição em acomodações elegantes, era desanimadora. Então decidimos fazer o funeral aqui mesmo e a recepção em casa. Vai ser na segunda-feira que vem, ao meio-dia. Decidimos fazer uma cremação, e quando a hora chegar eu vou levar as cinzas de Papai até o cemitério de Brickley onde Mamãe está enterrada e espalhá-las no Jardim da Lembrança onde

ele espalhou as cinzas de Mamãe. Desnecessário dizer que ele não deixou nenhuma instrução quanto ao funeral, mas acho que é o que ele teria desejado.

No dia seguinte, eu vi o corpo dele mais uma vez na capela, mas é algo que eu preferia ter evitado. Deve ter havido alguma demora até a preparação do corpo, o suficiente para o *rigor mortis* se instalar, e o embalsamador sem dúvida teve dificuldades para pôr a dentadura de Papai, porque a boca dele estava aberta, e seus dentes arreganhados em uma careta terrível. Me senti desconfortável ao olhar para ele e preferi sentar atrás de sua cabeça para pensar sobre a longa vida que ele teve. Eu tinha passado a noite anterior olhando as velhas fotografias que achei no caos da escrivaninha, e era mais agradável ocupar a cabeça com aquelas imagens cheias de amassões e orelhas em preto e branco ou sépia: Papai jovem, com um sax tenor pendurado no pescoço, posando com os outros integrantes de um quinteto chamado Dulwich Dixies, com direito a brasão estampado no bumbo da bateria; Papai e Mamãe juntos, jovens e bonitos, de férias em algum lugar plano e arenoso usando trajes de banho da década de 30; Papai no quintal da casa na Lime Avenue e eu sentado nos ombros dele, agarrado às suas mãos erguidas, quando eu tinha três anos; um retrato heroico de Papai com o uniforme da RAF e o casquete inclinado; Papai e Arthur Lane bronzeados, de calção, sorrindo para a câmera; as fotos de Papai para as agências de modelos, em que aparecia com várias roupas e várias expressões – ora um Cockney engraçado com uma boina, ora um sóbrio homem de negócios com um terno risca de giz...

Mais tarde eu registrei o falecimento no cartório local – um processo tedioso, porque os funcionários estavam empolgados com o novo sistema informatizado (com o rabo do olho, li "MENU DE ÓBITOS" em um monitor); depois fechei a casa e voltei a Brickley para cuidar do funeral. Fred convenceu o padre da paróquia a presidir a cerimônia, o que foi gentil da parte dela – e ainda mais do padre, sendo que Papai mal era cristão, quanto menos católico. Mas parece que agora os padres católicos são bem mais abertos a essas coisas e entendem, ou ao menos eu acho que entendem, que a principal função deles é confortar os que ficam, e se for preciso desconversar quando o assunto for a crença religiosa do falecido, tudo bem. Vai ser rápido, uma vez que os funerais são agendados de meia em meia hora no crematório. O padre Michael nos deu carta branca para decidir os detalhes da cerimônia. Anne e Richard vão ler passagens da Bíblia. Eu vou dizer algumas palavras – falar em "eulogia" me parece um exagero – sobre Papai, e gravei algumas das músicas clássicas que ele mais gostava para tocar durante a cerimônia. Também pensei em tocar alguns trechos de "The Night, the Stars and The Music", mas Fred vetou a ideia.

Pensei muito pouco em Alex Loom nessas últimas semanas, com tanta outra coisa na cabeça. Fred me disse que ela tinha deixado algumas mensagens na secretária eletrônica enquanto eu estava em Londres, pedindo para falar comigo, mas eu não me preocupei em responder e, quando voltei à Rectory Road, descobri vários emails dela na minha caixa postal, dizendo que havia ficado muito chateada ao saber que o meu pai estava doente, mas que de qualquer modo tinha urgência em me ver o mais depressa possível e estava disposta a ir até Londres se necessário. Hoje, quando eu cheguei em casa depois de entregar as fitas com as gravações para os agentes funerários, Fred disse que Alex tinha ligado mais uma vez e ela tinha contado sobre a morte de Papai. "Ela disse que ficou muito triste e que gostaria de comparecer ao funeral."

Fiquei perturbado. Se ela comparecesse ao funeral, eu não teria como evitar convidá-la para a recepção na nossa casa. "Espero que você não a tenha convidado", eu disse. "Seria bem desagradável. Ela nem conheceu Papai – ele estava dormindo no segundo andar quando ela veio aqui em casa."

"Não, eu fiz de conta que as coisas ainda não estavam definidas. Eu tentaria fazer com que ela desistisse da ideia, se fosse você. E quando falar com ela, querido, por favor lembre-a de que ela ainda nos deve o pagamento das cortinas."

"As cortinas que ela comprou na *Décor*?", perguntei, surpreso. "Isso foi há um bom tempo."

"É verdade", disse Fred. "Ela pagou um sinal e o restante ficou para o meio de janeiro, quando Ron fez a instalação. Ela já recebeu um lembrete."

Perguntei quanto faltava pagar e Fred disse que eram quatrocentas libras – "Como eu disse na época, ela tem muito bom gosto."

Fui até o escritório escrever um email para Alex e descobri mais um email dela na minha caixa postal, lamentando a morte de Papai e reiterando o desejo de comparecer ao funeral. Respondi agradecendo as condolências, mas disse que o funeral seria algo simples e íntimo, apenas para os familiares. Achei que eu comprometeria o tom formal e distante da minha mensagem se mencionasse o saldo das cortinas.

23 DE FEVEREIRO. Alex me ligou hoje de manhã, depois que Fred havia saído para o centro. Ela disse que compreendia a minha postura em relação ao funeral, mas estava muito ansiosa para me encontrar e discutir um certo assunto. Eu disse que estava muito ocupado e que provavelmente continuaria assim por mais algum tempo, cuidando do inventário de Papai e esvaziando a casa. Perguntei do que se tratava e ela disse que preferia explicar pessoalmente, no apartamento dela. Quando eu respondi que não seria possível ela sugeriu o Pam's Pantry, e quando eu recusei pela segunda vez ela me disse por telefone, a contragosto, por que estava tentando falar comigo desde que eu havia retornado da Polônia.

"Eu não posso continuar sendo orientada por Colin Butterworth", disse ela. "É impossível, por razões óbvias. E esse é o único consenso a que conseguimos chegar. Ele perguntou se teria mais alguém no setor que pudesse assumir a tarefa, e eu respondi que não, não tem ninguém, mas eu adoraria que você me orientasse. Ele acha que a ideia é ótima e que não vê como a universidade poderia se opor. E você receberia uma remuneração – não muito dinheiro, eu acho, mas alguma coisa. Não preciso nem dizer que eu fiquei empolgadíssima com isso tudo."

"Não, Alex", respondi quando ela terminou a argumentação.

"Por quê?", perguntou ela, choramingando. "Quando eu pedi antes, você disse que seria um insulto a Colin, mas agora isso não é mais verdade."

"Eu simplesmente não quero", eu disse.

"Mas por quê?", ela insistiu.

"Se você quer mesmo saber, é porque eu não a entendo, não confio em você e tenho sérias dúvidas quando à sua capacidade de escrever uma tese de doutorado. Acho que no fim eu ia acabar escrevendo tudo no seu lugar."

Alex calou-se por um instante.

"Acho que você está muito abalado com a morte do seu pai", disse ela. "Eu entendo. Vou deixar você pensar mais um pouco a respeito."

"Eu não vou mudar de ideia", eu disse, e para mudar de assunto acrescentei: "A propósito, Fred me disse que você ainda deve quatrocentas libras para ela, por umas cortinas. Você pode evitar maiores constrangimentos se pagar."

A seguir Alex fez mais uma de suas enigmáticas pausas telefônicas. "É verdade, eu peço desculpas. Mas eu estou sem dinheiro agora. Você não teria para me emprestar, ou teria?"

"Você está me pedindo dinheiro emprestado para pagar a minha própria esposa?"

"É. São só quatrocentas e cinquenta libras."

"Fred disse que eram quatrocentas."

"Ah, é isso mesmo. Eu paguei um sinal de cinquenta, agora lembrei."

Foi a minha vez de parar a conversa para pensar depressa. Eu tinha quase certeza de que o erro dela tinha sido intencional e também de que o empréstimo jamais seria pago. A cara de pau dela me surpreendeu, mas por um instante fiquei tentado a pagar para ver. Mas logo pensei no que ela poderia aprontar com um cheque de quatrocentas libras assinado por mim sem que Fred soubesse, e passar um envelope pardo cheio de notas usadas por baixo da mesa do Pam's Pantry pareceu igualmente comprometedor. "Não, Alex", repeti pela terceira vez e desliguei.

Hoje, mais tarde, recebi um email de Butterworth no qual ele dizia que, por motivos que eu conhecia, era impossível para ele continuar como orientador de Alex e que havia tentado encontrar alguém disposto a assumi-la, mas sem sucesso. Ela mesma tinha sugerido o meu nome, com muito entusiasmo, uma vez que já tinha recebido de mim conselhos valiosos em caráter informal. Butterworth se dizia incapaz de pensar em alguém mais qualificado do que eu para orientá-la e estava certo de que a universidade não teria problema algum para me indicar como orientador externo e me pagar a remuneração correspondente. Ele próprio, é claro, também ficaria muito agradecido se eu aceitasse a proposta.

Respondi que infelizmente, por razões que eu preferia não explicar, o assunto estava fora de cogitação.

26 de fevereiro. Tudo correu bem no funeral de hoje. Havia um número razoável de pessoas no crematório da capela: Anne e Jim, é claro, com o pequeno Desmond, e Richard; mas eu fiquei muito agradecido ao ver que tantas pessoas da família de Fred fizeram uma força para comparecer – não só Marcia e Peter e as crianças, que moram nas proximidades, mas Ben e Maxine e Giles vieram de Londres, e até mesmo Cecilia fez a longa viagem desde Cheltenham, o que, dadas as poucas alegrias que Papai lhe proporcionava, foi um gesto admirável. Também estavam presentes alguns vizinhos e amigos convidados por Fred, que o tinham conhecido quando ele estava na nossa casa e lembravam com afeição da "figura" que ele era. Fiquei surpreso e comovido com o resultado. A cerimônia foi um sucesso – talvez pareça uma leviandade afirmar uma coisa dessas, mas um funeral não deixa de ser uma forma de teatro, e admito que é melhor ter um homem de Deus como mestre de cerimônias. Uma vez eu fui a um funeral humanista e eu não gostaria de ter uma cerimônia daquelas, mesmo sendo humanista.

Quando o padre Michael me perguntou se Papai tinha sido batizado eu respondi que sim, mesmo sem ter certeza, supondo que essa fosse a regra para todo mundo que nascesse em uma família respeitável de gente trabalhadora na época – e assim começamos com orações cristãs. O sistema de indução na capela era um dos melhores que eu já usei, e assim pude escutar cada palavra:

> *Que a graça do Senhor Jesus Cristo, o amor de Deus e a trindade do Espírito Santo esteja convosco... Nas águas do Batismo, Harry morreu com Cristo e reergueu-se com ele para uma nova vida... Certos de que Deus sempre recorda o bem que fazemos e esquece os nossos pecados, rezemos e peçamos a Deus que acolha Harry junto a Si...*

A linguagem transcendental parece apropriada a um funeral, mesmo que você não acredite nela. Eram orações peticionárias, ou antes intercessoras, às quais respondíamos com "Amém", mas afinal de contas o que é uma oração se não um desejo? – Um desejo, neste caso, de que houvesse uma vida após a morte em que o mal e o sofrimento e os erros e decepções desta vida pudessem ser redimidos – e desejar é um atributo humano. Será que os animais fazem desejos? Ou então os computadores? Acho que não. Segundo a tradição, as últimas palavras de Beethoven foram: "*Eu escutarei no céu.*" Não acredito que ele as tenha dito, mas essas palavras expressam o que desejamos para ele.

Richard abordou o tema por uma prisma mais materialista lendo uma passagem do diário de Bruce Cummings, um naturalista do início do século XX, da qual eu tirei uma cópia antes que ele voltasse para Cambridge:

> *Para mim é honra suficiente pertencer ao universo – um universo tão grandioso, e um esquema*

> *tão grandioso das coisas. Nem mesmo a Morte pode me tirar essa honra. Pois nada pode alterar o fato de que eu vivi;* eu existi, *mesmo que por um tempo tão breve. E, quando eu estiver morto, a matéria que compõe o meu corpo será indestrutível – e eterna, de modo que, aconteça o que acontecer, a minha "alma", a minha poeira durará para sempre, cada um dos meus átomos desempenhando seu papel individual – eu sempre terei um dedo por trás de tudo. Quando eu estiver morto, podem ferver-me, queimar-me, afogar-me, espalhar-me – mas não me destruir: os meus pequeninos átomos simplesmente zombariam de uma vingança tão terrível. A morte não faz mais do que nos matar.*

O padre Michael fez como que um beiço ao escutar essas palavras, mas depois eu escutei quando ele disse a Richard, com um sotaque irlandês carregado: "Foi uma passagem muito interessante, a que você leu. Como é mesmo o nome do autor?". Anne falou sobre suas ternas memórias de infância ao lado de Papai e terminou lendo um pequeno poema que havia encontrado na internet:

> *Onde passamos o descanso eterno?*
> *Será que é mesmo no céu e no inferno?*
> *"Não sei", disse vovô, "mas eu suponho*
> *Que vamos morar em um que outro sonho".*

Talvez não seja um grande poema, mas o que ele diz é verdade: eu sonhei várias vezes com Papai desde que ele morreu. Então cantamos o hino menos dogmático, "To Be a Pilgrim", e chegou a minha vez de falar. Falei sobre o espírito inquebrantável de Papai, sobre a capacidade que ele tinha de se adaptar às mudanças e aos reveses de sua longa carreira e sobre a determinação de viver em sua própria casa, que ele havia mantido até o fim. Expliquei que eu tinha escolhido uma obra de Delius, "Walk to the Paradise Garden", para a entrada na capela, o movimento lento da Sinfonia n.2 de Rakhmáninov para a encomenda do corpo e "Nimrod", das Enigma Variations de Elgar para a saída – porque eram as músicas favoritas de Papai, as que ele gostava de escutar no antigo som, reclinado na poltrona com um lenço em cima do rosto para bloquear a luz e outras distrações visuais. Era o resquício de um hábito adquirido na época em que ele trabalhava em clubes noturnos e dormia durante o dia com um travesseiro em cima da cabeça, bem como outro embaixo dela. Quando chegamos em casa para comer e beber alguma coisa, toquei a minha fita com a gravação do velho disco chiado de Papai com "The Night, the Stars and the Music". Mesmo que fosse um disco demo, toda a banda de Arthur Roseberry havia participado da gravação, talvez até com reforços. Depois de uma longa introdução cheia de glissandos, com saxofones harmonizados, trompetes com surdina, um solo de piano e até alguns compassos com o que parecia ser um bandolim, a voz de Papai entra, agudíssima, com uma doçura natural e uma afinação irretocável – só a impostação dava algum sinal de nervosismo.

The night, the stars and the music,
The magic of a tryst with you.
Romance, a dance and the music,
The loveliness of you,
My dream of dreams come true...

Enfim, era mais ou menos por aí. Era impossível entender cada palavra da cópia da cópia de um original já imperfeito, mas pouco importava. O que nós estávamos ouvindo, como que do além-túmulo, era uma voz, a voz de um jovem enérgico, cheio de vida e capaz de simular os prazeres do amor romântico. Quando a gravação chegou ao fim, ouvi suspiros e murmúrios elogiosos dos ouvintes, e também uma salva de palmas, à qual o pequeno Daniel no mesmo instante se juntou, batendo vigorosamente as mãozinhas. Eu me surpreendi um pouco por Marcia e Peter terem levado Daniel e Lena para o funeral, mas fiquei muito feliz. Era bom ter aquelas crianças e o bebê nos braços de Anne para representar início da vida em um evento focado em seu fim. Eles se comportaram muito bem na capela, prestaram atenção em tudo e, pelo que pude ver, não ficaram perturbados com o que estava acontecendo. Perguntei a Daniel de que parte da cerimônia ele tinha gostado mais e ele respondeu: "Eu gostei quando ele desceu", referindo-se à lenta descida e desaparecimento do caixão durante a encomenda do corpo, que deve ter parecido um momento mágico em sua percepção infantil. Gostei de ver que Daniel começou a usar o pronome da primeira pessoa.

29 DE FEVEREIRO. Hoje pelas dez horas da manhã eu abri o meu email e encontrei uma mensagem de Alex, com uma única palavra na linha de assunto: "Adeus".

> *Caro Desmond,*
> *Você tem toda a razão, é claro. Eu sou uma pessoa esquisita, falsa e incapaz de terminar um doutorado. A minha vida tem sido uma série de fracassos, frustrações e loucuras, então achei melhor acabar com tudo. Eu li bilhetes de suicidas demais para tentar escrever algo que não seja só mais um fracasso – o meu fracasso final –, mas talvez esse seja o primeiro destes bilhetes a ser enviado por email. Pensando melhor, acho que não, mas aposto que você não costuma sair da cama no meio da noite para conferir a sua caixa de emails, como eu faço, então quando você ler estas linhas eu já não estarei mais aqui*

para incomodá-lo. Não se sinta culpado. Tomei uns comprimidos e cortei os pulsos e agora eu vou enviar o email enquanto ainda tenho forças suficientes.
Adeus, Desdond.

Alex

Olhei para a hora de envio da mensagem: 3h21. Quase sete horas atrás. Corri até o carro sem me preocupar em ligar o alarme da casa e dirigi até Wharfside Court o mais depressa que o tráfego permitia. Eu não sabia se a mensagem era séria ou se aquilo era uma piada – não sabia se eu encontraria Alex inconsciente, morta, enrolada em lençóis manchados de sangue ou repousando nua em uma banheira cheia de água vermelha; ou se ela abriria a porta com um sorriso, elegante e esbelta como sempre, de blusa e calças pretas, e diria, com uma ondulação dos cabelos loiros e brilhantes, "*Oi! Pode entrar. Eu sabia que com aquele email você viria correndo!*" Será que a ocorrência da palavra "suicida" – evitada, segundo ela me havia dito, pela maioria dos suicidas – era uma pista de que o bilhete era uma fraude ou, pelo contrário, uma garantia de sua autenticidade? Será que o erro de digitação, "Desdond", seria uma evidência de que os comprimidos ou a perda de sangue estavam começando a fazer efeito, ou simplesmente um ardil que pretendia dar essa impressão?

Um pardal fotografou o meu carro enquanto eu dirigia até Wharfside Court, e imaginei se eu poderia evitar os três pontos na minha carteira alegando situação de emergência. Se o bilhete fosse genuíno, talvez; se não fosse, o mais provável seria que não. Fiz uma oração peticionária, pedindo que o bilhete fosse falso – não por causa de Alex, mas por minha própria causa. Tive uma premonição das consequências caso ela estivesse morta: um inquérito policial, o conteúdo do disco rígido dela usado como evidência, os emails sendo lidos no tribunal, as perguntas do delegado ("Qual era a natureza exata do seu relacionamento com a falecida, professor Bates?"). "*Não se sinta culpado*", ela escreveu, mas a primeira linha do email tinha sido escrita para fazer com que eu me sentisse exatamente assim. "*Você tem toda a razão, é claro. Eu sou uma pessoa esquisita, falsa e incapaz de terminar um doutorado.*" ("A que comentário seu ela estava se referindo neste ponto, professor Bates? O senhor acha que de alguma forma ele pode ter contribuído para que a srta. Loom resolvesse acabar com a própria vida?")

Parei cantando os pneus no estacionamento, chegando o mais próximo que pude da entrada do prédio, manobrando entre um sedã e uma van, e corri até o elevador. Alguém o estava segurando no quarto andar, então subi correndo as escadas e cheguei arquejante à porta de Alex. Dois homens de calça jeans e camisas esportivas estavam passando o sofá dela pela porta.

"O que está acontecendo aqui?", balbuciei.

Um dos homens disse alguma coisa. Percebi que, na minha pressa, eu havia esquecido de pôr os aparelhos auditivos antes de sair de casa e que naquele instante eles estavam na minha escrivaninha, confortavelmente guardados em uma bolsinha com zíper.

"O quê?", eu disse.

O homem falou mais alguma coisa e, ao ver que eu parecia não entender, fez um gesto com a cabeça em direção ao interior do apartamento. Eles se afastaram, carregando o sofá até o elevador aberto, e eu entrei no apartamento. Um jovem de terno escuro estava de pé junto à janela da sala quase vazia, olhando para o outro lado do canal. Quando eu entrei, ele se virou e perguntou alguma coisa com modos educados.

A minha sorte foi que Jeremy Hall, conforme fiquei sabendo ao longo da nossa conversa, tem um pai idoso que é bastante surdo e, portanto, está acostumado falar em um tom de voz alto e claro. Assim, com um número tolerável de repetições, ele conseguiu me explicar o que havia acontecido. Os oficiais de justiça haviam aparecido naquela manhã para tomar os móveis de Alex, que haviam sido comprados todos na mesma loja em prestações que ela nunca havia pago. Eles chegaram cedo, para garantir que Alex estivesse em casa, mas descobriram que a porta estava destrancada, e o apartamento, vazio. A maioria das roupas e de outros objetos pessoais, bem como alguns livros, haviam sido removidos, e um vizinho relatou ter visto Alex entrar em um táxi com duas malas grandes três dias atrás. Os oficiais de justiça contataram a imobiliária responsável por alugar do apartamento de Alex e pediram que mandassem alguém para testemunhar a remoção dos móveis e fechar o apartamento quando a operação estivesse concluída. Hall foi a pessoa designada para o serviço. Ele me contou que Alex estava com o aluguel três meses em atraso e que a imobiliária estava tomando providências legais contra ela. "Parece que ela aprontou poucas e boas", disse ele, com ar fleumático.

Hall me perguntou por que eu tinha ido até o apartamento, e expliquei que naquela manhã eu tinha recebido um email perturbador de Alex, no qual ela dava a entender que podia fazer alguma besteira. "Mas o email não pode ter saído daqui", acrescentei, olhando para a sala praticamente vazia.

"O mais provável é que tenha vindo dos Estados Unidos", disse ele. "Ela era americana, não é mesmo? Aposto que está de volta em casa."

"Vocês vão atrás dela?", perguntei.

"Não tem muito por quê", respondeu ele, dando de ombros. "Acabaríamos gastando mais do que ela nos deve. O nome dela vai constar em uma lista e se tentar entrar outra vez no país ela vai ter problemas, mas ela parece esperta o suficiente para não correr esse risco."

O oficial de justiça mais velho entrou no apartamento e disse, "A nossa parte está pronta".

Hall olhou ao redor e fez um gesto com a cabeça em direção à janela. "E essas cortinas? O material parece bom."

"Elas não constam no inventário", disse o oficial de justiça. "Não pertencem à loja."

"Não, elas pertencem à minha esposa", eu disse.

Hall deu uma risada. "Como assim?"

Depois de ouvir minha explicação ele disse, "Eu conheço a loja, é uma no shopping Rialto, não? Vendem coisas boas por lá. Por que você não leva as cortinas?"

Eu pensei: por que não? O material, um lindo brocado de veludo em tons de preto e vermelho, poderia ser usado para fazer almofadas. Hall não pediu nota fiscal nem nada – apenas anotou o meu nome e o meu endereço – e me ajudou a subir na janela para tirar as cortinas dos trilhos.

Eu estava guardando as cortinas no porta-malas do carro quando um Volvo entrou em alta velocidade no estacionamento e parou na vaga deixada pela van do oficial de justiça. Colin Butterworth desceu do carro e deu um sobressalto ao me reconhecer. Ele estava pálido, tenso e não havia feito a barba, embora estivesse usando um terno elegante. Ele disse alguma coisa ao chegar mais perto.

"O senhor vai ter que falar um pouco mais alto", eu disse. "Estou sem o aparelho auditivo."

"Onde está Alex? Ela está bem? Eu chegue de Paris hoje de manhã e vi uma mensagem dela onde ela dizia que ia se matar."

"Eu também", eu disse.

Resumi para ele tudo o que tinha acontecido. Ele quase caiu no chão de alívio. "Graças a Deus!", exclamou. "Graças a Deus." Então remexeu o bolso da jaqueta, pegou um isqueiro e um cigarro, acendeu-o e deu uma longa tragada. "Será mesmo que aquela vagabunda sumiu da minha vida para sempre?", ele se perguntou em voz alta. "Parece bom demais para ser verdade." Então um pensamento desanimador lhe ocorreu. "E se ela também escreveu emails para outras pessoas?"

"Como para o diretor de relações estudantis, por exemplo?"

"Exato." Ele deu mais uma tragada no cigarro.

"Bem, logo o senhor vai descobrir", disse eu, de modo nada simpático. Ele me lançou um olhar ressentido, mas não disse nada. Fiz um esforço para me conter um pouco e disse: "Seja como for, eu acho que ela não pode voltar ao país para testemunhar contra o senhor sem ser presa por causa das dívidas."

"Ótimo", disse ele. "O que será que Alex pretende fazer agora? Provavelmente usar a lábia dela para entrar em outra universidade e foder com a vida de algum outro coitado, eu acho."

"Talvez ela vire escritora de ficção", eu disse. "Ela tem a

imaginação necessária. Eu não ficaria nem um pouco surpreso se nós aparecêssemos sob um leve disfarce em um romance acadêmico um dia desses."

Eu estava brincando, mas ele pareceu levar o comentário a sério. "Meu Deus, espero que não", exclamou. Se antes eu tinha achado que graças à minha ajuda ele havia escapado fácil do envolvimento com Alex, naquele instante percebi que Butterworth nunca conseguiria se livrar do medo de que um dia ela reaparecesse para lhe causar problemas.

Eu, é claro, estou tão aliviado quanto Butterworth com o sumiço repentino de Alex, e a minha postura crítica em relação à conduta dele não é tão justa quanto ele pensa. Se recusei safadezas propostas por Alex, foi tanto por timidez como por uma questão de princípios, mas ainda assim eu urdi uma teia de ardis em volta do meu relacionamento com ela da qual apenas por sorte eu poderia escapar ileso e com a confiança da minha esposa intacta. Quando Fred chegar em casa hoje à noite, vou poder contar o que aconteceu pela manhã sem me comprometer – e sem comprometer Butterworth, tampouco, já que é totalmente plausível que ela também tenha enviado um falso bilhete de suicida para ele. Fred vai ficar chocada e surpresa ao saber da conduta de Alex, é claro, mas acho que ela já estava começando a ter algumas dúvidas sobre o caráter dela. E ela vai gostar de saber que aproveitei a oportunidade para trazer as cortinas de volta. Sou um homem de sorte.

Quanto a Alex, é difícil saber ao certo se ela é louca, má ou as duas coisas; mas agora que ela se foi eu sinto um pouco de pena e espero que em algum lugar e de algum modo ela encontre a paz de espírito.

20

7 DE MARÇO. Passei uns dias em Londres e dormi pela última vez no colchão macio, estreito e irregular do quartinho dos fundos, lembrando, antes de apagar a luz, de olhar para cima e contemplar o brasão do Charlton Athletic, que sem dúvida será pintado pelo próximo dono. Não posso pôr a casa à venda enquanto eu não for apontado como inventariante, o que deve demorar um pouco, uma vez que Papai não deixou testamento, mas já esvaziei a casa para quando chegar a hora. Fui até lá para pegar algumas lembranças: uns poucos vasos de cerâmica sem nenhum defeito e as melhores pinturas de Papai para que Anne e Richard pudessem escolher com quais queriam ficar. Joguei as roupas velhas no lixo e guardei aquelas em melhor estado para doar ao Exército da Salvação. Liguei para uma empresa das Páginas Amarelas que faz desocupações de casa, e o proprietário, um homem bem-vestido com um bigode avantajado, que parecia tremer como uma varinha de vedor ao pressentir relíquias valiosas, apresentou-se em menos de uma hora. Se o meu jeito de falar o levou a imaginar uma casa repleta de mobília antiga, ele deve ter se decepcionado. O homem passou de um cômodo ao outro estalando a língua e suspirando, e por fim anunciou que a casa não continha nada de valor, exceto pela mesa dobrável de cerejeira na sala de jantar, que valia cerca de 120 libras. Ele se dispôs a pagar esse valor pelo móvel e, por mais 300 libras, a levar tudo o que havia dentro da casa para o lixo. Aceitei a oferta sem nenhuma restrição, e os empregados dele apareceram no dia seguinte com uma van. A casa ficou muito vazia e muito lúgubre depois que eles foram embora, e quando lancei um

último olhar aos cômodos antes de ir embora, com os meus passos fazendo um barulho oco nas tábuas nuas e empoeiradas, senti uma onda de tristeza passar por mim ao perceber a fragilidade do nosso vínculo à vida, a facilidade com que as nossas marcas são apagadas. Tony Harrison disse tudo em poucas linhas:

A ambulância, o rabecão e os leiloeiros
Levam toda a vida da casa embora.
Todo o tesouro de anos inteiros
É levado em pouco mais de uma hora.

Eu não tinha nenhum carinho especial pela casa desde a minha infância, e acho que tampouco Mamãe, que ansiava por morar em um lugar mais moderno e mais confortável, em uma vizinhança melhor, mas sempre cedia à aversão que Papai tinha pelas mudanças e pelos gastos. Mas ele amava a casa, eu acho mesmo que ele a amava, por mais difícil que seja acreditar que alguém possa amar uma casa geminada malconstruída no entreguerras. Chamei um corretor imobiliário e, para minha grande surpresa, ele avaliou a casa em 250 mil libras. Encontrei o dinheiro que Papai escondia debaixo do assoalho em dois lugares, no quarto dele e no armário debaixo da escada: gordos envelopes com cerca de quinhentas libras cada em notas antigas – talvez pagamentos da época de músico que ele não tinha declarado no imposto de renda. Duvido que o dinheiro ainda valha alguma coisa, mas vou levá-lo ao banco, o que sem dúvida vai despertar olhares curiosos por parte do caixa. É doloroso pensar no valor que aquele dinheiro perdeu ficando lá parado ao longo de décadas de inflação – talvez nove décimos do que valia quando Papai o ganhou. O dinheiro do inventário, é claro, vai ser útil, como dinheiro sempre é, e eu pretendo dar uma parte dele a Richard e a Anne, mas o que eu mais lamento é que Papai tenha deixado tanta coisa para trás e aproveitado tão pouco em vida. Não tenho dúvidas de que isso foi resultado de uma infância pobre, passada em um ambiente onde ninguém tinha dinheiro guardado numa época em que o estado não oferecia assistência nenhuma aos desempregados e desvalidos: Papai havia testemunhado as consequências da pobreza e foi condicionado, ao longo de toda a vida, pelo medo que tinha dela.

Eu trouxe as cinzas dele comigo e ontem as levei para o cemitério aqui em Brickley. Combinei de recebê-las do agente funerário em um recipiente de metal sem nenhum tipo de adorno (quando perguntei qual era o tamanho do recipiente, a mulher que me atendeu ao telefone disse, "Imagine uma baleira", e por um instante eu temi que ele pudesse ser transparente). Recebi o recipiente no crematório, e logo depois fui auxiliado por um homem de terno escuro que transferiu o conteúdo do recipiente para o "espalhador", uma espécie de urna prateada com um mecanismo na parte superior que, quando ativado, solta as cinzas pelo fundo. Era quase a época do aniversário da morte de Mamãe, mais um dia frio de março, porém mais calmo e mais ensolarado, e o cemitério parecia bem mais organizado e bem menos deprimente do que eu lembrava. Os feios prédios públicos que davam para o cemitério tinham sido demolidos e substituídos por casinhas, embora os trens elétricos ainda passem estrondeando pelos trilhos do outro lado. O homem me acompanhou até um gramado cercado por árvores e roseiras – "No verão fica lindo aqui, com todas as roseiras em flor", disse ele – e sugeriu que eu espalhasse as cinzas na forma de uma cruz. Percebi os vestígios discretos de mais uma ou duas cruzes no gramado, onde as cinzas já haviam caído na terra entre as folhas da grama, mas ainda estavam visíveis. Com dois movimentos do espalhador, desenhei uma cruz. As cinzas eram muito claras, quase brancas, e a consistência delas mais parecia areia do que cinzas. Fiquei pensando se as cinzas de corpos humanos cremados são assim por natureza ou se eles põem alguma outra coisa nos fornos para produzir grãos limpos, estéreis e esvoaçantes. Será que o monte de cinzas ao lado do crematório de Auschwitz onde encontraram a carta de Hermann para a sua esposa também era assim? Por algum motivo, achei que não. Os acontecimentos dos últimos meses estão ecoando e fazendo referências uns aos outros:

a vela votiva bruxuleando em meio à escuridão dos destroços no crematório de Auschwitz e a vela que deixei na mesa de cabeceira de Maisie quando ela adormeceu para nunca mais acordar; o pijama do hospital e os uniformes listrados da prisão; a visão do corpo emaciado de Papai sobre o colchão do hospital quando ajudei Delphine a lavá-lo e as fotografias granuladas das pilhas de cadáveres nus nos campos de concentração. As coisas que vivi nessas últimas semanas foram um aprendizado. Em alguma parte deste diário eu escrevi que "A surdez é cômica, a cegueira é trágica", e fiz vários trocadilhos com a equivalência fonética quase perfeita entre "má audição" e "maldição", chegando até a citar a "maldição da morte" de Macaulay; mas agora parece mais adequado dizer que a surdez é cômica e a morte é trágica, porque ela é inevitável, definitiva e inescrutável. Como Wittgenstein disse, "A morte não é um evento da vida". Nós jamais a experimentamos – só podemos observar quando ela chega para os outros, sentindo compaixão e medo em intensidades diversas e sabendo que um dia ela também chegará para nós.

A certeira extinção para onde vamos
E onde sempre estaremos. Não estar aqui,
Nem em lugar algum,
E logo; nada é mais terrível, nada é mais certo.

Philip Larkin, o bardo surdo do *timor mortis.*

Não consigo parar de pensar no que eu vi no monitor do cartório – o "MENU DE ÓBITOS" – e de imaginar o que escolheríamos se as opções nos fossem oferecidas como em um cardápio de restaurante pelo Anjo da Morte. Um fim indolor, é claro, mas não tão súbito que não tivéssemos tempo de digerir a informação, de dar adeus à vida, de segurá-la na mão, por assim dizer, antes de soltá-la; mas, por outro lado, nada tão demorado a ponto de ser tedioso ou aterrorizante. Um fim indolor, digno (nada de penicos e cateteres), que viesse enquanto estamos conscientes, com todas as nossas faculdades intactas, então nada de infartos, nada de derrames, nada de acidentes aéreos ou automobilísticos – ah, de que adianta, nada serve, a verdade é que não queremos escolher a morte em nenhum de seus sabores, a não ser que tenhamos tendências suicidas. (Os homens-bomba pedem uma rodada para todo mundo.) Dá para dizer que o próprio nascimento é uma sentença de morte – acho até que algum filósofo barato *já deve* ter dito algo assim –, mas essa é uma visão distorcida e inútil. É melhor se demorar na vida, tentar aproveitar ao máximo o tempo que passa.

8 DE MARÇO. Após um longo intervalo, voltei hoje às aulas de leitura labial. Eu tinha escrito para Beth explicando os motivos da minha ausência, e a turma me recebeu com sorrisos solidários quando reassumi o meu lugar no semicírculo de cadeiras. Existe muita bondade e compaixão entre o pessoal da turma. Começamos com um quebra-cabeça, a foto do rosto de uma moça e três frases: "*Philip joga futebol.*" "*Barbara gosta de assistir futebol.*" "*Sharon detesta futebol.*" Se a garota da foto fosse dizer uma dessas frases, qual seria, e qual era o nome dela? Eu não entendi direito a brincadeira, mas os outros colegas não tiveram a menor dificuldade para encontrar a resposta certa, talvez porque já conhecessem o jogo. A resposta correta era "Sharon", e ela estava prestes a dizer "*Barbara gosta de assistir futebol*" porque os lábios dela estavam posicionados para fazer o som de "b". Depois falamos sobre jardins. Os gnomos de jardim a princípio eram imagens dos espíritos da terra, trazidos da Alemanha à Bretanha em meados de 1840 por um baronete excêntrico, e só foram produzidos em grandes quantidades a partir da década de 20. O cortador de grama foi inventado por Edward Budding, um tecelão de Gloucestershire que teve imaginou o aparelho ao observar as lâminas de cortar tecido que lhe haviam custado o emprego na fábrica de têxteis local. Um certo vigário inglês cortou o jardim dele, de setenta metros quadrados, no formato das Ilhas Britânicas.

Fizemos exercícios com homofemas que podem causar mal-entendidos, como, por exemplo, *cabelo* e *camelo* ou *voto* e *foto*. Muitas risadas. Todo mundo contou suas histórias de mal-entendidos. Uma vez, no caixa do supermercado, Marjorie aceitou curiosa a oferta de uma "cartola mágica", mas na verdade tratava-se apenas de um sacola plástica. Violet ficou estupefata quando uma amiga começou a falar entusiasmada sobre a "dieta do cigarro", que no fim nada mais era além de uma receita de filé com aspargos. Eu contei a minha história da "panela de aguardente". Falamos sobre torres. Parece que a Torre de Pisa começou a ficar inclinada durante a construção do terceiro andar, e assim os andares mais altos foram construídos em diâmetros cada vez menores para compensar. A Torre Eiffel foi construída como uma estrutura temporária para a Exposição Mundial de 1889, em Paris, e recebeu duras críticas na época. O plano era desmontá-la mais tarde, mas as pessoas se apegaram à torre e no fim ela foi salva quando instalaram um transmissor de rádio no topo. Eu sempre aprendo alguma coisa nova na aula de leitura labial.

Agradecimentos

A surdez do narrador e o pai dele tiveram como inspiração a minha própria experiência pessoal, mas os demais personagens deste romance são fictícios – bem como a cidade ao Norte onde a maior parte da ação se passa e sua universidade. A única fonte para o tópico escolhido por Alex para o doutorado, afora a minha própria imaginação, foi um artigo escrito por Charles E. Osgood, "Some Effects of Motivation on Style of Encoding... based on research using samples of suicide and pseudicide notes", em *Style in Language* (1960), de Thomas Sebeok (org.). Li este livro mais de quarenta anos atrás enquanto eu me preparava para escrever o meu primeiro livro de crítica, *Language of Fiction* (1966), no qual ele aparece em uma nota de rodapé. Não citei o artigo de Osgood porque era irrelevante para o meu tema, mas ele deve ter me dado uma ideia passível de desenvolvimento ficcional, porque ela ficou perdida em algum lugar da minha memória – e com este romance sua hora chegou. Depois de escrever mais ou menos a metade do livro, ouvi falar de uma dissertação de doutorado que aplicava a análise linguística a bilhetes de suicida e descobri que outros linguistas estão fazendo pesquisas e publicando artigos sobre o mesmo tema. Para evitar confusões entre a minha ficção e os fatos, evitei todo e qualquer contato com essas pesquisas. A personalidade de Alex e as observações que ela faz sobre os bilhetes de suicidas são totalmente inventadas.

As breve citações de bilhetes de suicidas no capítulo 7, contudo, foram retiradas de uma fonte documental: a antologia *Let Me Finis* (Headline Review, 2006), organizada por Udo Grashoff.

Outras publicações consultadas durante a escritura deste romance foram: J.L. Austin, *How To Do Things With Words* (segunda edição, 1962); John Carey (org.), *The Faber Book of Science* (de onde retirei a passagem de Bruce Frederick Cummings citada no capítulo 19); Jean François Chabrun, *Goya* (1965); Malcolm Coulthard, *Introduction to Discourse Analysis* (1977); Peter French, "Mr Akbar's nearest ear versus the Lombard Reflex", em *Forensic Linguistics* (v. 5, n. 1, 1998); Brian Grant, ed., *The Quiet Ear: Deafness in Literature, an anthology* (1987); Peter Grundy, *Doing Pragmatics* (2000); Neil Mercer, *Words & Minds* (2000); Peter Roach, *English Phonetics and Phonology* (terceira edição, 2000); Thayer's *Life of Beethoven,* editado e revisado por Elliot Forbes, (1964); Michael Stubbs, *Discourse Analysis* (1983) e *Text and Corpus Analysis* (1966); Antonina Vallentin, *This I saw: the Life and Times of Goya* (1951).

Gostaria de agradecer a Charles Owen e a Vijay Raichura pelas informações e pelos conselhos em relação aos aspectos linguísticos e médicos do romance, respectivamente, e a muitas outras pessoas que contribuíram com observações e comentários sobre os meus vários rascunhos: Bernard Bergonzi, Tony Lacey, Julia Lodge, Alison Lurie, Geoff Mulligan, Jonny Pegg, Tom Rosenthal, Mike Shaw, Paul Slovak e, como sempre, minha esposa Mary. Agradeço também à minha netinha Fiona pelo trocadilho com "Marks & Spencer".

D.L.
Setembro de 2007

Impressão e Acabamento

Prol Editora Gráfica